CW00863845

GWOBRAU'R
ESGID AUR

Cyhoeddwyd gan Rily Publications Ltd. 2022,
Blwch Post 257, Caerffili, CF83 9FL
Hawlfraint yr addasiad © Rily Publications Ltd 2022
Addasiad: Gwenno Hughes

www.rily.co.uk

Cyhoeddwyd gyntaf yn y DU yn 2021 dan y teitl *Shoe Wars*
gan Scholastic Children's Books, Euston House, 24 Eversholt Street,
London NW1 1DB, cwmni Scholastic Limited.

Mae SCHOLASTIC a'r logos cysylltiedig yn nodau masnach a/neu'n
nodau masnach cofrestredig gan Scholastic Inc.

Hawlfraint © Liz Pichon Limited, 2020
Mae hawl Liz Pichon i'w chydnabod yn awdur a dylunydd y gwaith hwn wedi ei arddel
ganddi yn unol â Deddf Hawlfraint, Dylunio a Phatentau 1988.
ISBN 978-1-80416-269-9
Mae cofnod catalog CIP o'r llyfr hwn ar gael gan y Llyfrgell Brydeinig.

Cedwir pob hawl.
Gwerthir y llyfr hwn yn unol â'r amodau a ddilyn. Ni chaiff, drwy fasnach neu ddull arall,
ei fenthyg ei logi na'i ddosbarthu mewn unrhyw fodd mewn unrhyw lun ar rwymiad
neu glawr ac eithrio'r hyn a gyhoeddwyd yn wreiddiol. Ni chaniateir i unrhyw ran o'r
cyhoeddiad hwn gael ei atgynhyrchu, ei storio mewn system adferadwy na'i drosglwyddo
mewn unrhyw ffurf na thrwy unrhyw ddull (electronig, mecanyddol, llungopïo,
recordio na fel arall) heb ganiatâd ysgrifenedig ymlaen llaw gan Scholastic Limited.

Mae'r cyhoeddwr yn cydnabod cefnogaeth ariannol Cyngor Llyfrau Cymru.

Gwaith ffuglen yw hwn. Dychymyg yr awdur yw'r holl enwau, llefydd, digwyddiadau a dialog
neu fe'u defnyddir yn ffuglennol. Cyd-ddigwyddiad llwyr yw unrhyw debygrwydd i bobl,
boed byw neu farw, digwyddiadau neu leoliadau.

Argraffwyd yn y DU gan CPI Group (UK) Ltd.

# RHYFEL Y SGIDIAU

Addasiad Gwenno Hughes

## Liz Pichon

(sy'n caru sgidiau, NID rhyfel.)

Mae'r bocs sgidiau
hwn yn perthyn i:

I MARK
(Pen-blwydd
priodas 30
hapus!)
♥ x x x

# PETH HOLLOL WALLGO …

*… ydi gwisgo sgidiau sy ddim yn ffitio.*

**Pwy feddylie?**

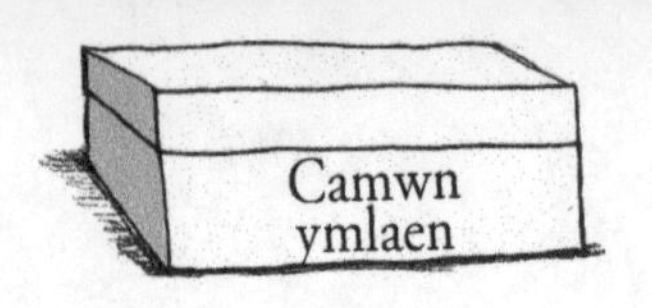


Mae yna hen ddywediad sy'n swnio'n reit debyg i HYN:

*Gallwch ddweud LLAWER am berson o'r math o sgidiau maen nhw'n wisgo ...*

Ydych chi'n meddwl bod hynny'n wir?

Edrychwch ar eich sgidiau chi'ch hun

yr eiliad hon.

Beth maen nhw'n ei ddweud

amdanoch CHI?

Ydych hi'n hoffi **chwaraeon?**

Ella eich bod chi'n hoffi *ymlacio*.

Neu ella eich bod chi jyst yn hwyr i'r ysgol ac wedi **drysu**?

Achos dydi rhai sgidiau DDIM beth

ydych chi'n feddwl ydyn nhw ...

Dyma ddau bâr o sgidiau.

(Mae'r ddau'n ymddangos gryn dipyn yn y stori yma.)

**PÂR A:** mae gan y rhain **LYGAID** MAWR CHWYDDEDIG,

sbeics metal arswydus a cheg fawr LYDAN, yn llawn *dannedd miniog* a synhwyrydd sy'n RHUO os daw unrhyw un yn rhy agos atyn nhw. Gall y sgidiau yma **godi ofn** arnoch. A phetaech chi'n eu gwisgo, byddech chi'n destun siarad, mae *hynny'n* saff.

Sgidiau fflat, neis, twt, yw **PÂR B,** y math o esgid byddech chi'n ei gwisgo i'r ysgol, am fod athrawon yn CARU esgid gall, tydyn?

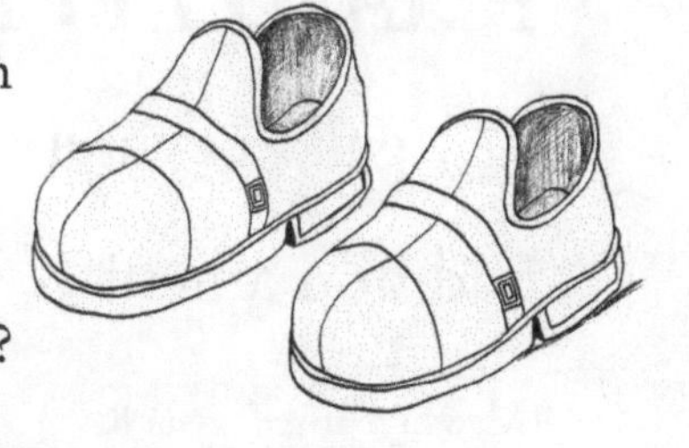

Maen nhw'n sgidiau ymarferol, er eu bod nhw braidd yn ddiflas.

**FELLY,** y **CWESTIWN HOLLBWYSIG** ydi:

Pa bâr fyddech CHI'N ei ddewis pe baech chi yn y sefyllfa YMA?

Dychmygwch eich bod chi'n cerdded i lawr y stryd yn chwibanu **tiwn fach siriol.** (Os na fedrwch chi chwibanu, *CANWCH!*)

YN SYDYN, ry'ch chi'n clywed ci yn cyfarth yn UCHEL. Ry'ch chi'n troelli o gwmpas, ac yn ei weld yn rhedeg tuag atoch chi, a DDIM mewn ffordd gyfeillgar, coswch-fy-mol math o beth. Yr agosaf mae'r ci'n dod, y mwyaf blin mae'n edrych – a dwi'n meddwl **FFYRNIG.** Mae'i ddannedd yn sgleinio â phoer sy'n tasgu allan o'i GEG!

Y peth cyntaf ry'ch chi'n ei feddwl ydi:

**RHAID I FI DDIANC!** Mor gyflym ag y galla i cyn ei bod hi'n amen!

(Mae hi'n amen, gyda llaw.)

Mae'r ci eisoes wrth eich cwt ac yn chwyrnu. Ry'ch chi'n dal eich gwynt ac yn sefyll yn stond, yn gobeithio nad ydi o eisiau'ch brathu chi.

(Mae o eisiau'ch brathu chi.)

Mae llygaid y ci'n culhau ac mae'n dechrau symud yn nes.

Mae'n paratoi i LAMU I FYNY

a suddo'i DDANNEDD i mewn i

ddarn MAWR …

rrrrrrrr JIWSI …

# ... ARHOSWCH!

Gadewch i ni STOPIO popeth yn fan 'na am eiliad.

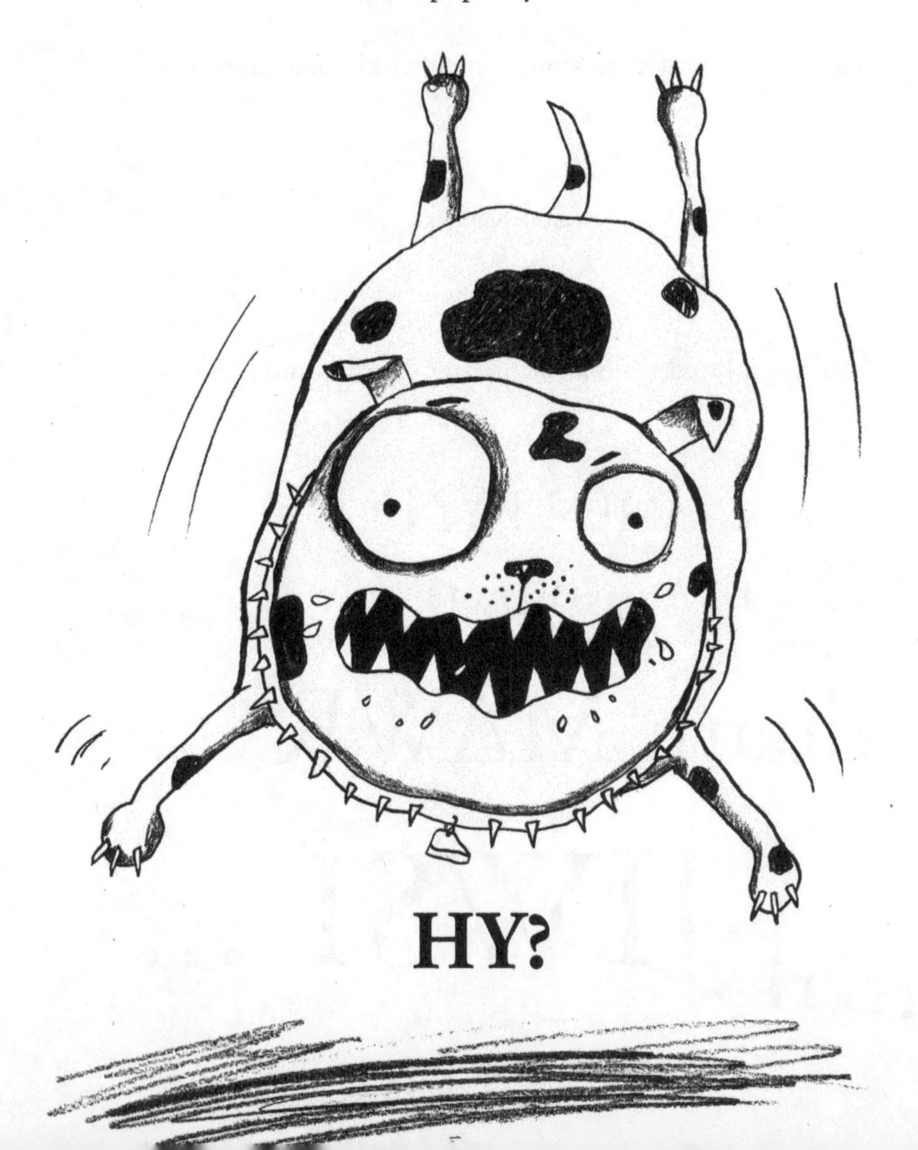

Pe baech chi'n gorfod dewis un pâr o sgidiau i AMDDIFFYN eich traed rhag y CI FFYRNIG, pa sgidiau fyddech CHI'N eu dewis?

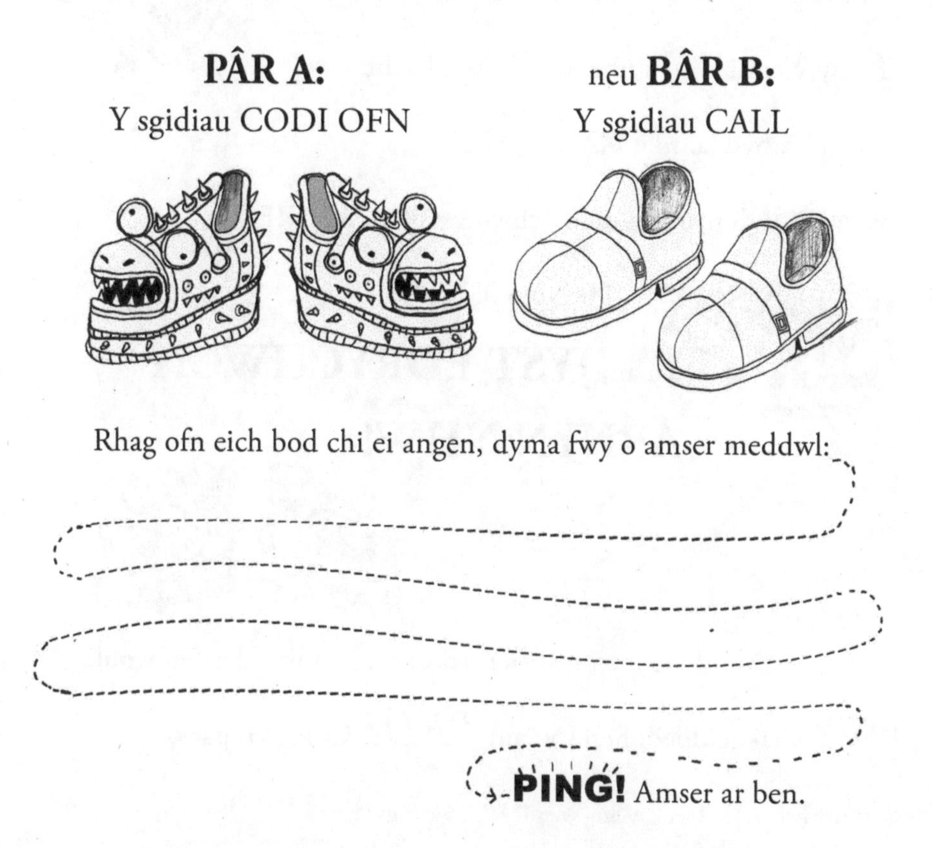

**PÂR A:**
Y sgidiau CODI OFN

neu **BÂR B:**
Y sgidiau CALL

Rhag ofn eich bod chi ei angen, dyma fwy o amser meddwl:

**PING!** Amser ar ben.

Wnaethoch chi ddewis PÂR A, y **sgidiau CODI OFN**, y rhai â sbeics metel, dannedd MINIOG a'r synhwyrydd?

Yna fyddech chi'n HOLLOL …

... anghywir! A dyma pam.

I ddechrau, maen nhw'n perthyn i rywun o'r enw Wendi Wej, a phe baech chi'n bachu'i sgidiau hi, byddai hi'n GANDRYLL!

Byddai Wendi'n anfon un o'i chŵn gwallgo, ANNIFYR, i'w cipio nhw'n ôl.

Yn ail, **JYST EDRYCHWCH ARNYN NHW!**

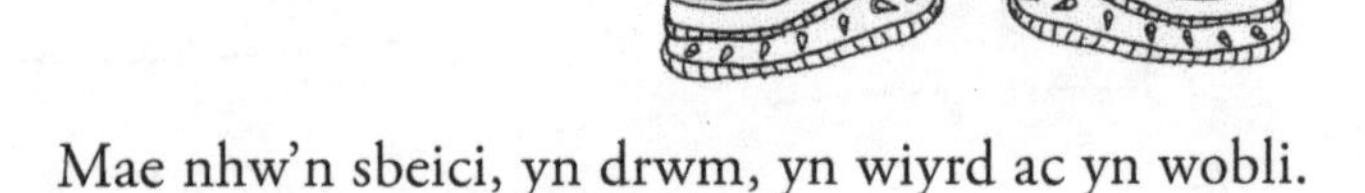

Mae nhw'n sbeici, yn drwm, yn wiyrd ac yn wobli.

PWY allai gerdded, heb sôn am *REDEG* mewn pâr o sgidiau fel 'na? (Heblaw am Wendi Wej, wrth gwrs.)

OND pe baech chi'n dewis **PÂR B?**

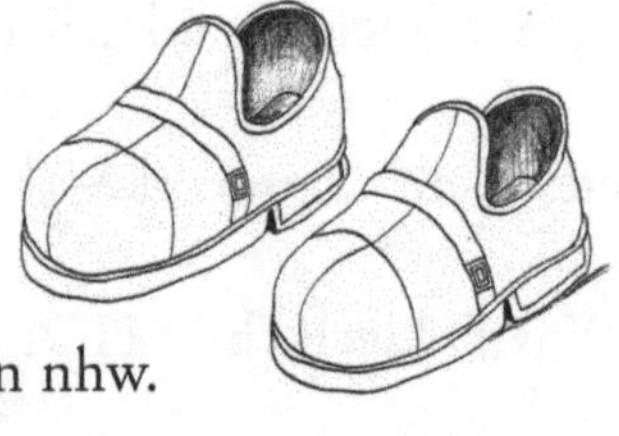

Wel, ella nad ydi'r sgidiau yma'n **edrych** fel dim byd sbeshal, ond maen nhw.

Y cwbl fyddai'n rhaid i chi'i wneud i DDIANC rhag ci Wendi fyddai clicio'ch sodlau at ei gilydd a dweud,

'Sgidiau, I FYNY!'

Yna ***WWWWWWWSSSHHHH!***

Byddech chi'n gwibio i ffwrdd fel ROCED, a'r ci'n methu deall ble fyddech chi ac yn brathu awyr iach, achos mae'r sgidiau yma'n gallu HEDFAN!

(PA mor gyffrous ydi hynna?)

Dychmygwch yr HWYL allech chi'i gael yn gwisgo sgidiau hedfan.

Fyddech chi ddim yn hwyr i'r ysgol byth eto.

Byddai cyrraedd unrhyw beth yn HAWDD!

Edrych dros bennau pobl dal?

Dim problem o gwbl!

Byddai sgidiau hedfan yn **ANHYGOEL.**

Byddai PAWB eisiau pâr (gan gynnwys fi).

**Ond...** (mae yna wastad "ond", does?)

Cyn i chi ddechrau cynhyrfu gormod am y sgidiau, dydi'r person sydd pia nhw ddim am i NEB wybod eu bod nhw'n BODOLI hyd yn oed.

YN ENWEDIG un person yn arbennig:

Wendi  Wej.

(Ie, HONNO unwaith eto.)

Achos petai HI'N dod i wybod am y sgidiau, byddai'n

**DRYCHINEB!**

I ddechrau, byddai Wendi'n DWYN y sgidiau. Yna byddai hi'n RHAFFU CELWYDDAU a dweud mai HI wnaeth eu dyfeisio. Yna, gan ei bod hi'n hen **JADAN** ddrwg, byddai'n eu DEFNYDDIO I YMGEISIO yn y gystadleuaeth FWYAF fawreddog ERIOED:

**GWOBR YR ESGID AUR**.

(Mae Wendi Wej eisiau ennill gymaint, mae'n boenus gwylio.)

Bob PEDAIR blynedd, mae'r trefi gwneud sgidiau **gorau oll** yn cael GWAHODDIAD i gystadlu am wobr y sgidiau eithaf.

Mae'r cystadlu wastad yn FFYRNIG yn y seremoni

FAWREDDOG. Mae'r sgidiau mwyaf dyfeisgar ac

anhygoel yn cael eu cyflwyno i banel y beirniaid.

Gall y sgidiau sy'n ennill drawsnewid BYWYDAU y dyfeiswyr

**AM BYTH.**

Hyd yma, dydi hyn HEB ddigwydd i Wendi Wej. Mae hi'n cystadlu ym mhob un gystadleuaeth. Ond dim ond unwaith mae hi wedi ennill gwobr, am yr **ESGID GOMEDI ORAU** ...

ac roedd hyd yn oed hynny'n gamgymeriad.

Dydi o ddim fel petai Wendi heb drio ennill

**GWOBR YR ESGID AUR**.

Ond dydi ei math hi o WEJYS hen ffasiwn, trwm, jyst heb wneud argraff ar y beirniaid.

Ond gyda phâr o sgidiau HEDFAN, byddai HI'N cipio'r brif **WOBR** ac allai neb chwerthin am ei phen byth eto.

Byddai Wendi'n datblygu i fod hyd yn oed yn FWY pwerus ac AFIACH a PHWY A ŴYR pa fath o bethau ffiaidd fyddai hi'n wneud?

Felly ry'ch chi'n deall pam bod cuddio'r sgidiau hyn yn HYNOD o bwysig. Hyd yma, llwyddwyd i'w cadw nhw'n GYFRINACH. Tan rŵan…

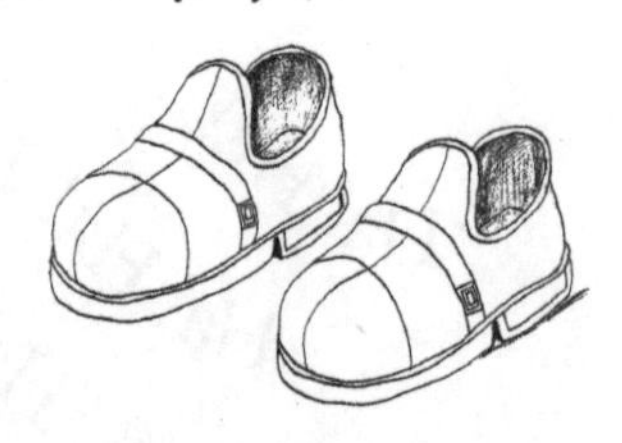

… pan mae POPETH ar fin newid.

(Mae'r ci'n iawn, rhag ofn eich bod chi'n poeni.

Edrychwch ar ei wyneb bach hapus.)

TROED

# Maint 1

Roedd **Tresgidiau**'n enwog am un peth

... melons. (Jôc – am sgidiau, wrth gwrs.)

Roedd Ifor Troed yn byw yno gyda'i ddau blentyn, **Rhian** a **Tal,** ar **Stad Bocsgidiau**, mewn tŷ bach oedd yn debyg i – ia, ry'ch chi wedi dyfalu'n gywir – focs sgidiau.

Un noson, pan oedd y rhan fwyaf o bobl y stad yn cysgu'n sownd, dechreuodd sŵn bach od ddod *ALLAN* o dŷ'r teulu Troed.

Rhyw fath o sŵn

**WWWSSH ... wwwssh wwwsshio oedd o ...**

Deffrodd Rhian.

Roedd hi wedi hen arfer clywed synau, gan fod yr holl dai bocsys sgidiau mor agos at ei gilydd, ond am ryw reswm, teimlai fod hwn yn wahanol. Ond doedd hi ddim yn gwybod pam.

Clustfeiniodd Rhian.

WWWWWwwwwSSSsssh

WWWWwwwwSSH

Dyna'r sŵn eto!

'Tal … TAL!' gwaeddodd Rhian ar ei brawd

ei brawd, oedd yn cysgu ben arall i'r stafell roedden nhw'n ei rhannu. Atebodd o ddim, felly cododd Rhian. Gallai Tal gysgu drwy unrhyw beth ac roedd hynny'n mynd ar nerfau Rhian.

'TAL, glywaist ti hynna?' Ysgydwodd Rhian o.

'Dwi'n cysgu,' meddai dan rwgnach.

'Nag wyt ddim,' meddai Rhian.

'Ydw,' mwmialodd Tal a throi drosodd.

'Tal …' Cariodd Rhian ymlaen i'w YSGWYD.

'Dos yn ôl i dy wely,' dywedodd Tal wrthi.

Yna digwyddodd y SŴN eto.

WWWWWwwwSSSssh
WWWWwwwwwSSH
WWWWWWWWWSSH

'Be ydi hwnna?' gofynnodd Rhian, gan bwyso drosto.

'Bwystfil … fwy na thebyg,' atebodd Tal yn flinedig.

'Doniol iawn, dwi'n mynd i nôl Dad,' meddai Rhian.

'Paid â deffro hwnnw,' ochneidiodd Tal, ond ei anwybyddu wnaeth Rhian.

(Rhywbeth roedd hi'n ei wneud yn aml.)

Agorodd ddrws eu llofft a gweld llygedyn o olau'n dod o'r gegin.

*Da iawn, mae Dad wedi deffro'n barod,* meddyliodd Rhian wrthi'i hun. Ond swniai fel petai rhywun arall yno hefyd.

Pwy oedd yno?

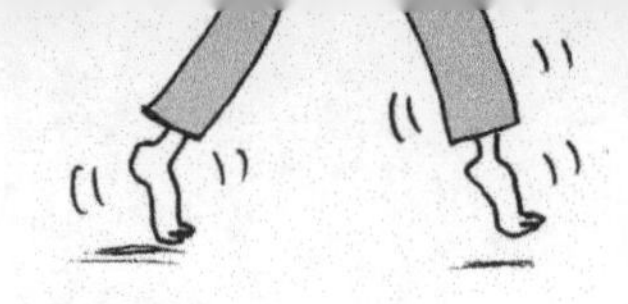

Sleifiodd Rhian i lawr i'r cyntedd, gan gamu dros fannau gwichlyd y llawr. Yna cuddiodd y tu ôl i'r cwpwrdd llyfrau (y guddfan roedd hi wastad yn ei ddefnyddio i glustfeinio ar sgyrsiau oedolion, heb i neb allu ei gweld).

Gwthiodd lyfr coginio trwchus i un ochr i greu bwlch bach neis iddi allu sbecian i mewn i'r gegin. Gallai glywed Dad yn siarad ond allai hi mo'i weld.

'Dyna ddigon o gyffro am un noson.

Rŵan Sgid, tyrd i lawr o fan 'na.'

Gwenodd Rhian. Felly DYNA oedd y sŵn glywodd hi! Sgid, eu cath, oedd yn mynd yn SOWND ar ben y cwpwrdd o hyd. Rhaid bod Dad yn ei hachub hi.

YNA, drwy gornel ei llygad, gwelodd Rhian rywbeth yn hofran i lawr o'r nenfwd. Edrychodd i fyny … a dechrau blincio. Oedd hi'n gweld pethau?

'Whwwwwwwww …'

Roedd Rhian yn gegrwth.

**Roedd**

**DWY DROED**

**yn hofran**

**yn yr awyr.**

**Yna, yn araf,**

**dechreuon nhw**

**ddisgyn i lawr,**

**yn is**

**ac yn**

**is**

**ac yn**

**is.**

# DAD OEDD O!

OND y **SGIDIAU** roedd o'n eu gwisgo dynnodd

sylw Rhian MEWN GWIRIONEDD.

Bob ochr i'r ddwy esgid, roedd aden fach wen bluog oedd yn cyhwfan i fyny ac i lawr a DYNA oedd yn gwneud y SŴN ...

WWWwwwwwwSSsh

WWWwwwwwssh

Wwwwwwwwsshio.

Rhythodd Rhian wrth i Dad ddod i lawr i lanio.

Roedd hi eisiau GWEIDDI,

'DAD! MAE GEN TI SGIDIAU HEDFAN!'

Doedd hi ERIOED wedi gweld sgidiau hedfan o'r blaen.

Doedd neb wedi'u gweld nhw.

Roedden nhw i fod yn ***amhosibl*** i'w gwneud.

Wrth i Dad agosáu at y llawr, yn SYDYN, dechreuodd

*SIMSANU*

*i un ochr*

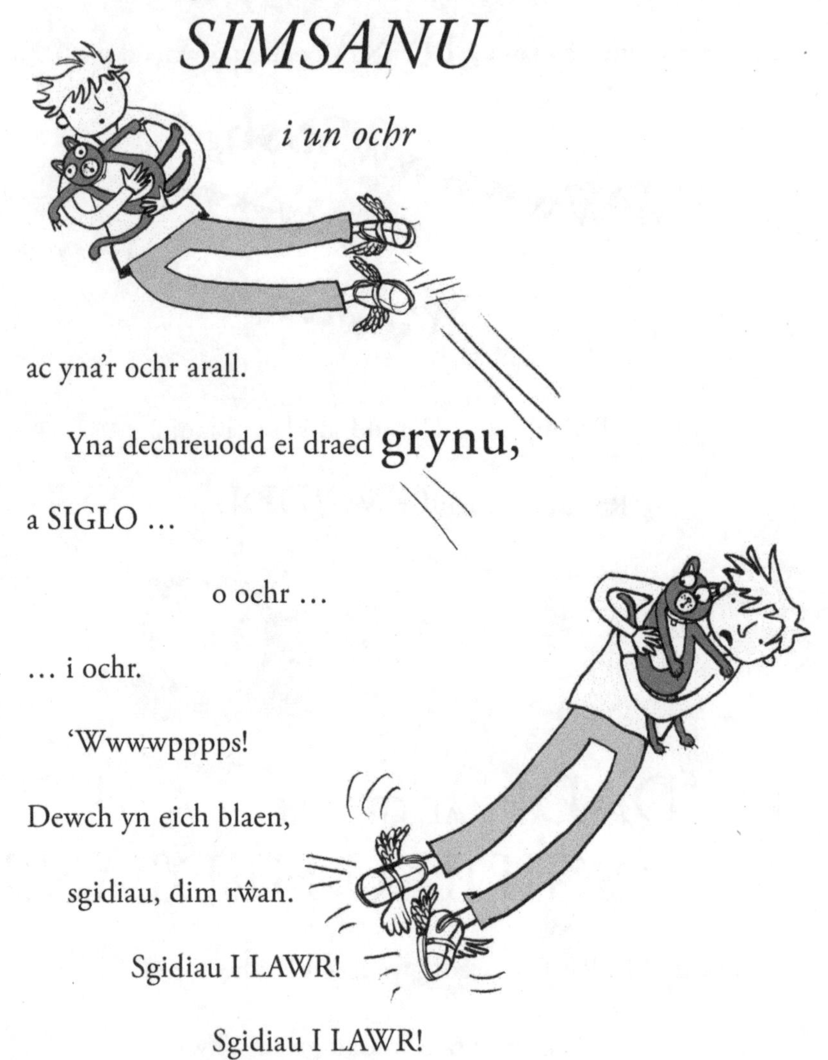

ac yna'r ochr arall.

Yna dechreuodd ei draed **grynu,**

a SIGLO …

o ochr …

… i ochr.

'Wwwwpppps!

Dewch yn eich blaen,

sgidiau, dim rŵan.

Sgidiau I LAWR!

Sgidiau I LAWR!

Gan bwyll bach.'

'Wedi dy achub yn ddiogel,' cyhoeddodd wrth i Sgid lamu o'i freichiau a glanio ar y llawr. Rhwbiodd Rhian ei llygaid. OEDD HYN YN DIGWYDD O DDIFRI? Roedd ganddi filiwn o gwestiynau i'w gofyn i Dad fel:

Ti WNAETH y sgidiau hedfan?

Pa mor uchel allan nhw hedfan?

Alla i gael PÂR?

Pa mor GYFLYM maen nhw'n mynd?

Ac yn BWYSICACH na dim,

PAM WYT TI WEDI BOD YN

CADW'R sgidiau HEDFAN YN GYFRINACH?

Roedd Rhian ar fin dod allan o'i chuddfan i gael atebion pan ddywedodd Dad **rywbeth** a wnaeth iddi sefyll yn STOND.

'COFIA, Sgid, all NEB BYTH ddod i wybod am y

sgidiau hedfan.

DDIM Rhian,

DDIM Tal,

ac YN BWYSICAF OLL,

DDIM WENDI WEJ.'

Rhewodd Rhian.

Wendi Wej oedd bòs afiach ei thad a doedd Rhian ddim yn ei hoffi hi o gwbl (doedd neb, bron).

Fi pia nhw!

SGIDIAU HEDFAN

Roedd Dad yn swnio'n gwbl o ddifri.

'Petai Wendi Wej BYTH yn cael ei chrafangau ar y sgidiau yma, neu'n rhoi ei thraed ynddyn nhw, byddai'n DRYCHINEB.'

Oedodd Dad ac aeth ias drwyddo.

'Byddai hi'n gwylltio'n GANDRYLL. Byddai'n DWYN y sgidiau oddi arna i a mynd â phopeth sy gen i – ETO! Does dim yn saff rhag Wendi Wej, ddim hyd yn oed ti,' dywedodd Dad gan bwyntio at Sgid.

Llyncodd Rhian yn galed.

Roedd yn rhy hwyr – roedd hi eisoes wedi gweld y sgidiau.

*Dwi'n un dda am gadw cyfrinachau. Wna i ddim dweud wrth neb,* meddyliodd Rhian. Er ella y byddai'n rhaid iddi ddweud wrth Tal (petai o'n ymddwyn yn neis tuag ati).

Arhosodd fel delw a thrio clustfeinio mwy.

'Wsti be? Â mymryn mwy o waith, dwi'n meddwl y GALLEN

NI ENNILL **GWOBR YR ESGID AUR**

gyda'r rhain. Dychmyga wyneb Wendi,' meddai Dad, gan gymryd anadl ddofn.

'BREUDDWYD Sali oedd ennill y wobr â sgidiau hedfan. Hi wnaeth eu dyfeisio nhw pan o'n ni'n berchen ar y siop ac yn gweithio ar y cynlluniau am flynyddoedd nes eu bod nhw bron yn berffaith.'

Ysgydwodd ei ben.

'Byddai pethau wedi bod mor wahanol oni bai am yr hen neidr 'na.

Fyswn i ddim yn gweithio i Wendi Wej, mae HYNNY'N siŵr.'

***Mewiodd*** Sgid fel petai hi'n ateb Dad. Cadwodd Rhian yn dawel. Roedd ganddi hithau hiraeth am ei mam hefyd.

Roedd Rhian a Tal yn ifanc iawn pan fu farw ei mam wedi **brathiad gan *neidr wenwynig.*** Wyddai neb o ble daeth y neidr, nag i ble'r aeth hi chwaith. Roedd yn ddirgelwch llwyr. Bu marwolaeth Sali ar y newyddion, gan nad oedd neb wedi gweld nadroedd yn **NHRESGIDIAU** cyn hynny.

*Sali Sandal (mam Rhian a Tal) pan roedd hi'n gwneud sgidiau.*

Arferai rhieni Rhian redeg siop sgidiau gyda'i gilydd a gwerthu dyfeisiadau anhygoel Sali. Roedden nhw i gyd yn byw uwch ben y siop. Ond wedi i Sali farw, roedd Dad yn drist a rhoddodd y gorau i wneud sgidiau a rhedeg y siop. Ceisiodd ei ffridiau triw, Beti Bŵt a Berwyn Brôg, eu gorau i helpu, ond doedd DIM allai stopio Wendi Wej rhag *PLYMIO* i lawr fel FULTUR a gwneud cynnig oedd yn anodd iawn i Dad ei wrthod.

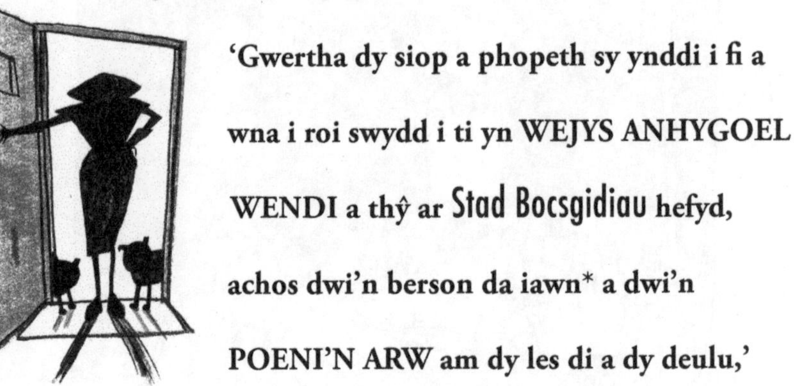


**'Gwertha dy siop a phopeth sy ynddi i fi a wna i roi swydd i ti yn WEJYS ANHYGOEL WENDI a thŷ ar Stad Bocsgidiau hefyd, achos dwi'n berson da iawn* a dwi'n POENI'N ARW am dy les di a dy deulu,'** meddai hi wrtho. **'Meddylia am dy BLANT, Ifor. Arwydda fan hyn a bydd dy HOLL broblemau di'n DIFLANNU.'**

**Dweud celwydd oedd Wendi.**

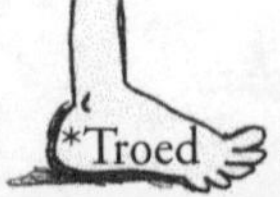
*Troed nodyn: Dydi Wendi ddim yn berson da.

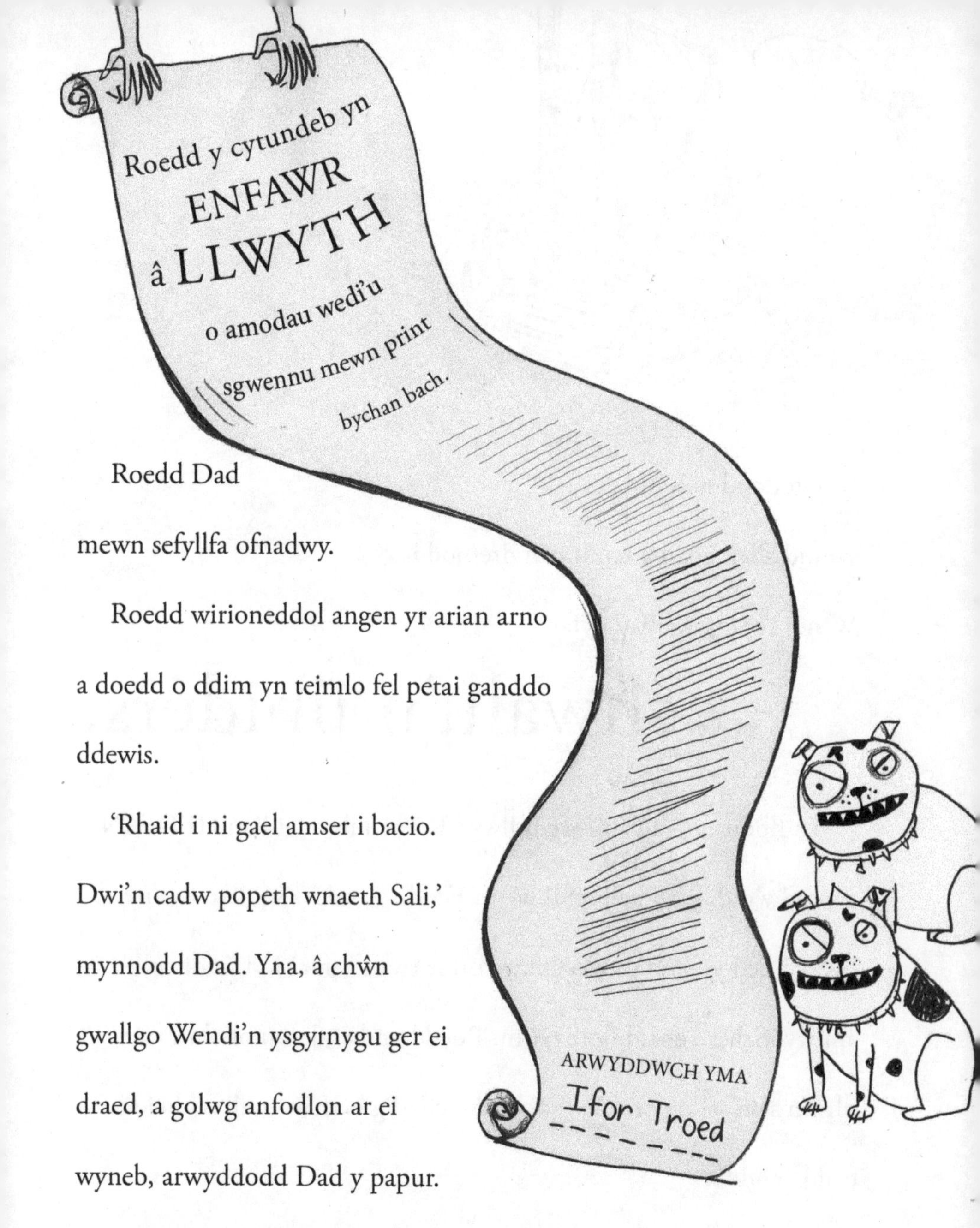

Roedd y cytundeb yn
ENFAWR
â LLWYTH
o amodau wedi'u
sgwennu mewn print
bychan bach.
ARWYDDWCH YMA
Ifor Troed


Roedd Dad

mewn sefyllfa ofnadwy.

Roedd wirioneddol angen yr arian arno a doedd o ddim yn teimlo fel petai ganddo ddewis.

'Rhaid i ni gael amser i bacio. Dwi'n cadw popeth wnaeth Sali,' mynnodd Dad. Yna, â chŵn gwallgo Wendi'n ysgyrnygu ger ei draed, a golwg anfodlon ar ei wyneb, arwyddodd Dad y papur.

Dim ond newydd

symud allan oedd y teulu pan drefnodd

Wendi i'r siop sgidiau gyfan

... gael ei **chwalu'n jibidêrs.**

Yn ffodus, roedd Ifor wedi llwyddo i achub y sgidiau HEDFAN a'u cadw'n ddigon pell oddi wrth Wendi. Roedd y sgidiau hynny hyd yn oed yn FWY gwerthfawr i Ifor rŵan gan ei fod wedi colli'i annwyl Sali, ei enaid hoff cytûn. Roedd yn benderfynol o'u cadw nhw'n saff, yn ogystal â'r llyfrau a'r ychydig bethau eraill o'i heiddo oedd ganddo.

SGIDT
ASTIG
AR GAU
CADWCH
DRAW

Rŵan, edrychodd Ifor ar y cloc. Roedd hi wedi 2.30 y bore.

Dechreuodd roi'r sgidiau i gadw yn eu bocsys pren.

'Tyrd Sgid, mae angen gorffwys

arnon ni'n dau,' dywedodd.

'Dyna ddigon o gyffro am un noson. Gad i ni fynd i weld sut mae'r plant, i wneud yn siŵr eu bod nhw'n dal i gysgu.'

Llyncodd Rhian.

'O na …'

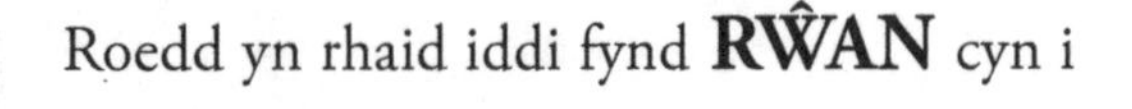

Roedd yn rhaid iddi fynd **RŴAN** cyn i

Dad ei gweld, ac roedd amser yn brin.

Sleifiodd Rhian o'r tu ôl i'r cwpwrdd llyfrau a cherdded i lawr y cyntedd yn fân ac yn fuan, gan osgoi'r mannau gwichlyd yn y llawr, a mynd 'nôl i'w stafell, lle'r oedd Tal yn dal i gysgu'n sownd gan chwyrnu'n dawel.

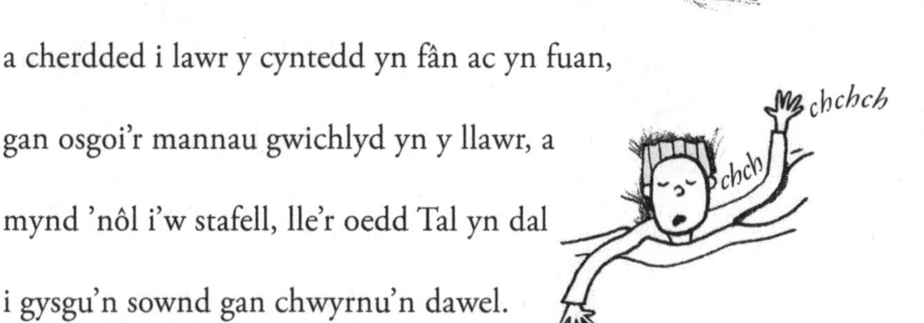


Neidiodd Rhian o dan y dillad gwely a'u tynnu dros ei phen.

Daeth Sgid ar ei hôl a phenderfynu y byddai'n syniad da i NEIDIO ar wely Rhian a dechrau gwthio'i phawennau i FYNY ac i LAWR fel petai hi'n tylino toes.

'Cer o 'ma, Sgid!' meddai Rhian drwy'i dannedd, ond gwrthododd Sgid symud.

Cogiodd Rhian ei

bod hi'n cysgu pan

ddaeth Dad i mewn. Aeth

i edrych a oedd Tal yn

iawn, cyn cerdded draw at

Rhian a chydio'n dyner yn Sgid.

Arhosodd Rhian yn gwbl llonydd.

'Nos da, Rhian a Tal. Cysgwch yn dawel,' sibrydodd Dad cyn cario Sgid allan a chau'r drws ar ei ôl.

Arhosodd Rhian am eiliad neu ddwy cyn anadlu ALLAN ac agor ei LLYGAID LED y pen. SUT gallai hi fynd i gysgu RŴAN?

Y cwbl allai hi feddwl amdano oedd … **sgidiau HEDFAN.**

Sgidiau hedfan ag adenydd pluog gwyn!

Sgidiau hedfan oedd yn hedfan i fyny ac i lawr.

Roedd gan Dad sgidiau hedfan!

Ddylai hi ddweud wrth Tal? Neu fyddai o'n PREPIAN?

Cyfrinach oedd hon wedi'r cyfan.

Roedd ei meddwl yn FWRLWM, ond roedd hi mor hwyr nes i'w llygaid ddechrau mynd i deimlo'n drwm … drwm … drwm.

Nes …

sgidiau … hedfan …

sgidiau … sgidiau hedfan …

siocled … sioc … led …

Siocled
Siocled
yn hedfan.

Mmmmmmmmm.

Chchchchchchchchc

Chchchchch

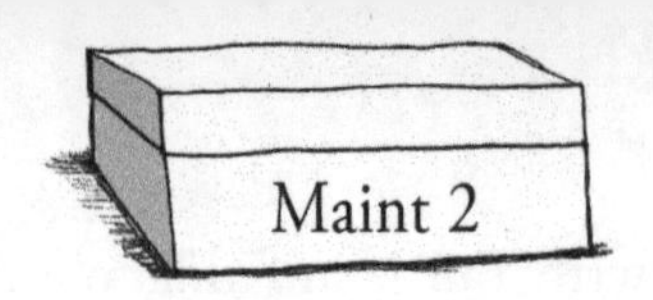

# Maint 2

'Deffra, deffra!'

Pwysodd Tal dros Rhian a'i hysgwyd yn ysgafn.

Roedd o eisoes wedi gwisgo ac yn barod i fynd i'r ysgol.

'Dwi wedi deffro,' meddai hi wrtho, gan riddfan.

'Mae cael dy ddeffro gan rywun yn niwsans, dydi?'

crechwenodd Tal.

Cododd Rhian ar ei heistedd fel mellten wrth iddi gofio am –

y sgidiau HEDFAN!

'Ti'n edrych fel sombi. Dyna be sy'n digwydd pan ti'n codi yn y nos,' meddai Tal gan roi *PWNIAD* iddi, oedd yn BOEN.

Heb feddwl, dywedodd Rhian, 'WEL, dy golled DI oedd PEIDIO codi achos welais i …'

'Be?' gofynnodd Tal.

'Ymm, dim byd,' meddai Rhian.

Tynnodd Tal stumiau.

'Welaist ti … **FWYSTFIL!'**

rhuodd, gan geisio gwneud iddi neidio.

'Doniol,' meddai Rhian, gan rhythu arno HEB chwerthin.

'IAWN. Ofynna i i Dad.'

'Na, paid!' gwaeddodd Rhian.

Edrychodd Tal arni'n ofalus.

'Be wyt ti'n ei guddio, Rhian?'

'Dim. Dwi jyst eisiau gwneud fy hun yn barod i fynd i'r ysgol

ac os na wnei di stopio TYNNU ARNA I,

wna i ganu dy HOFF gân.'

'PAID Â CHANU!'

Rhoddodd Tal ei ddwylo dros ei glustiau.

Canu oedd arf cudd Rhian pan oedd hi eisiau tynnu ar Tal. 'Rhy hwyr!' gwaeddodd a dechrau BLOEDDIO canu.

'Dau gi bach yn mynd i'r coed,

esgid newydd am bob TROED!'

Rhoddodd Tal ei ddwylo dros ei glustiau.

'Fydd y GÂN wirion 'na'n mynd ROWND a ROWND 'y mhen i drwy'r dydd rŵan,' meddai gan fartsio allan o'r stafell.

Stopiodd Rhian ganu ac ochneidio. Roedd hi'n gwybod na fyddai Tal byth yn rhoi'r gorau i holi am hyn. Doedd o byth yn anghofio dim. Roedd ganddo gof anhygoel a gallai gofio pob math o ffeithiau wiyrd am bethau od a chreaduriaid rhyfedd.

Tynnodd yr handlen i agor ei chwpwrdd dillad a saethodd ei rêl ddillad allan. Er ei fod yn flêr, gwyddai Rhian yn union ble'r oedd popeth.

Roedd eu tŷ nhw'n llawn dop o wahanol declynnau-arbed-lle anarferol a darnau cwyrci o ddodrefn: cadeiriau oedd yn troi i fod yn fyrddau, byrddau y gellid eu tynnu allan o'r waliau a silffoedd oedd yn troelli o gwmpas i wneud lluniau.

Dros y blynyddoedd, roedd Dad wedi troi gwrthrychau cyffredin yn ANGHYFFREDIN a doedd dim fel roedd yn ymddangos. Tŷ bychan oedd ganddyn nhw, ond roedd y steil, a'r **dychymyg** a'r lliw oedd ym mhobman yn gwneud iawn am y diffyg lle.

Gwisgodd Rhian amdani a thynnu'r handlen eto.

Hwyliodd ei rêl dillad 'nôl i mewn i'r bocs gyda sŵn

shwiiishooo boddhaol.

Cydiodd yn ei bag ysgol gan esgus sglefrio i'r gegin yn ei sanau.

Roedd Tal a Dad yn cael brecwast wrth y bwrdd. Roedd top y bwrdd wedi'i orchuddio â theils roedd Mam wedi'u peintio â llaw ac roedd pob teilsen yn dangos esgid wahanol o'u hen siop – y math o sgidiau oedd yn anodd eu ffeindio yn **NHRESGIDIAU** bellach.

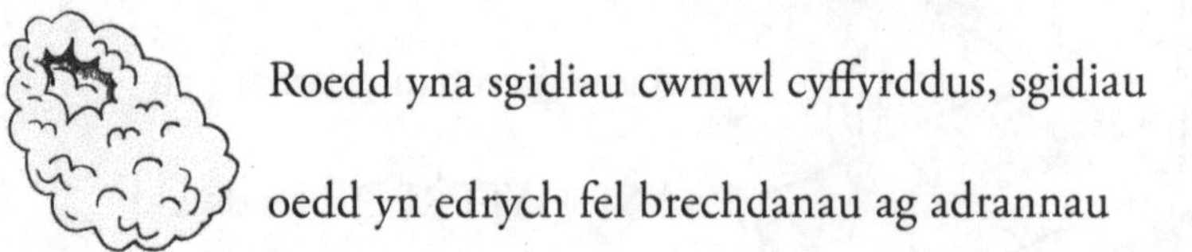

Roedd yna sgidiau cwmwl cyffyrddus, sgidiau oedd yn edrych fel brechdanau ag adrannau cudd i gadw snacs ynddyn nhw, sgidiau siwpyr-GWIBLYD, ag

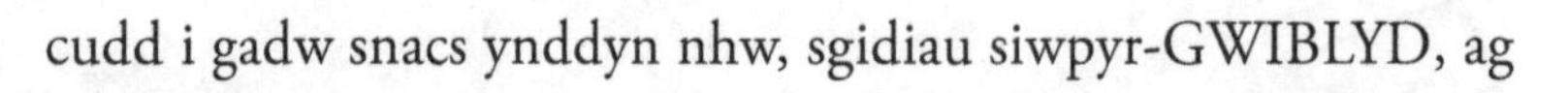

olwynion a goleuadau, sgidiau defnyddiol â drôrs i gadw pethau yn y sodlau,

a sgidiau pensil â phapur sgwennu handi ynghlwm wrthyn nhw.

Roedd yna hyd yn oed sgidiau siâp pysgod.

Ond dim wejys.

Sylwodd Rhian fod Dad yn edrych yn fwy blinedig nag arfer.

(Roedd hi'n gwybod pam.)

'Bore da, Rhian. Gysgaist ti'n IAWN?' gofynnodd iddi.

Torrodd Tal ar ei thraws, cyn iddi allu ateb. 'Naddo. Ddeffrodd Rhian fi a wedyn roedd hi eisiau dy ddeffro DI hefyd, Dad.'

'Celwydd!' protestiodd Rhian.

'Oeddet ti ar ddihun neithiwr?' gofynnodd Dad iddi.

'Ro'n i'n meddwl 'mod i wedi clywed sŵn, ond chwyrnu Tal oedd o.' Cododd Rhian ei hysgwyddau a'u gostwng, fel petai'n ddim byd.

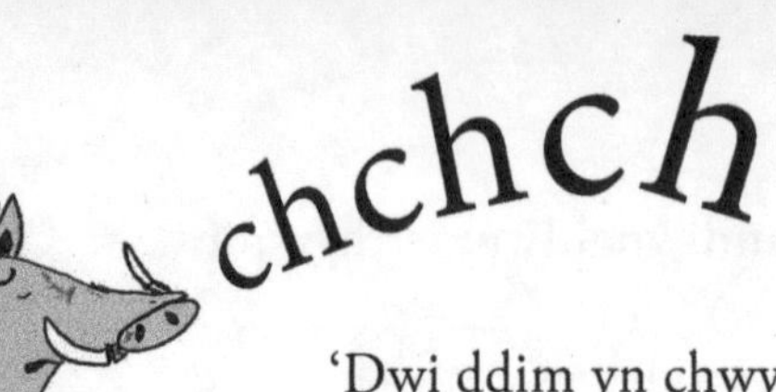


'Dwi ddim yn chwyrnu …' meddai Tal wrthi.

'WYT – fel TWRCH.'

Rhochiodd Rhian i ddynwared y sŵn.

'Ha! Mae hynna'n swnio mwy fel FI!' chwarddodd Dad cyn clirio'i lwnc. 'Hei, gwrandewch eich dau. Mae gen i syrpréis i chi. OND rhaid i chi **ADDO** peidio â dweud gair wrth neb. Mae'n gyfrinach.'

Eisteddodd Rhian i fyny a thalu sylw. Oedd Dad yn mynd i ddweud wrthyn nhw am y sgidiau hedfan?

'Be sy, Dad?' holodd Tal.

'Wel, mae'n ymwneud â'r sgidiau ysgol NEWYDD sy'n rhaid i chi i gyd eu gwisgo rŵan.'

Griddfanodd Rhian a Tal.

'Mae Wendi'n eu galw nhw'n WAWs – sef Wejys Anhygoel Wendi.'

'Iych, maen nhw'n debycach i WEJYS AFIACH WENDI. Pam na chawn ni ddefnyddio sgidiau DEFNYDDIOL i'r ysgol, fel RHAIN?' Pwyntiodd Tal at y sgidiau GWIBLYD â goleuadau ac olwynion ar deils y bwrdd.

'Neu sgidiau cwmwl. Byddai rheini'n FFLWFFLYD a MOR gyffyrddus!' cytunodd Rhian.

'Dwi'n gwybod nad ydi'r WAWs yna'n ofnadwy o gyffyrddus ... '

'Cytuno'n llwyr!' torrodd Tal ar ei thraws, gan rwgnach. 'Dylai WAWs sefyll am WEJYS ANHYGOEL-O-WOBLI WENDI – y sgidiau gwaethaf erioed. Ac mae'n anodd rhedeg o gwmpas ynddyn nhw hefyd,' ychwanegodd.

'Sori, bois, dyna reolau'r ysgol,' aeth Dad yn ei flaen. 'Ond ro'n i'n gwybod na fyddech chi'n hapus yn eu gwisgo nhw, felly dwi wedi gwneud un neu ddau o NEWIDIADAU, nad o'n i i fod i wneud.'

Stopiodd Rhian a Tal fwyta ac edrych ar ei gilydd yn llawn cynnwrf.

'Arhoswch yma, fydda i nôl mewn chwinciad chwannen,' meddai Dad.

Yr eiliad y gadawodd, trodd Rhian at Tal a sibrwd, 'Dwi'n gwybod beth mae Dad wedi'i wneud i'n sgidiau ysgol ni.'

'Be?' gofynnodd.

'Neithiwr, pan wnes i ddeffro, welais i rywbeth RHYFEDDOL.'

'Do?'

'DO! Roedd Dad yn y gegin a wnei di BYTH ddyfalu beth oedd o'n wisgo ...' Oedodd, er mwyn gwneud i'w brawd aros ychydig yn hirach.

'Dweud wrtha i!' mynnodd Tal.

'DYFALA!'

'Rhian!' ochneidiodd Tal.

'Sgidiau hedfan! Am FFANTASTIG?!"

Syllodd Tal arni'n amheus. 'Wyt ti'n siŵr?' gofynnodd.

'YDW! MAE'N WIR! Roedd Dad yn hedfan o gwmpas y gegin i FYNY yn yr AWYR.'

Clapiodd Rhian ei dwylo gan wneud i Sgid neidio.

'Rhian – mae pawb yn gwybod nad oes sgidiau hedfan yn bodoli MEWN GWIRIONEDD. Mae hyd yn oed Dad wedi dweud hynny. Mae'n FFAITH. Mae LLWYTH o bobl wedi trio'u dyfeisio dros y blynyddoedd, ond mae pawb wedi methu,' meddai Tal wrthi. 'Y dre ddwytha i ymgeisio yng **NGWOBR YR ESGID AUR** oedd Caerclosiau. Wnaeth eu tîm hedfan cydamserol ddim hyd yn oed godi oddi ar y llawr.'

*Ddim yn hedfan*

Cododd Rhian eu hysgwyddau a'u gostwng.

'Wel, lwyddodd Mam i'w creu nhw ac mae Dad wedi bod yn eu cadw nhw'n gyfrinach rhag Wendi Wej yr holl amser 'ma.'

'Bosib bod hynny'n gwneud synnwyr. MAE hi yn wirioneddol GAS.' Nodiodd Tal yn feddylgar.

'FELLY, pan ddaw Dad 'nôl, RHAID i ni ymddwyn fel ein bod ni wedi cael syrpréis, fel bod DIM syniad gyda ni ei fod o wedi troi'n hen sgidiau ysgol diflas ni'n sgidiau hedfan, DEALL?'

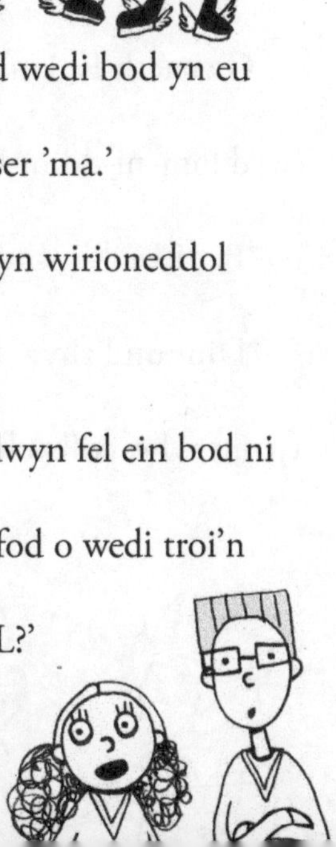

Nodiodd Tal. 'IAWN – fel hyn?'

Tynnodd wyneb SYFRDAN.

'Ddim yn ddrwg,' meddai Rhian.

'Bach dros ben llestri, ella.'

'Beth am hyn?' Tynnodd Tal wyneb arall.

'Gwell,' gwenodd Rhian, wrth i Dad ddod 'nôl yn cario'u sgidiau ysgol newydd, GWELL. Roedden nhw'n edrych yn union fel yr hen rai.

Gwnaeth Rhian a Tal eu hwynebau 'wyddom-ni-ddim-byd' mwyaf diniwed.

'Be ti wedi'i wneud, Dad?' gofynnodd Tal.

'Dim ond rhyw fân NEWIDIADAU. Dy'ch chi ddim eisiau tynnu sylw, cofiwch!' meddai Dad.

'Dwi'n dda am gadw cyfrinachau!' gwenodd Rhian.

Edrychodd Tal yn amheus arni.

'BE? Dwi yn!' mwmialodd Rhian.

'Rŵan dyma be sy angen i chi'i wneud,' meddai Dad.

Trodd Rhian at Tal a gwneud siâp ceg 'HEDFAN.'

'Mae 'na bad cudd y tu fewn i bob esgid ac os GWASGWCH eich bodiau at ei gilydd yn dynn …' dechreuodd Dad egluro.

'Ia?' meddai'r ddau fel côr cyffrous.

'Ar yr union un adeg …'

'Ia?' meddai'r ddau eto.

'Byddwch chi'n gallu … '

( … *HEDFAN!* Dyna roedd Rhian yn ei feddwl.)

'… tanio'r wadn fewnol HYNOD-SGWISHI wnaiff fowldio'ch traed a gwneud eich sgidiau chi MOR gyfforddus. Bydd ei fflwffdod arbennig yn gwneud i chi deimlo fel petaech chi'n cerdded ar AER,' eglurodd Dad wrth y ddau.

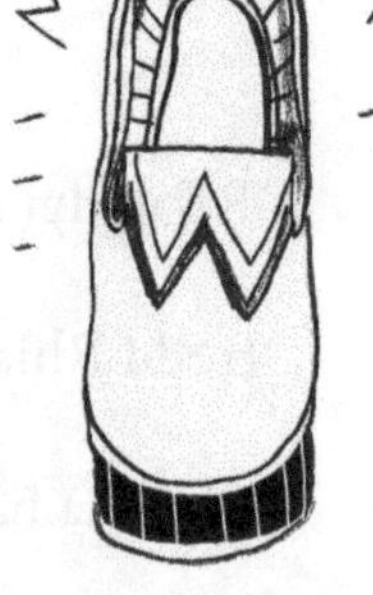

'O.' Allai Rhian ddim cuddio'i siom.

'Ymm. Ydyn nhw'n gallu gwneud unrhyw beth arall, Dad?' gofynnodd yn obeithiol.

'Jyst un neu ddau beth bach arall. Mae'r DARN yma'n dda ofnadwy, hyd yn oed os mai fi sy'n dweud hynny. Mae angen i chi bwyso'n ôl ar eich sodlau. Yr un dde i ddechrau. Yna'r chwith. Mae hynny'n tanio'r pad GWRESOGI ar gyfer dyddiau oer y gaeaf,' meddai Dad wrthyn nhw, gan obeithio y bydden nhw'n falch.

'Ymm,' meddai Rhian eto. 'Unrhyw beth arall?'

'O, OES! Bron i fi anghofio. Gallwch chi hefyd …'

(HEDFAN! HEDFAN! HEDFAN!)

'... FOWNSIO ... yn hynod o uchel. Dwi wedi rhoi sbrings arbennig y tu mewn er mwyn gwneud i'ch camau chi fod yn hynod fownsi. Jyst y peth ar gyfer rhedeg. Ond peidiwch â'i gor-wneud hi ...' meddai Dad wrthyn nhw.

Syllodd Rhian a Tal ar ei gilydd ac yna ar y sgidiau.

'Dyna'r cwbl?' holodd Rhian.

'Dy'ch chi ddim yn hoffi'r newidiadau?'

Edrychodd Dad arnyn nhw'n ddryslyd.

'Wrth gwrs!' meddai Tal. 'Fi wnaeth fynd yn hynod gyffrous achos bod Rhian wedi dweud wrtha i dy fod ti wedi ychwanegu ...'

'OLWYNION!' gwaeddodd Rhian,

gan dorri ar draws Tal.

‘NA, dim OLWYNION. Ddywedaist ti –’

‘GOLEUADAU! RO’N I WIRIONEDDOL EISIAU sgidiau SY’N GOLEUO!’ RHYTHODD ar Tal er mwyn gwneud iddo STOPIO siarad.

‘Dwi’n siŵr y galla i ychwanegu rheini nes ’mlaen,’ meddai Dad, fymryn yn ddryslyd oherwydd eu DIFFYG brwdfrydedd.

‘Diolch, Dad, maen nhw’n grêt,’ meddai Rhian wrtho.

‘Reit,’ meddai Dad, gan godi ar ei draed. ‘Ewch i frwsio’ch dannedd. Af i i nôl fy offer gwaith.’

Yr eiliad roedd o allan o’u clyw, trodd Tal at Rhian. ‘BETH oedd hynna? PAM oeddet ti’n torri ar fy nhraws o hyd?’

‘Am dy fod ti’n anghywir. Wnaeth Dad ddim gwneud sgidiau hedfan i NI.’

‘Yn amlwg,’ meddai Tal gan ochneidio.

'PLIS paid â dweud wrtho 'mod i wedi'i weld o'n hedfan? Ddim eto,' plediodd Rhian.

'A wnest ti? Wir yr?' gofynnodd Tal.

'DO!' brathodd Rhian. 'Os nag wyt

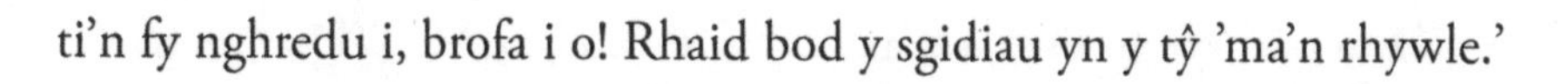

ti'n fy nghredu i, brofa i o! Rhaid bod y sgidiau yn y tŷ 'ma'n rhywle.'

'Pam na allwn ni jyst gofyn i Dad amdanyn nhw?' awgrymodd Tal.

'Achos GLYWAIS i o'n dweud 'All Rhian a Tal BYTH ffeindio allan am y sgidiau hedfan. Felly plis paid â dweud dim byd, OCÊ?'

'Iawn, wna i ddim.' Gostyngodd Tal ei lais. 'A beth bynnag, ella 'mod i hyd yn oed yn gwybod ble mae Dad yn eu cadw nhw. Mae ganddo weithdy cudd.'

'Ble? Dwed wrtha i! Alla i gadw cyfrinach!' plediodd Rhian eto.

'Na, fedri di ddim.'

'Dwi'n addo …' meddai Rhian, gan gynnig ei bys bach i Tal fel y gallen nhw dyngu llw.

'OCÊ. Wna i ddangos i ti ar ôl ysgol,' cytunodd.

Plethodd y ddau eu bys bach mewn addewid, jyst wrth i Dad ddod 'nôl a'u gweld.

'Beth y'ch chi'ch dau'n ei wneud?'

'Dim ond tyngu llw na wnawn ni ddweud DIM BYD am ein sgidiau newydd,' meddai Rhian yn gyflym.

'Syniad da. Wedi'r cwbl, dy'n ni ddim eisiau unrhyw drwbwl* yn yr ysgol, ydyn ni?' meddai Dad yn siriol.

'Fydden ni ddim yn achosi unrhyw drwbwl siŵr, Dad,' meddai Tal, gan edrych yn SYTH I MEWN i'w lygaid.

'Fyddai hynny BYTH yn digwydd, Dad,' ychwanegodd Rhian yn frwdfrydig.

*Troed nodyn: Roedd trwbwl ar droed.

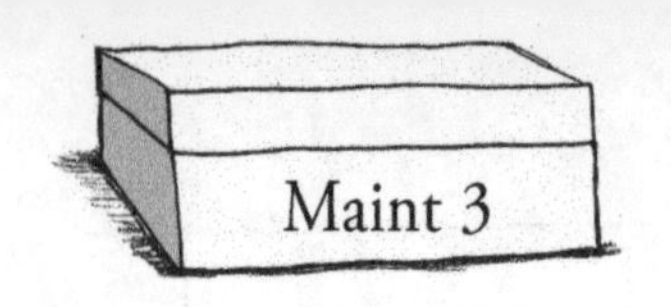

# Maint 3

Gadawodd Dad, Rhian a Tal y tŷ gyda'i gilydd.

Darganfu Rhian a Tal fod eu sgidiau ysgol yn llawer mwy o hwyl na'r disgwyl. Ella nad oedden nhw'n medru hedfan, ond NEFI, roedden nhw'n medru bownsio.

'Dad, mae'r sgidiau 'ma MOR DDA!"

'Gan bwyll, chi'ch dau, dy'n ni ddim eisiau iddyn nhw dynnu gormod o sylw,' meddai Dad, gan geisio'u cael i arafu. Gallai weld bod Mrs Daps dros-y-ffordd yn dod tuag atyn nhw. Dim ond newydd symud i'r stad oedd hi, felly doedd neb yn gwybod fawr amdani. Ond bob tro byddai rhywun yn gadael y tŷ byddai Mrs Daps yn YMDDANGOS mewn chwinciad – fel petai wedi bod yn aros amdanyn nhw.

Gwisgai Mrs Daps sbectol ag adenydd **coch** llachar, oedd yn matsho'i lipstic **coch** llachar, ac roedd ei gwallt tywyll wedi'i glymu mewn BYNSEN ar dop ei phen.

Defnyddiai ffon i'w helpu i gerdded ac ar gyfer pethau eraill hefyd, fel agor gatiau, shŵio adar a chnocio ar ddrysau pobl. Yr eiliad hon, safai Mrs Daps yn syth o'u blaenau, yn tapio'i daps twt ar y llawr.

Doedd hi ddim yn edrych yn hapus.

'Bore da, Mrs Daps. Sut y'ch chi'n setlo?' holodd Ifor yn boléit.

'Mr Troed, roedd 'na SYNAU od yn dod o'ch tŷ chi neithiwr. Roedd hi'n hwyr iawn, iawn,' meddai Mrs Daps gan wgu.

'Ydych chi'n SIŴR mai ein tŷ ni oedd o? Ro'n ni i gyd yn chwyrnu cysgu, on'd do'n ni, blant?' meddai Ifor yn gyflym.

Camodd yn ei flaen ond roedd Mrs Daps yn blocio'u llwybr â'i ffon.

'Mr Troed, roedd rhywbeth ar DROED. Wnes i ddim symud i'r pentre 'ma i gael fy styrbio gan gymdogion swnllyd.'

'Deall yn iawn,' meddai Dad, gan geisio'i chysuro.

'Wel, rhaid i fi fynd i'r gwaith. Ac maen rhaid i'r ddau 'ma fynd i'r ysgol. Mae heddiw'n ddiwrnod prysur.' Gwenodd wrth drio mynd heibio iddi.

Ond doedd Mrs Daps heb orffen.

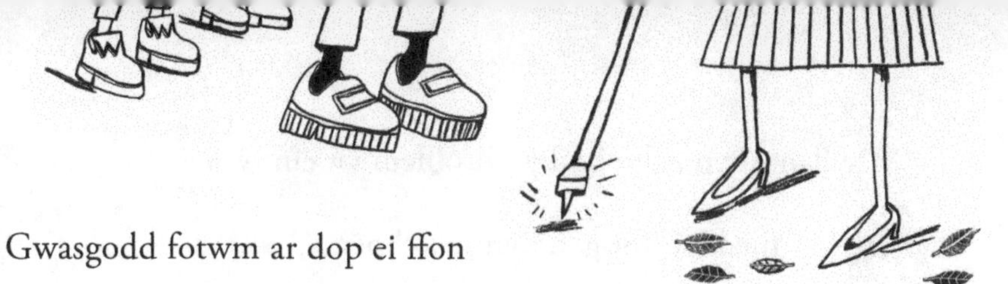

Gwasgodd fotwm ar dop ei ffon

a daeth pwynt siarp allan ohoni.

'Woooah …' Cafodd hyn dipyn o argraff ar Rhian.

Aeth Mrs Daps yn ei blaen i sticio pwynt siarp y ffon drwy rai

o'r dail crin oedd ar y llawr.

Unwaith roedd hi wedi'u hel nhw, gwasgodd

y botwm eto a PHINGIO'R dail i MEWN i

fin cyfagos.

'Gas gen i LANAST,' meddai Mrs Daps wrthyn nhw.

'Doedd LLANAST erioed yn broblem

'nôl ym Mlaenesgid.'

'Mae llanast yn gallu bod yn broblem yn ein tŷ ni!'

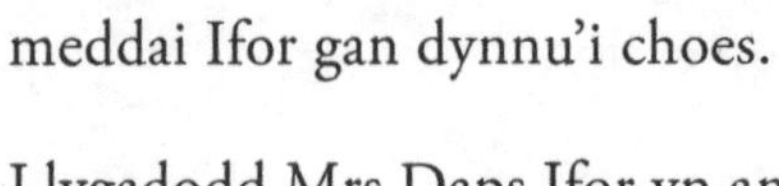

meddai Ifor gan dynnu'i choes.

Llygadodd Mrs Daps Ifor yn amheus. 'Do'n i ddim yn sylweddoli mai un o Flaenesgid oeddech chi, Mrs Daps. Nhw sy wedi ennill **GWOBR YR ESGID AUR** am y tair blynedd dwetha. Gallech chi roi ambell i dip i **Wendi Wej** am sut i ennill,' chwarddodd Ifor.

'Dwi wedi clywed ei bod hi'n berson *anodd* iawn,' atebodd Mrs Daps yn araf, gan edrych dros ei sbectol.

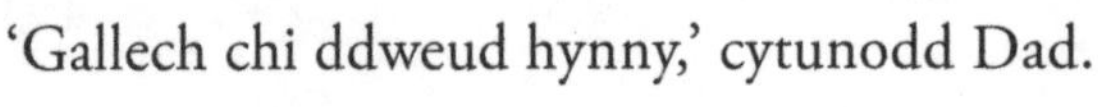

'Gallech chi ddweud hynny,' cytunodd Dad.

'Dyna mae hi newydd ei ddweud, Dad,' meddai Rhian.

'A dyna pam mae'n rhaid i ni fynd! Dwi ddim eisiau bod yn hwyr i'r gwaith,' meddai Ifor gan droi i adael.

Cododd Mrs Daps ei ffon a'i thapio deirgwaith ar y llawr.

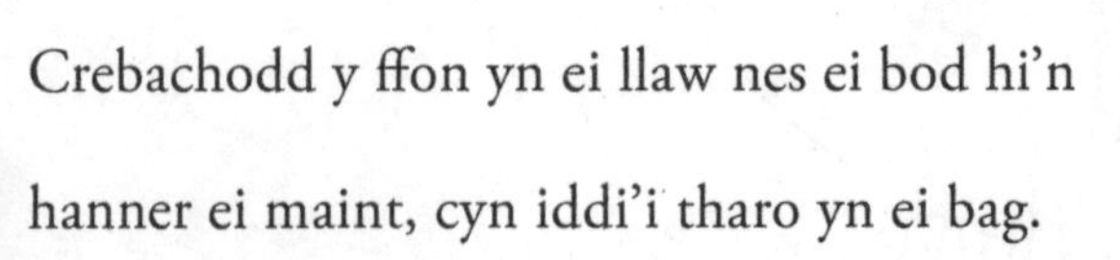

Crebachodd y ffon yn ei llaw nes ei bod hi'n hanner ei maint, cyn iddi'i tharo yn ei bag.

Cerddodd Mrs Daps ling-di-long 'nôl i'w thŷ a gweiddi dros ei hysgwydd, 'Dim mwy o sŵn, plis, Mr Troed. Cofiwch mai tawelwch a llonydd dwi'n eu hoffi.'

Cododd Dad ei law arni. 'Hyfryd siarad â chi, Mrs Daps,' mwmialodd.

'Doedd o ddim mor hyfryd â hynna,' meddai Tal o dan ei wynt.

'Mae hi'n un anodd,' sibrydodd Rhian. 'Ond roedd ei ffon hi'n anhygoel. Baswn i'n hoffi un o rheina,' dywedodd wrth Tal, wrth iddyn nhw wylio Mrs Daps yn cau ei drws.

'Dewch, blant! Rhaid i fi greu argraff ar **Wendi** â'r wejys dwi wedi bod yn gweithio arnyn nhw ar gyfer **GWOBR YR ESGID AUR**. Heddiw mae'r cyflwyniad mawr, a ry'n ni i gyd o dan bwysau, felly allwn ni ddim bod yn hwyr.'

'Mae'r wejys camera ti wedi'u creu yn WYCH, Dad! Ro'n i wrth fy modd yn chwarae â nhw,' meddai Rhian wrtho.

'Wnest ti CHWARAE â nhw?'

roedd Dad yn swnio fel petai'n synnu.

'Do, ychydig bach …' meddai Rhian.

'Fi a Tal. Ro'n nhw'n hwyl! Dad, os na fydd Wendi hoffi'r wejys yna, mae hi'n dwpsen dwp!' Gwnaeth hynny i Dad chwerthin.

'Ro'n nhw'n wirioneddol wych, Dad. Byddai Wendi'n WIRION i beidio â dewis dy rai di,' ychwanegodd Tal.

'Wel, dwi jyst yn gobeithio y bydd **Wendi**'n eu hoffi nhw gymaint â chi. Mae hi'n un anodd i'w phlesio.'

'Dwi ddim yn hoffi Wendi Wej,' cuchiodd Rhian.

'Shhhhhhh! Paid codi dy lais – dwyt ti byth yn gwybod pwy sy'n gwrando,' sibrydodd Dad. Edrychodd i fyny ar yr adeilad siâp W ANFERTH oedd yn taflu cysgod iasol dros eu HOLL stad.

'Well i ni fynd,' meddai Ifor, wrth i ias fynd drwyddo.

Wrth iddyn nhw gerdded yn gyflym heibio i un o'r nifer o bosteri ANFERTH oedd o gwmpas **TRESGIDIAU** ar gyfer **GWOBR YR ESGID AUR**, oedodd Dad i atgoffa Rhian a Tal unwaith eto.

'Felly cofiwch – dim gair am eich sgidiau ysgol â'r teclynnau arbennig. Rhaid i chi esgus mai sgidiau cyffredin PLAEN ydyn nhw a bod dim anghyffredin amdanyn nhw.'

Cofleidiodd Ifor y ddau a gwylio wrth iddyn nhw fownsio i mewn i'r ysgol.

Dwi'n uwch na ti!
SBÏA, dwi'n BOWNSIO.


'Hei, CHI'CH DAU! STOPIWCH FOWNSIO!' gwaeddodd Ifor, cyn troi am gatiau MAWR adeilad WAW. Gwyddai Ifor y byddai'n ddiwrnod anodd a gadawodd iddo'i hun ddychmygu am eiliad pa mor gandryll fyddai Wendi petai hi'n gwybod am sgidiau hedfan Sali. Cododd hynny ei galon.

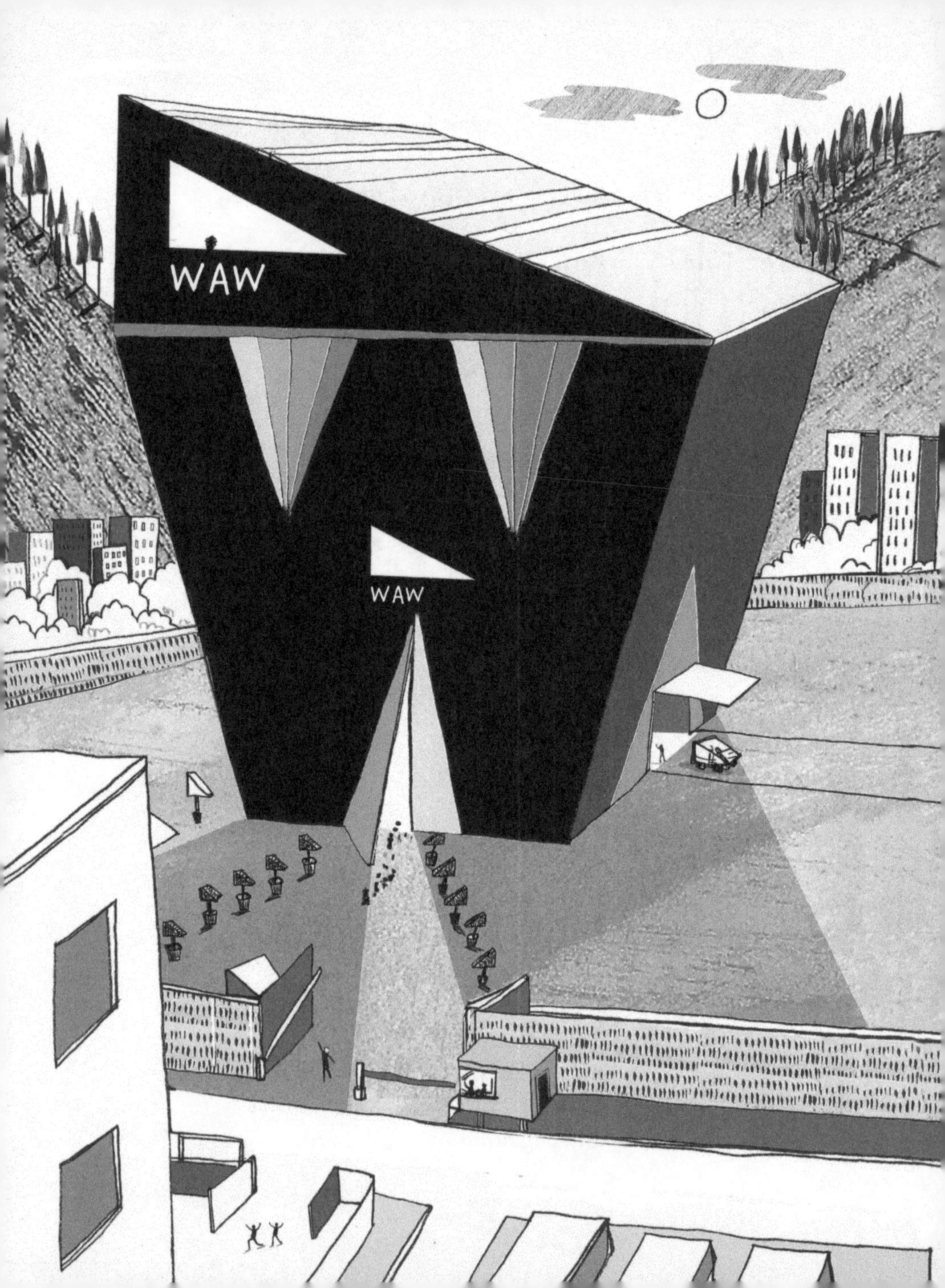

WAW
WAW

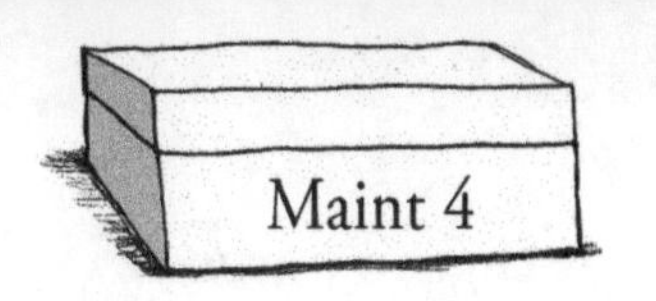


Ar yr union adeg roedd Ifor yn mynd i mewn i WAW, roedd Walter Wej (mab annifyr Wendi) yn cerdded allan.

Doedd o DDIM yn gwenu (dim byd NEWYDD yn fan 'na).

Martsiodd Walter tua'r ysgol, â chynorthwyydd Wendi, Mr Crîpar, wrth ei ochr. Doedd hwnnw ddim yn edrych yn hapus chwaith. Gorfod i Rhian a Tal gamu'n ôl wrth i Walter wthio heibio iddyn nhw.

Walter Wej oedd unig fab Wendi a doedd o ddim yn foi neis o gwbl. (A dweud y lleiaf.)

Syniad Walter o hwyl oedd DINISTRIO hwyl pawb arall. Ac os ydych chi'n meddwl 'mod i'n gor-ddweud, dyma beth mae o wedi bod yn ei wneud dros y dyddiau diwethaf:

(Does dim digon o amser i ddweud POPETH, ond gewch chi ryw syniad.)

Gwthio hufen iâ bachgen i'w wyneb;

helpu ei hun i deganau plentyn arall,

yna eu torri ar bwrpas; GWASGU

creision yn eu paced, jyst am HWYL;

cicio pêl-droed dros wal uchel

er mwyn sbwylio gêm;

dinistrio parti pen-blwydd plentyn

(NA chafodd wahoddiad iddo);

tywallt dŵr dros y deisen, helpu ei hun

i'r bwyd ac, yn waeth na dim …

AGOR yr anrhegion!

Ydi Walter BYTH yn cael pryd o dafod?

NA. Neu'n anaml iawn. Unwaith, gwylltiodd ei fam wedi

iddo ddinistrio pâr o'i HOFF wejys,

ond roedd hynny oes pys 'nôl.

Mwyaf i gyd roedd Walter yn ddrwg, mwyaf i gyd o sylw fyddai'n ei gael gan ei fam.

Felly roedd o'n dal i gamfihafio. Doedd NEB yn cael dweud DIM BYD drwg am Walter, yn enwedig o flaen Wendi. Roedd hi'n berson mor bwysig a phwerus yn **Nhresgidiau** fel bod pobl yn ofalus i beidio tynnu blewyn o'i thrwyn. Roedd pawb jyst yn dioddef ymddygiad gwarthus Walter.

AAAAA!

AAAAA!

Roedd Wendi a Walter yn cael eu hadnabod fel y **ddau ddrwg.** (Doedd neb yn dweud hynny i'w hwynebau, YN AMLWG.) Pan oedd Walter yn fach, penderfynodd Wendi'i fod o'n llawer rhy glyfar i gymysgu â phlant eraill, felly cyflogodd diwtoriaid i'w ddysgu gartref. Ond arhosodd yr un ohonyn nhw'n hir, oherwydd agwedd OFNADWY Walter. Pam bydden nhw, mewn difri calon? Pa athro yn ei iawn bwyll fyddai'n dioddef cael ei WLYCHU gan fwced o ddŵr wedi'i gosod ar ben drws? Neu dderbyn afal coch, sgleiniog blasus gan Walter …

… dim ond i ffeindio HANNER mwydyn JIWSI, **TEW**

y tu mewn iddo.

(Gallwch ddyfalu ble roedd

yr HANNER arall.)

Byddai Walter yn ei

ddyblau'n

chwerthin!

A phan fyddai ei diwtoriaid yn gadael yn y pen draw (fel roedden nhw wastad yn ei wneud), byddai Walter yn gollwng y cŵn i ffarwelio â nhw.

Ac yntau wedi diflasu ar chwarae â gemau a theclynnau ffansi ar ben ei hun, byddai Walter yn eistedd yn ei lofft ENFAWR yn syllu ar blant **Tresgidiau** wrth iddyn nhw chwerthin a sgipio i mewn i'r ysgol.

'PAM eu bod *nhw'n* cael MWY o hwyl na fi? A be sy mor dda am yr YSGOL SGIDIAU ddwl 'na, beth bynnag? Dydi o ddim yn DEG – DWI EISIAU MYND 'NA HEFYD!' MYNNODD Walter.

Yn anfodlon, hanner cytunodd Wendi, yn rhannol gan fod dod o hyd i diwtoriaid newydd yn dasg amhosibl erbyn hyn.

(Os ydych chi'n dechrau teimlo piti dros Walter, peidiwch. Mae'n mynd yn waeth.)

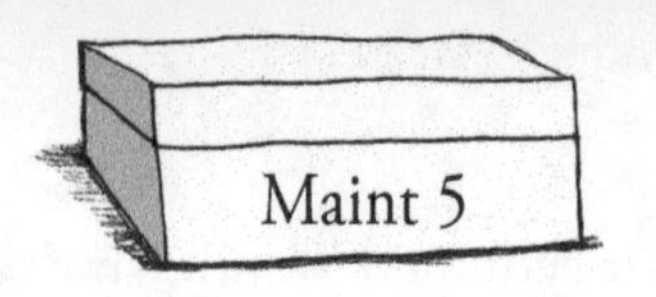

# Maint 5

Gorchmynnodd Wendi i bennaeth Ysgol Sgidiau, Mr Mocasin, fynd draw i droedcadlys WAW.

Rhoddodd Mr Mocasin i eistedd yn y gadair leiaf, fwyaf gwichlyd a MWYAF anghyffyrddus. (Roedd Wendi'n hoffi gwneud i bobl deimlo'n annifyr.) Gan fod Walter yn mynd i fod yn cymysgu â phlant 'cyffredin', mynnodd fod yn rhaid i'w blodyn bach hi gael ei drin fel brenin.

Dywedodd Wendi wrth Mr Mocasin pa mor glyfar oedd Walter a pha mor FFODUS fyddai'r ysgol i'w gael. Ac nid dyna'r cyfan.

**'Mae angen desg arbennig ar Walter,'** eglurodd Wendi. **'Rhaid iddi fod yr uchder perffaith a rhaid iddi gael cadair i fatsio. Mae ganddo osgo rhagorol, fel fi, a dwi eisiau cadw pethau felly. Does neb yn hoffi rhywun sy'n plygu fel cryman.'**

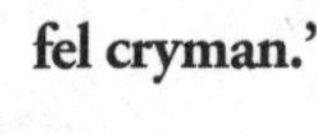

**'Mae angen i Walter gael ei ofod chwarae ei hun HEFYD a ddylai o ddim cael ei gynnwys mewn dim byd nad ydi o eisiau ei wneud. Ac er mwyn popeth, rhowch o mewn dosbarth gyda phlant peniog. Dwi ddim eisiau i'w feddwl rhagorol droi'n SLWJ.'**

Gwrandawodd Mr Mocasin yn ofalus cyn ateb,

'Mrs Wej, wnawn ni'n bendant edrych ar ôl Walter a dwi'n siŵr y bydd o wrth ei fodd yn bod yn rhan o'n hysgol arbennig ni. Ond maen rhaid i ni ystyried y plant ERAILL hefyd.'

(Roedd hyn yn hynod ddewr.)

'O, WIR?' meddai Wendi gan codi AEL. Doedd hi ddim yn hapus o glywed hyn.

**'Falle gwnaiff HYN eich helpu i FFOCYSU ar FY mab fymryn yn fwy?'** TAFLODD Wendi gês yn llawn arian ar y bwrdd. Gwthiodd o draw at Mr Mocasin a RHYTHU arno.

**'Dwi'n SIŴR gallai eich ysgol wych wneud ag un neu ddau o welliannau fan hyn a fan draw. Offer newydd? Mwy o lyfrau hyfryd. Desg newydd i CHI, ella?'**

Edrychodd Mr Mocasin ar yr ARIAN a llyncu'n galed.

'Wel ... wn i ddim beth i'w ddweud, mae hynna'n garedig iawn…' llwyddodd i ateb.

Nodiodd Wendi. **'Ydi, wir. Gallwn ni drafod ailenwi'r ysgol i'm anrhydeddu i maes o law.'**

'O, wn i ddim am HYNNY …' dechreuodd Mr Mocasin.

Pwysodd Wendi ymlaen yn gyflym a THYNNU'R arian 'nôl.

**'Meddyliwch am y tripiau ysgol, y pwll nofio wedi'i gynhesu. MEDDYLIWCH am y PLANT, Mr Mocasin.'**

Tynnodd Wendi wep drist.

Teimlai Mr Mocasin dan bwysau. Roedd Wendi'n ei gwneud hi'n amlwg nad oedd ganddo ddewis mewn gwirionedd. Roedd WAW yn gwmni pwerus iawn yn **NHRESGIDIAU.** Cwmni oedd yn mynd yn fwy a mwy drwy'r amser.

'Ia, syniad ardderchog, Ms Wej,' cywirodd Mr Mocasin ei hun yn gyflym.

Gwthiodd Wendi'r arian 'nôl tuag ato. **'Ac un peth arall,'** dywedodd. **'Alla i ddim DIODDEF yr holl sŵn plant yn rhedeg o gwmpas. Dwi'n gallu clywed POPETH o Droedcadlys WAW.'**

'Ond mae'n amhosibl stopio'r plant rhag symud o gwmpas a siarad,' eglurodd Mr Mocasin.

**'Does DIM yn amhosibl,' cyfarthodd Wendi. 'Ac mae gen i'r ateb PERFFAITH.'**

'Oes wir?' gofynnodd Mr Mocasin yn nerfus.

**'Oes. Caiff yr HOLL blant wisgo sgidiau newydd sbon, wedi'u cynllunio gen i,'** meddai Wendi wrth Mr Mocasin.

Roedd ei llaw'n hofran uwchben yr ARIAN.

*sgidiau TRWM*

**'Maen nhw'n hyfryd a thawel a dim ond *fymryn* bach yn anghyfforddus. Felly dim mwy o sŵn, llawer llai o redeg, a chyda lwc gallwn LEIHAU'r holl HWYL a'r chwerthin 'na sy'n mynd ar fy nerfau.'**

Roedd Mr Mocasin yn gegrwth.

**'O, a bydd Walter yn gwisgo'i WAWs sbeshal ei hun.'**

(Wrth gwrs y bydd o.)

Llyncodd Mr Mocasin yn galed, a meddwl am BOPETH roedd hi wedi'i ddweud. Doedd hi ddim yn HAWDD, ond dywedodd wrth Wendi y byddai Walter yn cael ei groesawu i'r ysgol fel unrhyw blentyn arall yn **NHRESGIDIAU.**

**'Ond dydi o DDIM fel unrhyw blentyn arall – mae Walter yn JINIYS. Mae o fel FI-FACH,'** cywirodd Wendi o. **'A byddai'n werth i chi gofio hynny.'**

Cymerodd Mr Mocasin anadl ddofn a dweud wrtho'i hun mai dim ond bachgen bach oedd Walter. Wedi'r cwbl, pa mor ddrwg allai o fod?*

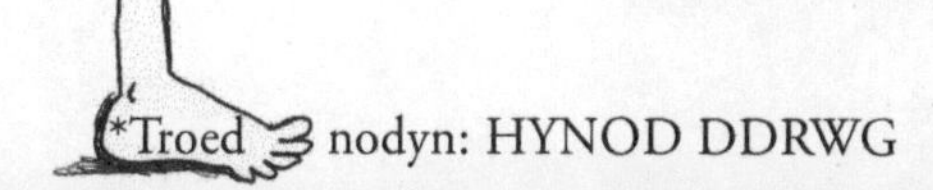

*Troed nodyn: HYNOD DDRWG

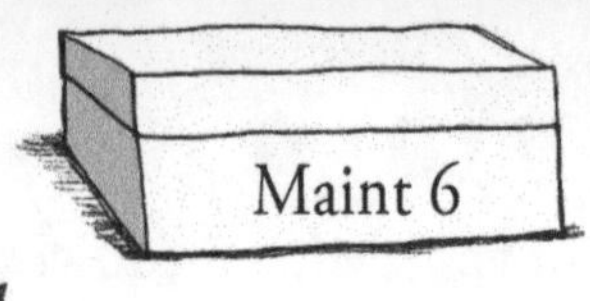

# Maint 6

Roedd Walter wedi cyrraedd ar gyfer ei ddiwrnod CYNTAF yn yr ysgol yn cario dau fag wedi'u STWFFIO yn llawn o … DRICIAU.

Rhoddodd ei hun ar waith yn syth – ond dim â llyfrau a phensiliau, ond yn creu DRYGIONI.

Roedd Walter yn meddwl ei fod O yn HYNOD DDONIOL. (Doedd neb arall yn cytuno.)

Daeth goddef cwmni Walter jyst yn rhan o'r diwrnod ysgol gan fod PAWB yn gwybod pwy oedd ei fam. Ac wedi ychydig wythnosau'n chwarae'r UN triciau ar yr UN plant, roedd Walter wedi diflasu.

*Dwi'n gwybod mai un ffug ydi o, Walter.*

Roedd o wedi martsio o gwmpas yn mynnu'i fod o'n cael ei symud i ddosbarth gwahanol. Ac, wrth gwrs, roedd Walter wastad yn cael beth roedd Walter eisiau.

(Doedd neb yn gweld ei golli.)

Felly heddiw roedd Walter wedi ei gyffroi o gael criw NEWYDD o blant i'w harteithio. Roedd o'n edrych ymlaen i gael hwyl.

Yr eiliad y gwelodd Tal y gadair newydd swanc a'r glustog foethus ger ei ddesg, gwyddai fod rhywbeth ar droed. 'O na,' ochneidiodd pan ddarllenodd yr enw ar y glustog.

Ond roedd gweld Walter yn brasgamu tuag ato â'i ffrinj ddu siarp, yn rhythu'n fygythiol, yn edrych fel fersiwn fach o Wendi (mewn trywsus), yn dal i godi ofn arno. BOWIODD Walter fel petai'n aelod o'r teulu brenhinol cyn dweud, 'Dwi yma rŵan – well i chdi arfer â'r peth,' cyn iddo eistedd i lawr.

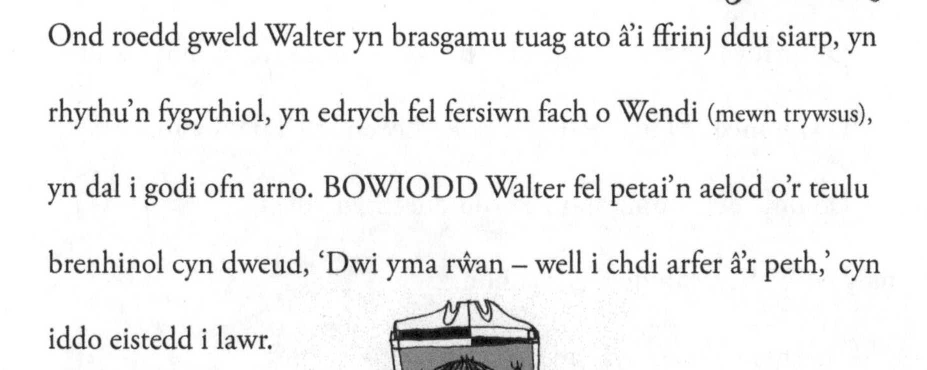

Dechreuodd eu diwrnod ysgol yn ddigon tawel. Rhoddodd eu hathrawes, Miss Miwl, brosiect sgwennu iddyn nhw'i wneud ac roedden nhw wrthi'n gweithio'n dawel ddiwyd, pan gododd Tal i nôl mwy o bapur.



Gwelodd Walter ei gyfle i chware ei hoff dric. Roedd o'n chwerthin cyn i Tal eistedd i lawr, hyd yn oed.



'Be sy mor ddoniol?' gofynnodd Tal wrtho.



'O ...' rowliodd Tal ei lygaid cyn rhoi'r glustog rhech 'nôl i Walter. 'Dwi'n meddwl mai chdi pia hwn.' Gwenodd Tal yn wan.

'Doniol, 'de? A dim ond newydd ddechrau ydw i,' meddai Walter, gan ddangos ei hun.

'Mae hynny'n amlwg,' meddai Tal wrth i Walter chwerthin yn uwch.



'Edrych ar hyn – mae o wastad yn gweithio'n WYCH,' meddai gan dynnu pry cop FFUG allan (un o nifer o'i eiddo).

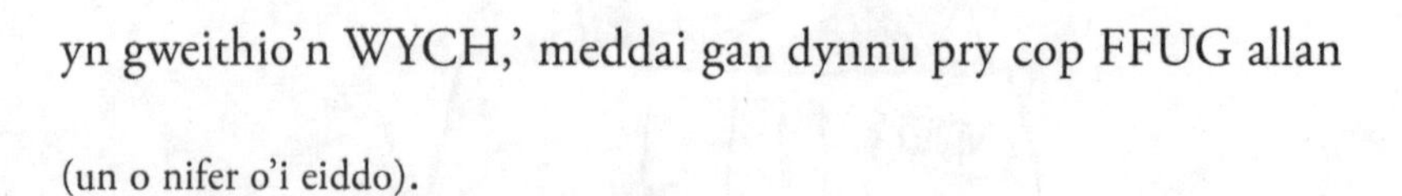

TAFLODD y pry cop i ganol y stafell

a glaniodd ar wyneb Ffrancon Fflat.

"GNAAAAAAAAAAAAA!"

Sgrechiodd Ffrancon.

'Be sy'n bod?' holodd Miss Miwl yn flin.

Caeodd Walter ei geg a chrechwenu.

Roedd gan Tal ryw hen deimlad nad oedd heddiw'n mynd i fod yn rhwydd.*

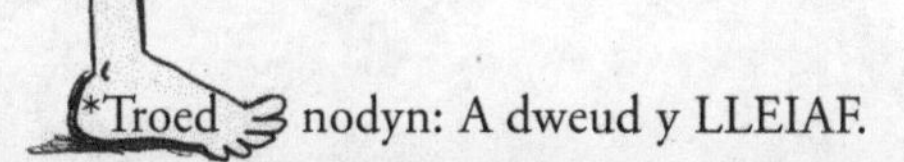

*Troed nodyn: A dweud y LLEIAF.

Yn ôl yn NHŶ'r teulu **TROED** …

Yn hwyrach **O LAWER** …

roedd pethau wedi bod yn digwydd.

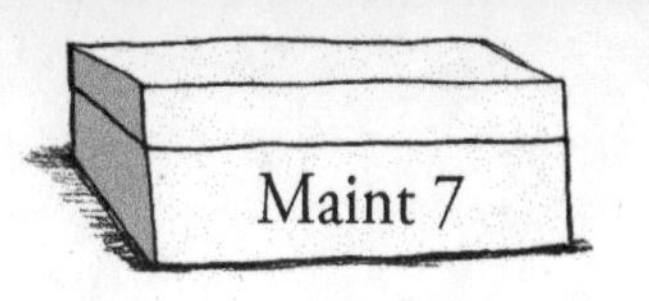


Roedd Ifor Troed mewn trwbwl.

DYMA faint o drwbwl .

roedd o ynddo …

# Gwerth dwy dudalen

GYFAN

O

drwbwl . . .

(Sy'n llond gwlad o drwbwl)

Roedd o wedi dod adre i ddarganfod ychydig o blu gwyn ar lawr llofft Rhian a Tal.

*Ella eu bod nhw wedi cael ffeit gobennydd?* Neu ella mai fo oedd wedi'u gollwng yno? Doedd o'n ddim byd, beryg.

Ond penderfynodd Ifor wneud yn siŵr bod y sgidiau hedfan yn saff – jyst rhag ofn.

Aeth i'r gegin a sbecian drwy'r ffenest i weld a oedd rhywun o gwmpas, yn enwedig Mrs Daps fusneslyd. Yna aeth at y bwrdd oedd wedi'i orchuddio â lluniau sgidiau.

Cydiodd Ifor mewn fâs o flodau wedi gwywo a'u rhoi nhw ar y llawr – yn ofalus. Roedd y plant wedi'u casglu fel anrheg iddo'r wythnos gynt.

'Reit,' meddai dan ei wynt, gan astudio'r bwrdd. 'Amdani, Ifor, cofia'r cyfuniad.'

Sali oedd wedi cynllunio wyneb mosäig y bwrdd. Ac roedd o'n CUDDIO rhywbeth ANHYGOEL.

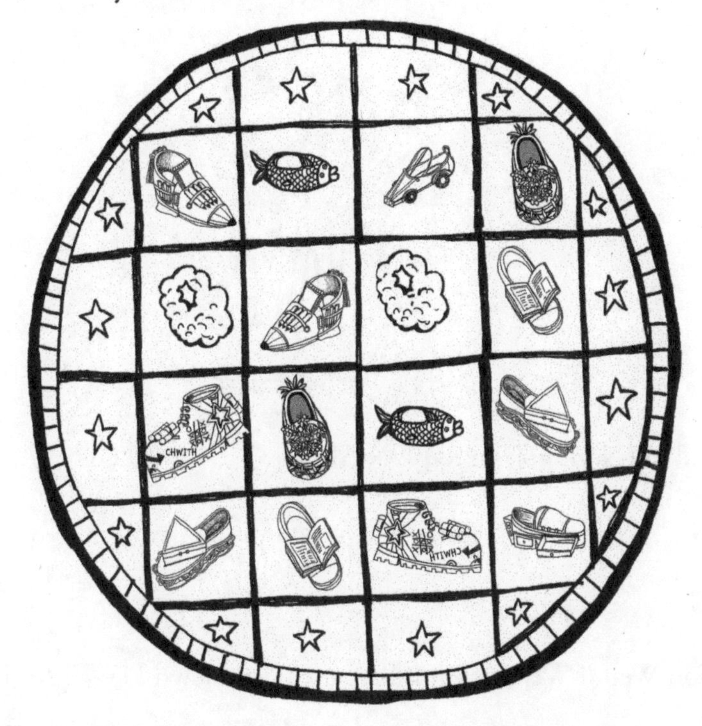


Drwy wasgu'r teils sgidiau yn y drefn GYWIR, roedd hi'n bosib agor gweithdy cudd Ifor. Ond doedd o BYTH yn gallu cofio beth oedd y drefn gywir.

Roedd Ifor mor brysur yn ceisio cofio'r drefn gywir nes na sylwodd fod y dŵr yn y fâs wedi dechrau CRYNU a cholli ar y llawr.

Na bod y cwpanau a'r soseri'n ysgwyd ar y silffoedd.

Roedd HYN yn golygu fod UN AI:

1. Gyr ANFERTH o eliffantod yn taranu tua thŷ'r teulu Troed.

NEU

2. Fod Wendi Wej ar ei ffordd ac roedd hi mewn HWYLIAU **OFNADWY.**

(Dyfalwch pa un.)

Trowch rownd
Awww
Dim ni felly …

# Maint 8

'O'R DIWEDD!' bloeddiodd Ifor. 'Sgidiau cwmwl, sgidiau parlwr, sgidiau brechdan, sgidiau adar, pysgodyn, cwmwl, cwmwl, pysgodyn, pysgodyn, llyfr.'

Ddigwyddodd ddim byd. 'Er mwyn POPETH, meddylia …' mwmialodd wrtho'i hun.

'Sgidiau cwmwl, sgidiau brechdan, sgidiau pysgodyn, cwmwl, cwmwl, pysgodyn, pysgodyn, sgidiau adar, sgidiau parlwr, llyfr ac YNA llyfr. Dwi wastad yn anghofio'r ail llyfr.'

Y tro yma, gweithiodd.

Ysgydwodd y bwrdd ac yn araf bach, agorodd yn ddau. Camodd Ifor 'nôl a gwylio, gan ewyllysio'r bwrdd i agor yn gynt.

'Brysia.'

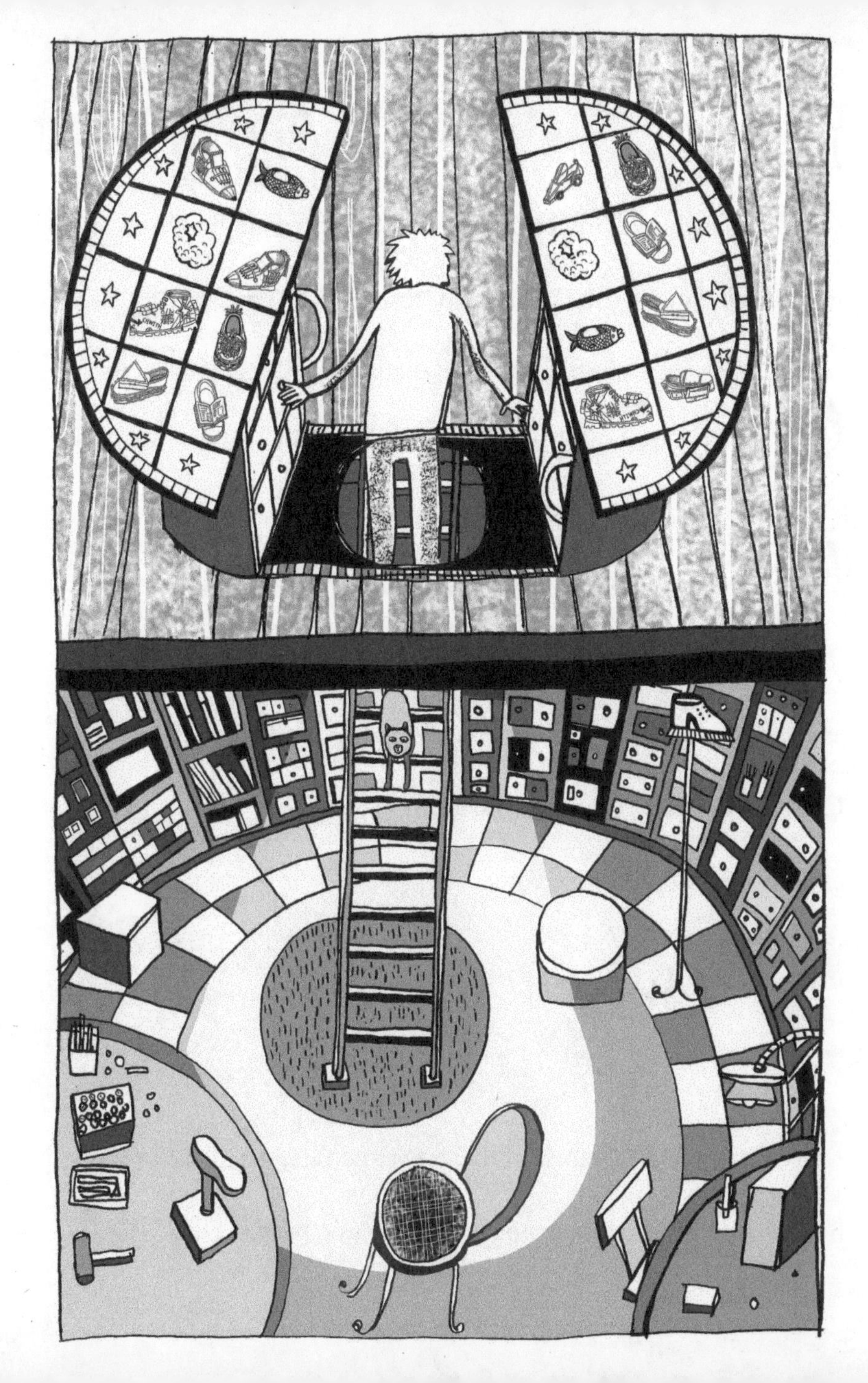

Roedd y silffoedd y tu mewn wedi'u stwffio'n llawn bocsys bychain yn cynnwys botymau, bowltiau, mwclis, blodau, gwifrau, rhubanau, sbringiau metel, coed bychan, anifeiliaid tegan a phob math o ddarnau bach difyr a dychmygus.

Tynnodd Ifor ei law i fyny ac i lawr silff, cyn stopio ar bwys bocs sgidiau pren, plaen yr olwg, â chlo ar yr ochr. 'Dyna arwydd da – mae o yma.'

Rhoddodd Ifor ochenaid o ryddhad wrth edrych o'i gwmpas am yr allwedd. Wrth iddo gydio yn y bocs ag un llaw, CWYMPODD y caead i ffwrdd a disgynnodd dwy esgid blaen yr olwg ar y llawr.

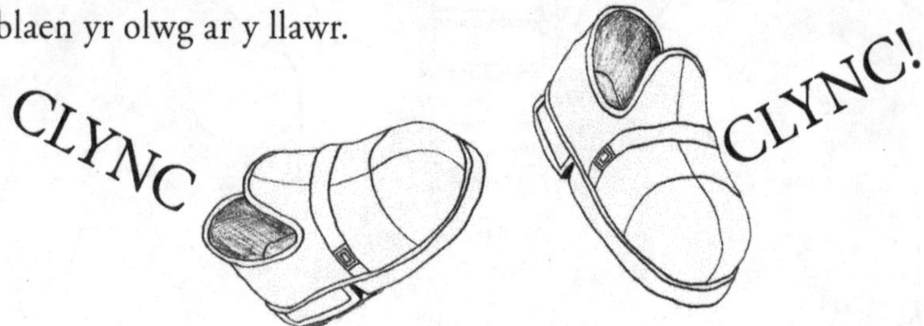


'O diar … Dydi hynna DDIM yn arwydd da,' meddai Ifor wrtho'i hun, wrth sylweddoli bod y bocs sgidiau eisoes wedi'i DDAT-GLOI.

Cododd y sgidiau i wneud yn siŵr eu bod nhw'n iawn. Roedden nhw'n edrych yn ocê, ar wahân i sblash o baent coch ar un ochr.

Cyffyrddodd Ifor yn y paent â'i fys; roedd o'n dal yn wlyb.

O BLE ddaeth y paent?

Doedd dim amser i feddwl, oherwydd yn y gegin, roedd y dŵr o'r fâs eisoes yn tasgu dros yr ochrau. Ac roedd y cwpanau te a'r soseri'n RATLO'n erbyn ei gilydd yn wyllt.

Edrychodd Ifor i fyny.

'Dwi angen cau'r bwrdd 'ma'r

EILIAD HON!'

Roedd yn rhaid iddo weithredu'r GYFLYM.

Rhoddodd Ifor y sgidiau i gadw a rhuthro'n ôl i fyny'r ysgol i gau popeth.

'Pwylla a bydd popeth yn iawn*. GALLI di wneud hyn. Does dim eisiau panicio,' meddai Ifor wrtho'i hun.

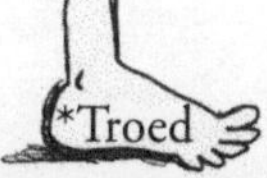

*Troed nodyn: Doedd popeth ddim yn mynd i fod yn iawn …

**Twmp … Twmp … Twmp …**

# TWMP!

Roedd y sŵn traed yn anelu am dŷ Ifor a gallai glywed cŵn yn CYFARTH hefyd. DIFLANNODD y lliw o'i ruddiau wrth iddo geisio gwasgu'r teils i lawr yn y drefn GYWIR unwaith eto.

'Dowch yn eich blaen. Plis GWEITHIWCH!' mwmialodd, yn dechrau panicio rŵan. 'Meddylia, MEDDYLIA!'

Clynciodd y gwydrau ar y silff yn erbyn ei gilydd wrth i'r ddaear ddechrau YSGWYD. Roedd ei HOLL gyfrinachau-gwneud-sgidiau YNO i bawb allu eu GWELD!

'Anadla'n ddwfn …'

PARHAODD Ifor i wasgu'r teils, ond roedd y bwrdd yn gwrthod cau.

**TWMP TWMP**

**TWMP!**

Daeth y sŵn traed i STOP, reit o FLAEN tŷ Ifor … ac yna aeth popeth yn dawel. (Ond ddim am hir.)

Dechreuodd y drws RATLO ac yna roedd sŵn UCHEL.

**CNOC!**

**CNOC!**

**CNOC!**

**CNOC!**

Gallai Ifor glywed y cŵn yn **CHWYRNU** hefyd.

Gwaeddodd mor uchel a phwyllog ag y gallai,

'Dwi'n dod! Fydda i ddim yn hir!'

CNOC! CNOC! CNOC! CNOC!

'Fydda i 'na mewn chwinc!'

Crynodd yr holl ddrws ffrynt a dechreuodd rhywun YSGWYD yr handlen.

'DAU FUNUD, fydda i gyda CHI RŴAN!' gwaeddodd Ifor, gan bwyso'r sgwariau'n ffrantig â'i fys.

'Ia, dyna fo!'

Dechreuodd y bwrdd SYMUD a daeth y ddwy ochr ynghyd yn araf.

CLIC. O'R DIWEDD! Edrychai'r bwrdd fel bwrdd unwaith eto.

'Pwylla … anadla'n ddwfn,' meddai Ifor wrtho'i hun,

wrth iddo edrych o'i gwmpas unwaith yn rhagor.

'DYMA FI!' gwaeddodd, gan ruthro at y drws!

'Dwi ar fy ffordd! Dyma fi'n dod! DWI …'

Jyst fel gwnaeth

**ESGID**

**WEJ**

**METAL**

**ANFERTH**

***gicio'r*** drws ar agor!

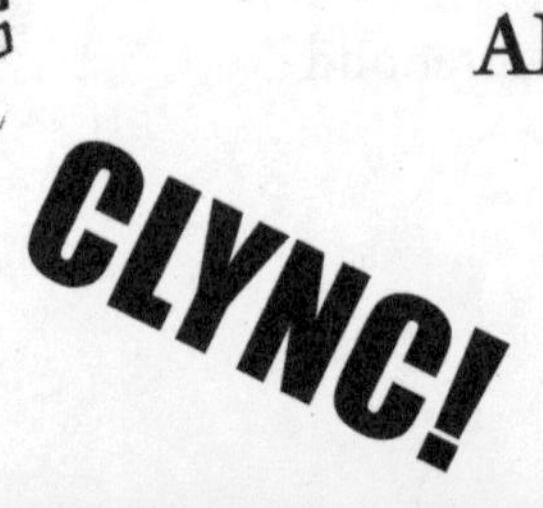

Gellid gweld cysgod digamsyniol Wendi Wej yn sefyll yn y drws. Â'i phads ysgwyddau enfawr a belt oedd wedi'i dynnu'n dynn am ei wast, taflai Wendi gysgod fel triongl yr holl ffordd i mewn i'r tŷ. Oedodd i greu argraff (ac roedd yr holl gnocio wedi'i gwneud hi'n fyr ei gwynt).

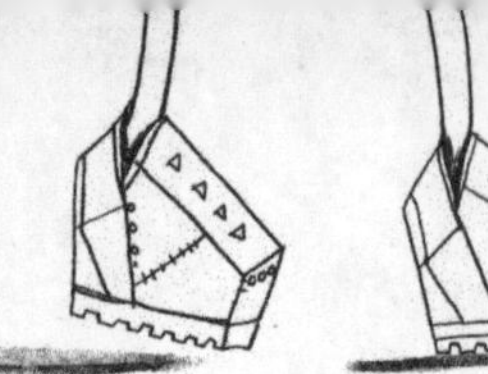

Roedd ei chŵn, Chwith a Dde, yn prowlan a chwyrnu o gwmpas ei sgidiau wej metel, anghyffyrddus yr olwg. STOMPIODD Wendi i mewn, gan wneud i bopeth o'i chwmpas ysgwyd hyn yn oed yn fwy.

'Wendi! Am syrpréis lyfli! Doedd gen i ddim syniad eich bod chi'n dod draw!' meddai Ifor gan sychu'i dalcen.

**'Pam buest ti mor hir? Bu'n rhaid i fi adael fy hun i mewn,'** dywedodd, gan edrych o'i chwmpas yn amheus.

'Sylwais i. Sori am yr oedi, ro'n i –'

**'BETH, beth oeddet ti'n ei wneud?'** mynnodd Wendi gael gwybod.

'Ro'n i'n … golchi …'

Torrodd Wendi ar ei draws eto. **'Golchi?'**

Aeth meddwl Ifor yn wag, felly dywedodd y peth cyntaf ddaeth i'w feddwl. 'Ia – betys.'

**'Betys?'** meddai hithau.

'Dwi'n … hoffi … llysiau glân iawn,' ffeindiodd Ifor ei hun yn dweud wrthi.

Syllodd Wendi arno, heb flincio, fel neidr oedd yn barod i ymosod.

'Beth alla i wneud i chi, Mrs Wej? Ydi popeth yn iawn?' gofynnodd Ifor, gan geisio swnio'n ymlacedig.

**'NA, Ifor, dydi popeth DDIM yn iawn,'** atebodd Wendi.

Martsiodd heibio iddo i'r gegin.

Clymp. Clymp. Clymp. Clymp.

Cerddodd Wendi'n ôl ac ymlaen, nes i un o'i chŵn gerdded i'w llwybr a'i baglu.

**'Ewch chi'ch dau i fan acw a chadw llygaid barcud ar bethau,'** gorchmynodd Wendi Chwith a Dde yn llym.

Cerddodd Ifor heibio iddyn nhw a chwyrnodd y ddau.

'Dyna gŵn da,' sibrydodd.

Fel arfer, gallai Ifor ddweud pa fath o hwyliau oedd ar Wendi drwy edrych ar y math o sgidiau roedd hi'n eu gwisgo.

Heddiw roedd hi'n HYNOD:

**GROES, DIG a BLIN.**

(Ond ddim o reidrwydd yn y drefn yna.)

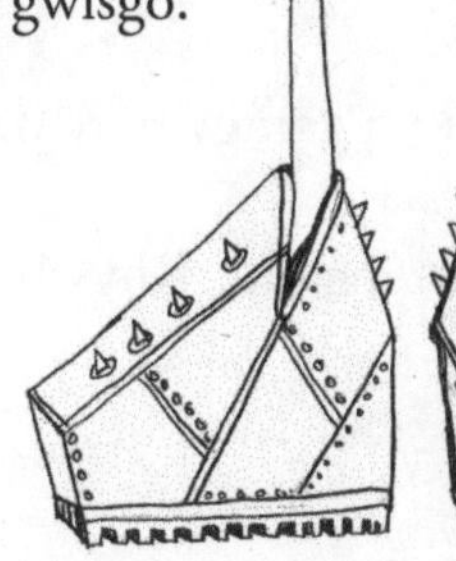

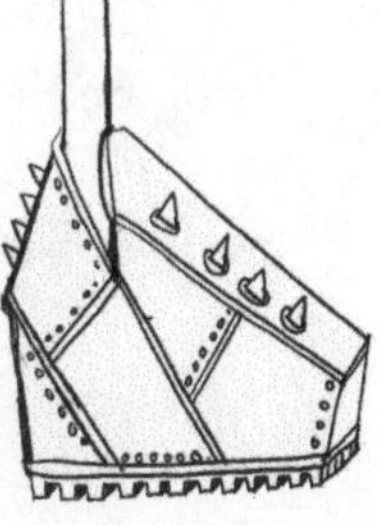

Daliodd Wendi Ifor yn syllu ar ei thraed.

**'Edrych ar rywbeth, Ifor?'**

'Dim ond edmygu eich sgidiau, Ms Wej. Mae gyda chi gasgliad gwych.'

**'Gwir. Gen i mae'r WEJYS gorau yn y byd.'** Gwenodd Wendi, ond dim mewn ffordd dda.

**'Er, Ifor, mae 'na UN pâr o sgidiau yr hoffwn i YCHWANEGU at fy nghasgliad yn ofnadwy. Unrhyw syniad beth fyddai rheini?'** Culhaodd llygaid Wendi nes iddyn nhw ddiflannu i'w hwyneb fel dwy linell fach syth.

'O, mae hwnna'n gwestiwn anodd,' meddai Ifor, gan wenu yn siriol, oedd yn gamgymeriad. 'Baswn i'n dweud sgidiau cyffyrddus, meddal, bendigedig? Rhywbeth fel slip–'

Pwysodd Wendi i mewn i wyneb Ifor.

**'Dy syniad di o JÔC ydi hynna, Ifor? Slip–**

**Alla i ddim hyd yn oed DWEUD y gair.***

# MAE'R sgidiau YNA'N ANGHYFREITHLON.'

Stompiodd ei throed i lawr mor galed

nes codi'r cŵn oddi ar y llawr.

'Ydyn nhw wir, Mrs Wej?' meddai Ifor.

Roedd hyn yn NEWYDDION iddo..

*Troed nodyn: Slipars ydi'r gair, rhag ofn eich bod chi'n crafu pen.

Trodd Wendi'i chefn ar Ifor, cyn STOMPIO tua'r gegin. Oedodd ger y bwrdd a dechrau curo'i bysedd ar y teils sgidiau.

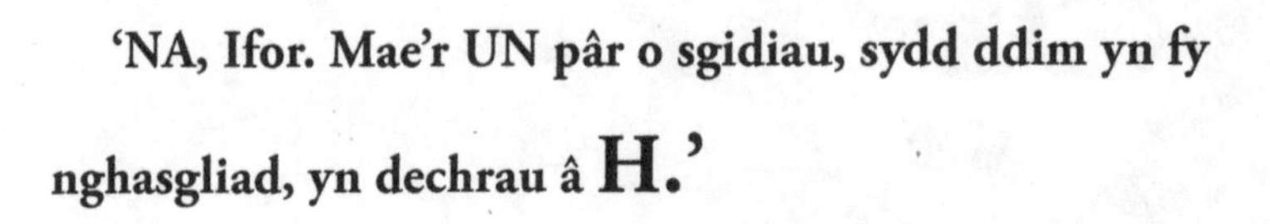

**'NA, Ifor. Mae'r UN pâr o sgidiau, sydd ddim yn fy nghasgliad, yn dechrau â H.'**

Dechreuodd Ifor chwysu.

'Sgidiau'n dechrau â H? Tybed pa fath o sgidiau fyddai'r rheini? Sgidiau … ym …' smaliodd Ifor ei fod o'n crafu pen.

**'HEDFAN! Sgidiau HEDFAN, Ifor! Does gen i ddim pâr o sgidiau HEDFAN! Ond mae gan RYWUN arall yn Nhre-wej BÂR!'**

Rhoddodd Wendi *EDRYCHIAD* iddo.

Ceisiodd Ifor edrych fel ei fod o wedi cael sioc. 'O DDIFRI? Mae'n rhaid bod pâr o sgidiau all hedfan yn AMHOSIBL?'

**'O, maen nhw'n bodoli, Ifor, a dwi'n mynd i DDARGANFOD PWY sydd pia nhw, hyd yn oed os bydd rhaid i fi chwilio bob tŷ yn Nhre-wej.'**

'Dim **TRESGIDIAU** ydych chi'n feddwl, Ms Wej?' holodd Ifor.

**'DIM rhagor. Dwi'n meddwl bod Tre-wej yn swnio'n reit dda, ti ddim yn cytuno?'**

(Doedd Ifor ddim.)

'Ry'n ni i gyd wedi ceisio gwneud sgidiau hedfan i chi nifer o weithiau, Mrs Wej,' atgoffodd Ifor hi. 'A does neb wedi llwyddo.'

**'WEL, MAE RHYWUN WEDI LLWYDDO! Ac maen nhw'n ceisio eu cadw nhw'n gyfrinach,'** coethodd.

**'A DWI ANGEN Y SGIDIAU HEDFAN 'NA I ENNILL GWOBR YR ESGID AUR!'**

Pwyntiodd Wendi fys cyhuddgar at Ifor.

**'Roeddet TI yn arfer gwneud sgidiau â theclynnau, doeddet? Yn yr hen siop fach yna roeddet ti'n arfer ei rhedeg.'**

'Ddim mewn gwirionedd – dim ond hen sgidiau plaen diflas oedden nhw … dim byd tebyg i'r rhai ANHYGOEL ry'n ni – CHI, dwi'n feddwl – yn eu gwneud yn ffatri WEJYS ANHYGOEL WENDI,' ychwanegodd Ifor yn gyflym. Ond doedd Wendi ddim wedi'i arhygoeddi.

**'Hmmmmmm.'** Dechreuodd Wendi edrych o gwmpas ei gegin. Oedodd i gydio mewn llun oedd wedi'i fframio.

**'O, edrych,'** meddai. **'Dy wraig hyfryd. Sali Sandal annwyl. Ry'n ni'n ei cholli hi gymaint. Am drasiedi – marw o ganlyniad i frathiad bach gan neidr.'**

Cymerodd Ifor y llun wrth Wendi a'i roi'n ôl yn ei le yn ofalus. 'Oedd,' meddai'n dawel. 'Mae gyda ni hiraeth mawr amdani.'

**'Mae'n anodd magu plant ar ben dy hun,'** dywedodd Wendi. **'Dwi'n gwybod hynny'n well na neb. Ac mae'n anodd iawn eu cadw nhw allan o drwbwl. DY DDAU di, er enghraifft. Oeddet ti'n gwybod eu bod nhw wedi cael eu hel adre o'r ysgol yn GYNNAR, heddiw?'**

'Na, do'n i ddim,' atebodd Ifor.

Meddalodd llais Wedi gan fynd yn fwy bygythiol.

**'Ges i'r hanes i GYD gan Walter. Roedd gyda nhw declynnau YCHWANEGOL yn eu sgidiau ysgol WAW. Sy'n torri'r RHEOLAU'N DDIFRIFOL!'**

Llyncodd Ifor yn galed. 'Wyddoch chi sut mae plant. Dangos eu hunain oedden nhw, beryg. Gaf i air â nhw nes 'mlaen, Mrs Wej.'

**'NA, wna i siarad â nhw'r MUNUD 'MA. Dwi'n meddwl y gwna i ofyn iddyn nhw am y sgidiau HEDFAN hefyd. Mae'n dipyn o gyd-ddigwyddiad, tydi?'**

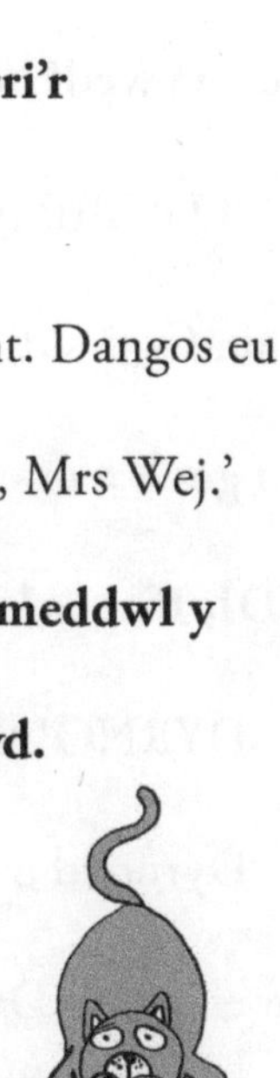

'Fyddan nhw ddim yn gwybod dim byd am y sgidiau hedfan a dwi ddim chwaith,' Cododd Ifor ar ei draed a thrio swnio'n bwyllog. 'Ella bod pwy bynnag welodd nhw wedi gwneud camgymeriad?'

**'Wyt ti'n fy ngalw i'n GELWYDDGI?'** gofynnodd Wendi.

'Na, dim o gwbl, Ms Wej.'

**'Achos dydi fy Walter bach i BYTH yn dweud celwydd. Dywedodd o bod rhywun wedi gollwng PAENT COCH drosto ac yna wedi hedfan I FFWRDD!'**

'O ddifri? Am ofnadwy. Ydi Walter yn IAWN?' gofynnodd Ifor iddi. Cododd hithau ei hysgwyddau a'u gostwng. **'Mae o fymryn yn goch a doedd o ddim yn hapus am gael bath. Ond y PWYNT YDI, Ifor ...'**

DYRNODD Wendi'r bwrdd mosäig â'i dwrn.

Dyrnodd o MOR galed nes i grac ymddangos yn ei ganol. Daliodd Ifor ei wynt.

'Mae gan RYWUN

yn NHRE-WEJ ...'

*BANG*

'SGIDIAU HEDFAN!'

*BANG*

# 'A RHAID I FI EU CAEL

# NHW!'

*BANG*

'*RHAID* I FI ENNILL ...'

*BANG*

'GWOBR ...'

*BANG*

'YR ESGID AUR.'

*BANG!*

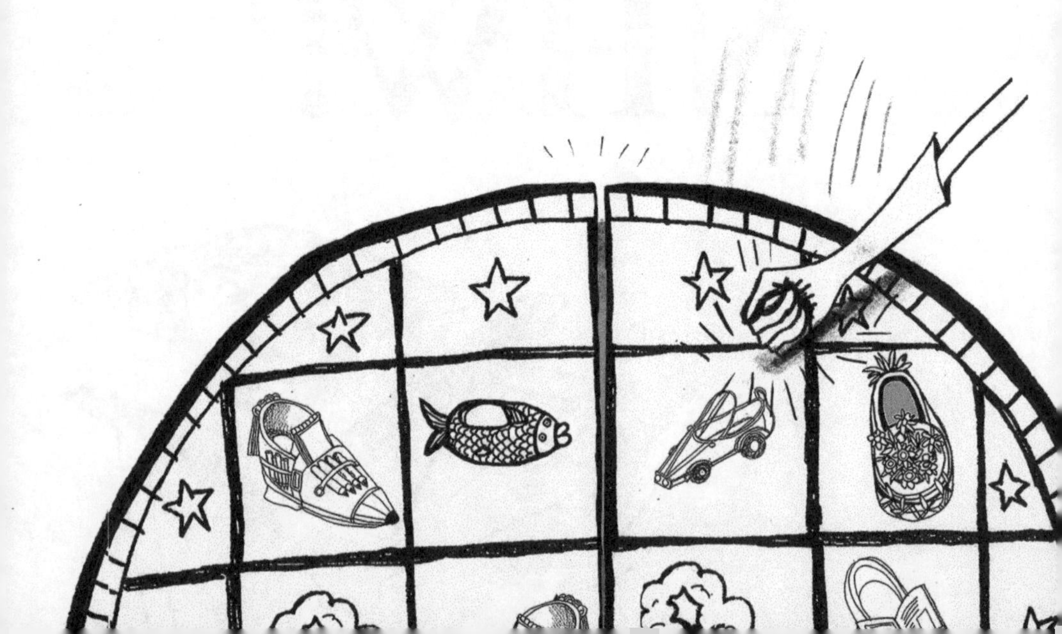

Griddfanodd y bwrdd, wedi'r ***dyrnod,*** OLAF. Ac yna, er mawr ddychryn i Ifor, dechreuodd agor y mymryn lleiaf.

## 'NA!' bloeddiodd Ifor.

**'Be ti'n feddwl, NA?'** meddai Wendi.

Roedd hi'n edrych yn ddryslyd. Doedd hi ddim yn clywed y gair 'Na' yn aml.

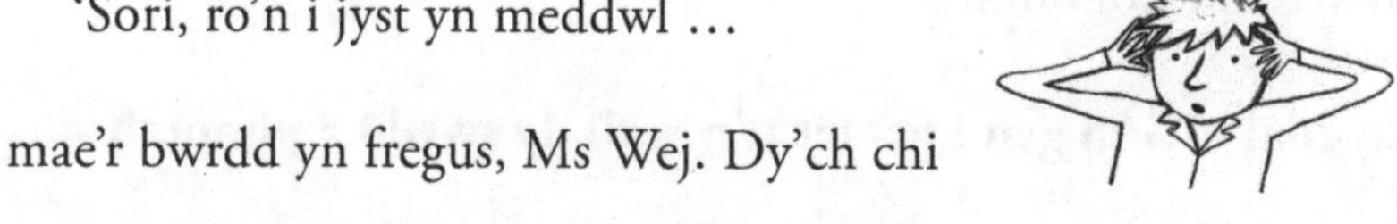

'Sori, ro'n i jyst yn meddwl … mae'r bwrdd yn fregus, Ms Wej. Dy'ch chi ddim eisiau brifo'ch llaw wrth dorri teilsen.'

Syllodd Wendi ar Ifor.

**'Wyt ti'n cofio arwyddo cytundeb, Ifor?'**

(Sut gallai o anghofio?)

Roedd y cytundeb yn
ENFAWR
â LLWYTH
o amodau wedi'u
sgwennu mewn print
bychan bach.
ARWYDDWCH YMA
Ifor Troed

'Ydw, Mrs Wej. Roedd o'n hynod o hir â llawer o sgwennu mân, mân, oedd yn anodd ofnadwy i'w ddarllen.'

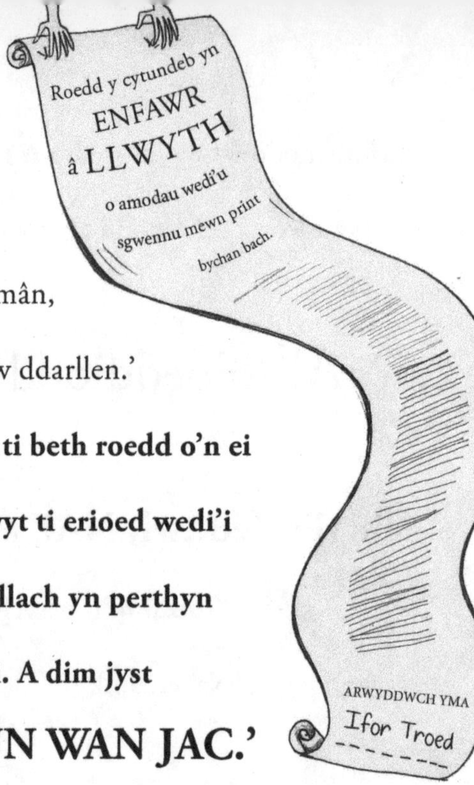

**'Wel, galla i ddweud wrthot ti beth roedd o'n ei ddweud. Mae POB un esgid rwyt ti erioed wedi'i gwneud drwy gydol dy OES bellach yn perthyn i Wejys Arbennig Wendi – sef fi. A dim jyst "ambell esgid", Ifor. BOB UN WAN JAC.'**

Ddywedodd Ifor ddim gair.

**'A byddai'n GAS gen i petaet ti'n colli dy swydd a phopeth sy'n perthyn i ti. Wedi'r cwbl, pwy fyddai'n magu dy blant?'**

Dechreuodd Wendi dynnu'i bys dros y teils lluniau sgidiau eto, gan eu tapio mewn ffordd oedd yn gwneud Ifor yn nerfus. Gallai weld y crac roedd ei holl DDYRNU eisioes wedi'i wneud.

**'Dwi'n HAEDDU ennill GWOBR YR ESGID AUR, ti ddim yn meddwl? Ac eleni dwi'n MYND i'w hennill. A WYDDOST TI SUT mae hynny'n mynd i ddigwydd, IFOR?'**

'Ry'ch chi wedi llwgrwobrwyo'r holl feirniaid?' dyfalodd Ifor.

**'NA – DWI'N MYND I GYSTADLU Â SGIDIAU HEDFAN!'**

gwaeddodd Wendi a stampio'i throed eto. Agorodd DRWS bach yng nghefn ei wej a SAETHODD crafanc metel allan.

**'Ddim rŵan!'** cyfarthodd Wendi. Diflannodd y grafanc 'nôl i mewn.

Gwelodd ei llygaid CALED y fâs flodau roedd Ifor wedi anghofio'i rhoi'n ôl ar y bwrdd. **'Pam eu bod nhw ar y llawr?'** gofynnodd.

'Ro'n i ar fin rhoi mwy o ddŵr iddyn nhw,' ceisiodd egluro.

Cydiodd Wedi ynddyn nhw a'u harogli.

**'Ych, am afiach!**

**Chwyn marw hyll,**

**TAFLA NHW!'**

'Rhian a Tal gasglodd nhw i fi.

Maen nhw'n blant da, Wendi,' meddai Ifor wrthi.

**'Gawn i weld am hynny. Awn ni i gael y sgwrs 'na efo nhw, ia?'**

Gwenodd Wendi'n ddychrynllyd ar Ifor.

'Ond Ms Wej … maen nhw …'

Cyn iddo allu dweud dim byd arall, MARTSIODD Wendi i lawr y coridor.

Doedd hi ddim yn anodd dod o hyd i'w stafell nhw mewn tŷ mor fach. Oedodd Wendi y tu allan a GWEIDDI…

**'Rhian! Tal! Mae eich hoff Anti Wendi 'ma! Dwi wedi dod i ddweud HELÔ!'**

Edrychodd ar Ifor.

**'Pam eu bod nhw'n CUDDIO oddi wrtha i?'**

'Dy'n nhw ddim, maen nhw jyst yn …'

Defnyddiodd Wendi lais melysach na mêl.

**'Dwi'n GWYBOD eich bod chi I MEWN 'NA! BAROD NEU BEIDIO, DWI'N DOD I MEWN!'**

AGORODD y drws ac i mewn â hi.

'Ms Wej, ro'n i'n trio dweud wrthych chi, dydy nhw … DDIM …' tagodd Ifor …

'... yn DDA IAWN,' gorffennodd.

Roedd Rhian a Tal yn sefyll yno. Roedd y ddau wedi'u gorchuddio

â SMOTIAU
COCH
LLACHAR!

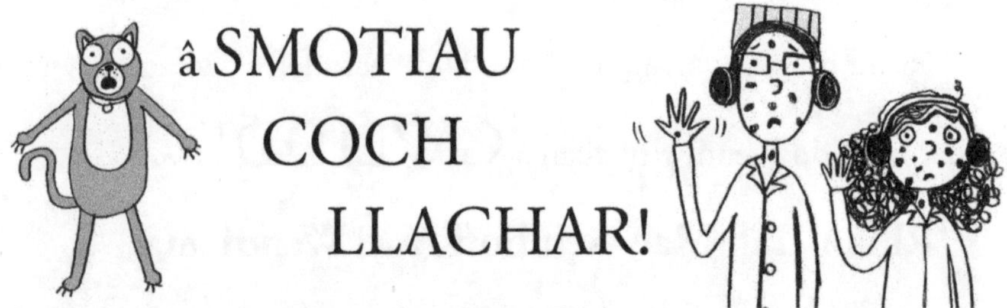

Cododd y ddau eu pennau a CHODI LLAW, fymryn yn llesg.

Llamodd Wendi'n ôl mewn dychryn. Roedd hi'n casáu unrhyw fath o salwch, bron gymaint ag roedd hi'n casáu slipars.

'Dy'n ni ddim yn teimlo'n dda iawn, felly dyma ni'n newid i'n pyjamas,' meddai Rhian mewn llais addfwyn ofnadwy.

'Ry'n ni'n gwrando ar gerddoriaeth ysgafn,' ychwanegodd Tal yn gryg, gan bwyntio at eu clustffonau. Cafodd Ifor bron cymaint o syrpréis â Wendi o'u gweld nhw GARTREF, â smotiau dros eu hwynebau. Pryd ddaethon nhw gartref?

'O, na, DRUAN â chi!' meddai, wrth i Wendi barhau i fagio'n ei hôl.

Daeth Rhian a Tal yn nes.

'Wnaeth y smotiau jyst YMDDANGOS. Ydych chi eisiau gweld?' gofynnodd Rhian i Wendi, oedd eisioes yn FFRÎCIO allan.

**'ARHOSWCH ble ry'ch chi – peidiwch â dod yn AGOS ata i!'** gwaeddodd Wendi, cyn troi at Ifor.

**'Pam na wnest ti ddweud wrtha i eu bod nhw'n SÂL, Ifor? Ydi o'n heintus? Be sy'n bod arnyn nhw? PAM wnest ti adael i fi ddod i mewn i'r TŶ os oeddet ti'n gwybod eu bod nhw wedi'i gorchuddio â SMOTIAU?!'**

'Ches i fawr o ddewis,' atgoffodd Ifor hi.

**'CADWA NHW DRAW ODDI WRTHA I.'**

Edrychodd Wendi i lawr a gweld Sgid, y gath, yn cuddio tu ôl i'w wejys hi. Plygodd a CHYDIO ynddi mewn ffordd fymryn yn DDYCHRYNLLYD gan ddal Sgid i fyny fel tarian.

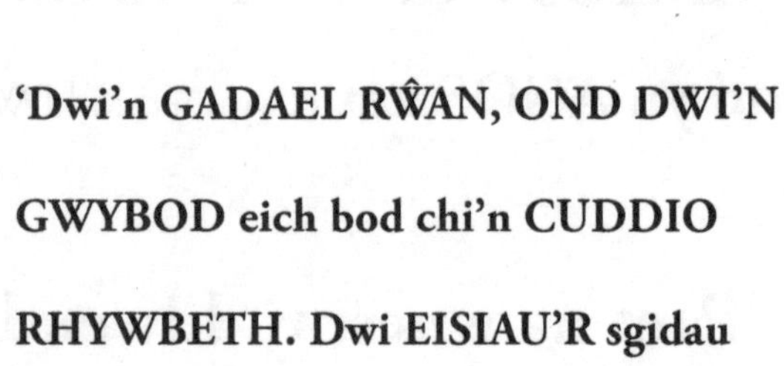

**'Dwi'n GADAEL RŴAN, OND DWI'N GWYBOD eich bod chi'n CUDDIO RHYWBETH. Dwi EISIAU'R sgidau HEDFAN 'na!'** meddai Wendi wrthyn nhw, gan ddal ei gafael ar Sgid, wnaeth hisian arni.

**'Fetia i dy fod ti'n gwybod rhywbeth hefyd,'** hisiodd Wendi'n ôl ar Sgid. **'Ffwr neis. Fyset ti'n gwneud pâr o sgidiau ffwrllyd hyfryd i fi!'** Trodd at Ifor. **'Jyst cofia. Byddai'n dy WYLIO di, dy blant smotlyd a dy gath fach CIWT.'**

'RHOWCH Sgid I LAWR! Ry'ch chi'n ei dychryn hi,' meddai Rhian yn flin.

**'PAID â dod yn NES.'** Dechreuodd Wendi FAGIO'n ei hôl, gan ddal ei gafael yn Sgid i'w hamddiffyn. Rhedodd y cŵn draw, gan GYFARTH yn WYLLT wrth i Sgid grafangu am ysgwydd Wendi, mewn ymgais i ddianc rhagddyn nhw.

Sgrechiodd Wendi. **'DOS O 'MA!'** Dilynodd Sgid y gorchymyn a llamu oddi arni, gan yrru Wendi am yn ôl yn grynedig. Chwifiodd ei breichiau o'i chwmpas yn wyllt, gan geisio peidio disgyn.

**'CRAFANGAU ALLAN! RŴAN!'**

SGRECHIODD Wendi wrth

i ddwy grafanc fetel fawr

ymddangos o gefn bob WEJ i'w chadw ar ei thraed.

**'Byhafiwch, Chwith a Dde!'** gwaeddodd Wendi

wrth iddi fynd allan drwy'r drws yn sigledig.

CLEPIODD Ifor y drws tu ôl iddi'n gyflym a chymyrd ANADL MAWR DWFN.

'Welsoch chi'i hwyneb hi?' chwarddodd Rhian.

'A'i breichiau,' ymunodd Tal, gan ddynwared Wendi'n disgyn.

Clodd Ifor y drws cyn troi at ei blant â'i wyneb yn hynod DDIFRIFOL.

'Wel, ry'ch chi'ch dau wedi gwella'n sydyn ofnadwy,' meddai'n amheus, gan rwbio un o'r smotiau ar wyneb Tal â'i fys. Trodd y smotyn yn sbloj.

'Paent coch?' gofynnodd.

'Ella …' sibrydodd Rhian.

'Roedd yn rhaid i ni wneud rhywbeth, Dad! Roedd hi'n argyfwng!' eglurodd Tal.

Cymerodd Ifor y bluen roedd o wedi'i ffeidio'n gynharach a'i dal i fyny o'u blaenau.

'Roedd hon yn eich stafell chi.

Unrhyw syniad o ble daeth hi?' holodd.

'Aderyn?' meddai Tal.

'NEU hwyaden?' ychwanegodd Rhian.

'Aderyn YDI hwyaden,' pwysleisiodd Tal.

'Wnest ti ddim dweud pa fath o aderyn chwaith – a gall hwyaid fod yn wyn. Felly gallai fod yn un hwyaden. Neu golomen …' meddai Rhian.

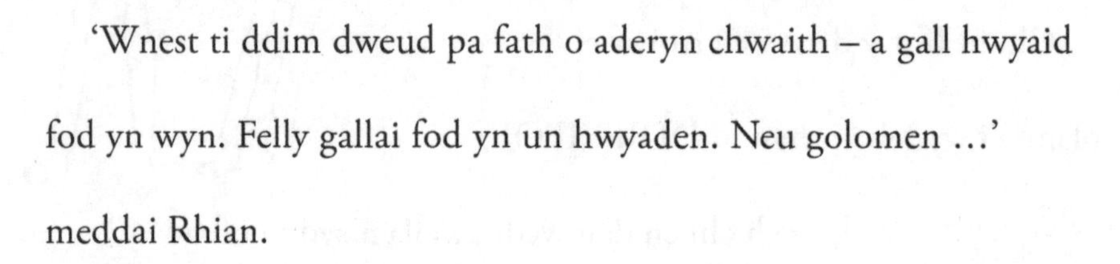

Ysgydwodd Ifor ei ben.

'Dowch yn eich blaenau, eich dau – dwi'n credu bod eisiau i ni gael sgwrs fach. Wedi i chi olchi'r smotiau ffug 'na i ffwrdd,' dywedodd gan edrych arnyn nhw'n llym.

'Wnei di ddim gwylltio, na wnei, Dad?' gofynnodd Rhian yn bryderus.

'Ewch i 'molchi i ddechrau, wedyn gewch chi ddweud **popeth*** wrtha i,'

*Sgid yn ymlacio*

*Troed nodyn: Troed nodyn: roedd LLAWER i'w ddweud.

# 'Wnaethoch chi BETH?'

Prin y gallai Ifor gredu'i glustiau.

'Paid â phoeni, Dad, welodd neb ni,' meddai Rhian.

'Wnaethon ni'n siŵr o hynny,' ychwanegodd Tal.

'Gadwch i fi wneud yn siŵr 'mod i wedi deall hyn yn iawn. Wnaethoch chi GYMRYD y sgidiau HEDFAN o 'ngweithdy i. YNA wnaethoch chi eu defnyddio i HEDFAN at yr arwydd Tre-wej NEWYDD SBON a pheintio **calon** dros yr enw?'

Nodiodd y plant. 'Mae'n edrych cymaint yn neisiach rŵan, Dad. Ddylet ti'i weld,' meddai Rhian wrtho.

Ysgydwodd Ifor ei ben. 'SUT oeddech chi'n gwybod sut i FFEINDIO'R sgidiau? Alla i ddim cuddio dim wrthoch chi, alla i?'

'Allet ti guddio betys,' meddai Rhian.

'Fydden ni BYTH yn chwilio am RHEINI.'

'Be sy'n bod ar fetys?' Swniai Dad fymryn yn ddryslyd.

'Maen nhw'n blasu fel pridd!' Tynnodd Rhian ystumiau.

'Sut wyt ti'n gwybod am flas pridd?' gofynnodd Tal.

'Ges i beth ar foronen unwaith, ar ddamwain, pan o'n i'n fach,' meddai Rhian wrth Tal. 'Mae'n blasu fel y ddaear, yn union fel blas betys. Ych-a-fi.'

'Dyna ddigon am FETYS! Allwn ni siarad am beth y'ch chi'ch dau wedi bod yn ei wneud tu ôl i 'nghefn i?' gofynnodd Dad.

Tynnodd Rhian a Tal anadl ddofn a dechrau dweud POPETH am Walter Wej wrth Dad.

(Ia, FO ...)

'I ddechrau, wnes i ddarganfod fod Walter Wej wedi cael ei symud i 'nosbarth i yn yr ysgol,' dywedodd Tal. 'Roedd o'n eistedd reit drws nesa i fi.'

'O, diar …' mwmialodd Dad.

'Wnaeth o wthio heibio i ni, y tu allan, fel petai o MOR sbeshal,' ychwanegodd Rhian.

'Swnio'n union fel Walter Wej. Be ddigwyddodd nesa?' roedd Dad eisiau gwybod.

'Daeth â bag MAWR o bryfed cop FFUG a phryfed eraill i mewn, er mwyn chwarae triciau arna i a phawb arall. Rhoddodd Walter un ar fy sedd i a thaflu un arall at Ffrancon Fflat,' meddai Tal.

'Gafodd Walter bryd o dafod?' gofynnodd Dad.

'Dim ffiars o beryg. Dydi'r athrawon ddim yn CAEL rhoi pryd o dafod iddo,' ocheidiodd Tal.

'Ond gwranda ar hyn Dad – wnaeth Tal guddio holl driciau Walter.' Roedd Rhian yn swnio'n hynod o falch o'i brawd.

'Doedd Walter ddim yn hapus. Ond ro'n i'n mynd i'w rhoi nhw'n ôl iddo yn y diwedd,' meddai Tal.

'Da wyt ti!' Cynigodd Rhian bawen lawen iddo.

'Wnaeth o roi Walter mewn HWYLIAU CIAMI. Roedd o'n hynod bwdlyd ac yn gwrthod cymryd rhan yn y wers ymarfer corff. Mae gan Walter nodyn gan ei fam sy'n ei ESGUSODI o BOPETH nad ydi o eisiau'i wneud, fwy neu lai,' dywedodd Tal.

'Hoffen *i* gael un o *rheina*,' gwenodd Rhian.

'Dim gobaith caneri, Rhian. Caria 'mlaen, Tal,' meddai Dad gan chwerthin.

'Felly, awgrymodd Miss Miwl ei fod o'n mynd i'r llyfrgell am ychydig. Ond doedd o ddim eisiau mynd. Arhosodd o nes ein bod ni

i gyd yn y wers ymarfer corff, cyn CHWILIO drwy'r dosbarth am y pryfed ffug. Wnaeth o eu FFEINDIO nhw yn fy nesg i. Felly roedd o'n gwybod mai fi oedd wedi mynd â nhw. Yna rhoddodd nhw yn ein sanau a'n sgidiau fel syrpréis neis.'

Ochneidiodd Dad. 'Swnio fel Walter.'

'Mae'n rhaid mai dyna pryd sylweddolodd o fod gan fy sgidiau i declynnau YCHWANEGOL y tu mewn iddyn nhw – diolch i ti, Dad. Maen nhw'n grêt, gyda llaw.'

'Diolch, Tal,' meddai Dad.

'Aeth o'n syth at Mr Mocasin a'u dangos nhw iddo. Yna galwodd Mr Mocasin fi a Rhian i'w swyddfa. Roedd Walter yno, yn gwenu, fel petai'n dweud "dydi o ddim mwy na'ch haeddiant chi".'

'Dywedodd wrth Mr Mocasin fod ei FAM yn mynd i glywed am fy holl declynnau ac y dylen i gael

'YNA, awgrymodd LWYTH o waith cartref ychwanegol am FLWYDDYN, glanhau sgidiau pawb, ac aros ar ôl ysgol hefyd,' eglurodd Tal.

'Hei, fi wnaeth dorri'r rheolau sgidiau – dim chi'ch dau. Dwi'n mynd i ffonio Mr Mocasin yr eiliad hon i egluro,' torrodd Dad ar ei draws.

'Mae'n IAWN, Dad,' dywedodd Rhian. 'Gyrrodd Mr Mocasin Walter allan a dweud wrthon ni am fynd adre'n gynnar a pheidio â gwisgo'r sgidiau 'na byth eto. A dyna ni! Dim cosb!'

'Da iawn, Mr Mocasin!' meddai Dad yn falch.

'Do'n ni ddim eisiau i TI fynd i drwbwl, Dad. Felly dywedais i wrtho mai NI wnaeth newid y sgidiau,' meddai Tal.

'Gredodd o ti?'

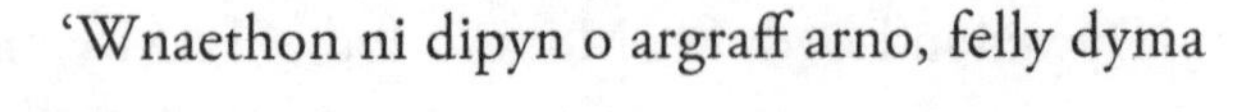

‘Wnaethon ni dipyn o argraff arno, felly dyma

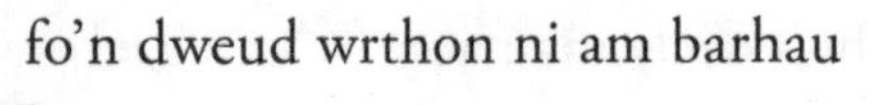

fo’n dweud wrthon ni am barhau i DDYFEISIO – jyst ddim ar ein sgidiau ysgol WAW,’ meddai Tal.

‘Gawn ni fynd at y darn am FACHU fy sgidiau HEDFAN i rŵan?’ gofynnodd Dad.

‘Felly, ro’n ni ar ein ffordd adre’n gynnar a dyma ni’n picio i mewn i weld Berwyn yn ei siop sgidiau. Roedd o’n brysur yn peintio posteri protest,’ meddai Tal.

‘Un da ydi Berwyn,’ meddai Dad. ‘Ei siop o ydi’r unig siop yn y dref, sydd DDIM yn eiddio i Wendi Wej.’

‘Dywedodd Berwyn wrthon ni ei bod hi eisiau cau’r siop,’ meddai Rhian.

‘A-ha.’

‘Felly dyma ni’n ymuno ag o a pheintio’n arwyddion ein hunain!’

Ochneidiodd Dad. ‘Do, mae’n siŵr.’

'Fy arwydd i oedd y gorau. Roedd o'n dweud:

**SGIDIAU BERWYN I BAWB O BOBL Y BYD!'**

ychwanegodd.

'Mae ganddo steils sgidiau newydd ffansi yn ei siop, Dad. Ddylet ti eu gweld nhw,' meddai Tal yn gyffro i gyd. 'Ac mae'n gwybod llawer o straeon da am sut fath o le OEDD **TRESGIDIAU** CYN i Wendi Wej gymryd drosodd. Dangosodd luniau i ni, o Mam a tithau pan oeddech chi'n ifanc.'

'Â gwallt gwirion, Dad,' meddai Rhian wrtho.

'Hei, roedd hwnna'n steil o safon ers talwm!' protestiodd Ifor.

Ysgydwodd y ddau eu pennau. 'Nag oedd Dad, doedd o ddim.'

'OCÊ, aethoch chi i siop Berwyn a pheintio arwyddion protest. Be wnaethoch chi wedyn?'

'Wel, dyma ni'n gadael y siop a gweld Mr Crîpar a grŵp o weithwyr Wej yn rhoi arwydd Tre-wej NEWYDD i fyny,' meddai Rhian wrth Dad. 'FEL BOD 'na ddim DIGON o bethau wedi'u HENWI ar ei hôl hi'n barod?'

'Pam bod Wendi'n cael rhoi ei HENW dros ein tref NI ym mhobman?' ystyriodd Tal.

'Achos mai HI sy berchen y rhan fwyaf ohoni,' meddai Dad yn drist.

'Wel, dydi hynna ddim yn deg! Beth bynnag, wrth i ni'n dau'n edrych i fyny ar yr ARWYDD dyma ni'n penderfynu bod **TRESGIDIAU** yn enw LLAWER gwell na TRE-WEJ. A dyna pryd ces i'r SYNIAD GORAU ERIOED!' meddai Rhian.

'Sef y dylen ni FENTHYG y sgidiau Hedfan, HEDFAN i fyny at yr arwydd a pheintio drosto!' dywedodd Tal.

'SUT oeddech chi hyd yn oed yn gwybod ble ro'n i'n cadw fy sgidiau hedfan?' holodd Dad.

'Wnei di ddim gwylltio?' gofynnodd Tal.

'Wna i drio peidio.'

'UNWAITH, wnes i dy weld di'n agor bwrdd y gegin. Ro'n i'n cuddio tu ôl i'r silff lyfrau,' meddai Tal wrtho.

'HEI, fy nghuddfan I ydi honna!' dywedodd Rhian.

'Ond sut roeddet ti'n gwybod beth oedd y cod? Dwi ddim hyn yn oed yn medru'i gofio fel arfer,' gofynnodd Dad.

'Mae gen i gof da. Wnes i dy weld di'n ei wneud o unwaith – ac roedd hynny'n ddigon.' Patiodd Tal ei ben.

Dechreuodd Dad edrych yn nerfus.

'Ro'n ni'n hynod o ofalus â'r sgidiau, Dad, dwi'n addo,' addawodd Rhian a mynd yn ei blaen.

'YNA, wrth adael y tŷ, dyma Mrs Daps yn ymddangos o nunlle, gan ofyn pam nad o'n ni yn yr ysgol.'

'RHAID ei bod hi wedi gweld y sgidiau,' meddai Dad.

'Na, ond wnaeth hi holi am y paent coch ro'n ni'n ei gario. Dywedais mai ar gyfer prosiect ysgol oedd o a'n bod ni wedi dod adre i'w gasglu,' meddai Rhian wrth Dad.

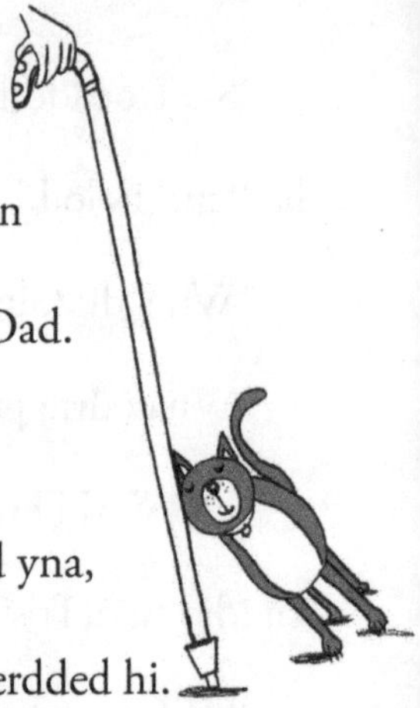

'Syniad da, Rhian.'

'Dwi ddim yn siŵr os gwnaeth hi ein credu ni. Ond yna, dyma Sgid yn dechrau canu grwndi o gwmpas ei ffon gerdded hi. Tynnodd hynny ei sylw hi ac fe sleifion ni i ffwrdd,' eglurodd Rhian.

'Erbyn i ni gyrraedd yr arwydd, doedd dim adyn byw yn unlle. Felly wnes i wisgo'r sgidiau a defnyddio'r panel-addasu-arbennig ar gyfer traed maint gwahanol. Ychwanegiad DA IAWN, Dad.'

'Dwi'n trio 'ngorau,' cochodd Dad yn falch.

'Yna wnes i gario Rhian ar fy nghefn wrth iddi gydio yn y paent,'

'A dyma fi'n dweud yn neis ac yn eglur, "Sgidiau, I FYNY",' ychwanegodd Rhian.

'Fe godon ni oddi ar y ddaear, felly dyma fi'n dweud hynny eto – "Sgidiau, I FYNY!" – ac mewn chwinc, fe godon ni i'r un uchder â'r arwydd. Roedd o'n ANHYGOEL, Dad!'

'Yna y cwbl oedd yn rhaid i Rhian ei wneud oedd peintio calon dros y 'WEJ' yn gyflym ac yna sgwennu "Sgidiau" wrth ei ochr, wrth i fi gadw balans,' aeth Tal yn ei flaen.

'Mae'n edrych yn llawer gwell,' meddai Rhian yn falch.

'Roedd popeth yn mynd fel watsh nes i'r un person do'n ni DDIM eisiau'i weld – sef Walter Wej – ddechrau cerdded draw.'

Gwelwodd Dad wrth i Rhian fynd ymlaen i ddweud y stori.

'Dyma ni'n HEDFAN yn gyflym y tu ôl i goden a hofran.

GWELODD Walter yr arwydd – a doedd o ddim yn HAPUS …'

'Dyna pryd gollon ni reolaeth o'r sgidiau. Ddechreuon nhw WEGIAN i'r chwith YN GYFLYM, ac yna i'r dde, a dyma ni'n COLLI'R paent …' oedodd Tal.

'DROS WALTER,' meddai Rhian, gan geisio peidio â gwenu.

'O'R HOLL lefydd y GALLAI o fod wedi glanio, roedd yn RHAID iddo ddisgyn DROS FAB Wendi,' meddai Dad, gan wybod fod hyn ddim yn dda.

'Gymerodd hi eiliad i'r holl beth suddo i mewn,' dywedodd Tal.

'Y paent?' gofynnodd Dad.

'Nage, o ble daeth y paent! Roedd Walter yn edrych yn hynod o ddryslyd.'

'Ac yn goch i gyd hefyd …' ychwanegodd Rhian.

'Geision ni hedfan 'nôl i'r tŷ, ond dyma ni'n dechrau SIGLO. Ro'n ni DROS Y LLE I GYD!'

TRE-
Sgidiau
wi’n dweud
wrth Mam!

'Ro'n ni'n glyfar, Dad, wnaethom ni drio hedfan yn isel a glaniodd Tal yn wych y tu ôl i GOEDEN,' meddai Rhian gan geisio'i gysuro.

'Yna, dyma ni'n rhuthro gartre i roi'r esgidau'n ÔL ond roeddet ti eisioes yn y tŷ,' meddai Tal wrtho. 'Roedd yn rhaid i ni feddwl am ffordd o sleifio heibio i ti.'

'Ond SUT?' gofynnodd Dad. 'Baswn i wedi'ch gweld chi.'

'O, mae'r darn 'ma'n dda,' dywedodd Rhian.

'Cymerodd Rhian lythyr o'n blwch post ni a'i roi o drwy ddrws Mrs Daps,' eglurodd Tal.

'DO – yna dyma hi'n dod â fo draw,' meddai Dad. 'DYNA pryd sleifioch chi'ch dau i mewn.'

Nodiodd Rhian a Tal.

'Mae Mrs Daps MOR fusneslyd, ro'n ni'n gwybod na fyddai hi jyst yn ei BOSTIO'n ôl,' dywedodd Tal. 'Ac ro'n ni'n gwybod y byddai hi'n dy gadw di i siarad am oes pys.'

'Dyma ni'n dringo i mewn drwy'r ffenest wrth i chi sgwrsio. Rhoddodd Tal y sgidiau'n ôl yn y bocs a CHAU'R bwrdd.'

'Y drosedd berffaith,' ochneidiodd Dad. 'Mae'n siŵr y dylwn i fod yn falch ohonoch chi.'

'Yna wedi iddi HI adael, glywson ni'r holl DDYRNU 'na ar drws,' aeth Tal yn ei flaen.

'Ro'n NI'N gwybod y byddai Walter wedi agor ei geg. Roedd yn rhaid i ni feddwl yn GYFLYM! Dyna pryd gwnaethon ni roi paent coch ar ein hwynebau. Ro'n ni'n gwybod y byddai hynny'n gweithio. Mae Wendi'n casáu smotiau,' meddai Tal gan roi pawen lawen i Rhian.

Edrychodd Dad ar y ddau. 'Dyna'r cwbl – does gyda chi ddim byd mwy i'w ddweud?'

Ysgydwodd Rhian a Tal eu pennau.

'Beth petaech chi wedi cael eich dal? Beth petaech chi wedi cael eich brifo?' gofynnodd Dad.

'Ni'n IAWN AC mae'r sgidiau'n wych. Y GORAU! Ddylet ti gystadlu yng **NGWOBR YR ESGID AUR**, Dad! Byddet ti'n siŵr o ennill!' ebychodd Rhian.

'Bendant!' cytunodd Tal.

'Alla i ddim,' dywedodd Dad. 'Dwi wedi arwyddo cytundeb â Wejys Arbennig Wendi. Mae pob esgid dwi wedi'i gwneud, rŵan ac yn y gorffennol, yn eiddo i Wendi.'

'Ond dim ti wnaeth wneud y sgidiau,' meddai Tal yn araf. 'Mam wnaeth. Felly alli di gystadlu â nhw?'

Ysgydwodd Dad ei ben. 'Mae'n ormod o risg. Alla i ddim profi mai Mam ddyfeisiodd nhw. Dychmygwch petai Wendi'n mynd â nhw. Byddai Mam wedi casáu hynny. Fyddai hi byth wedi maddau i fi.'

'Ond Dad, glywais i ti'n dweud wrth Sgid neithiwr y byddai Mam MOR falch petai ti'n ennill **WOBR YR ESGID AUR**,' atgoffodd Rhian o.

'Ro'n i wedi blino, Rhian. Baswn i'n colli fy swydd petai hynny'n digwydd.'

'Allet ti weithio i Berwyn Brôg, jyst fel yn yr hen ddyddiau. Petaet ti'n gwneud sgidiau hedfan, byddai pawb yn eu prynu nhw a gallai o gadw'r siop ar agor, â'r holl gwsmeriaid NEWYDD. Fyddet ti ddim angen Wendi Wej.'

Cododd Dad ar ei draed. 'Dydi hynny ddim yn mynd i ddigwydd,' ochneidiodd. 'Mae Wendi'n bwriadu CAU siop Berwyn. Wnaiff hi ffeindio ffordd o wneud hynny, rywsut neu'i gilydd. Ond all hi DDIM cymryd sgidiau Sali hefyd. Felly wnewch chi addo i fi – DIM MWY o dripiau â'r sgidiau hedfan?'

Mwmialodd Rhian a Tal rhyw fath o "iawn".'

'Addo?' gofynnodd Dad, gan gynnig ei fys iddyn nhw.

Plethodd y tri eu bys bach a thyngu llw.

'Addo.'

Crychodd Dad ei dalcen. 'All rhywun glywed sŵn suo od?'

'Y dreigiau yn fy stumog, beryg,' awgrymodd Rhian. 'Dwi ar lwgu, wedi'r holl hedfan 'na.'

'A finnau,' meddai Tal. 'Be sy 'na i ginio?'

'Dim betys, gobeithio,' meddai Rhian wrth Tal, gan dynnu stumiau.

Tra bod y teulu Troed wrthi'n brysur yn gwneud addewidion ac yn siarad am fwyd, roedd ffigwr tal Mr Crîpar yn stelcian y tu allan yn y cysgodion. Clywodd BOPETH.

# Maint 11

Cynorthwyydd ffyddlon a hir-ddioddefus Wendi oedd Mr Crîpar. Roedd Wendi'n trystio Mr Crîpar, ond doedd hynny ddim yn ei hatal rhag bod yn frwnt wrtho. (Fel roedd hi â'r rhan fwyaf o bobl.) Felly pam bod Mr Crîpar yn ffwdanu aros a gweithio iddi?

Cwestiwn da.

Roedd Wendi wastad wedi addo dyrchafiad **MAWR IAWN** iddo. 'Byddi di'n HYNOD bwysig. Ddim mor bwysig â FI, yn amlwg, ond wedyn, pwy sy?'

Roedd Mr Crîpar yn parhau i obeithio y byddai Wendi'n cadw'i haddewid. Ond doedd hynny heb ddigwydd eto.

Roedd Wendi wedi STOMPIO i ffwrdd o dŷ'r teulu Troed, a chyda phob cam roedd hi'n ei gymryd, roedd hi'n mynd yn FWYFWY argyhoeddedig fod Ifor Troed a'i boen o blant yn GWYBOD rhywbeth am y sgidiau hedfan.

Felly MYNNODD fod Mr Crîpar yn DYCHWELYD i **Stad Bocsgidiau. 'Dwi'n siŵr bod gan y teulu Troed trychinebus rywbeth ar droed. Dwi'n bendant. Ffeindia DYSTIOLAETH neu, gwell fyth, ffeindia'r sgidiau hedfan.'**

'A beth os nad ydyn nhw yno?' gofynnodd Mr Crîpar, gan wneud i Wendi GOLLI'R PLOT YN LLWYR.

'Paid â bod yn HURT! Maen nhw yno! DWI EISIAU'R SGIDIAU HEDFAN 'NA!'

Roedd wyneb Wendi wedi troi mor GOCH â mefusen.

Sleifiodd Mr Crîpar i ffwrdd mor gyflym ag y gallai.

Yn sydyn iawn, roedd o wedi meddwl am gynllun. (Rhwng meddwl am fisgedi ...) Aeth Mr Crîpar ar ei ben i weithdy WAW (wedi iddo fod â'i ben mewn tun bisgedi gyntaf).

Roedd holl greadigaethau WEJ ar gyfer **GWOBRAU YR ESGID AUR** yfory'n cael eu cadw yno. (Yn y gweithdy, nid yn y tun bisgedi.)

Roedd o'n mynd i fenthyg y WEJYS CAMERA gwych roedd Ifor Troed wedi bod yn gweithio arnyn nhw. Oedd o'n teimlo'n euog am FACHU sgidiau Ifor?

**Na,** doedd o ddim.

'Mae hi'n SGIDyfwng,*' meddai Mr Crîpar wrtho'i hun, gan lowcio llond ceg o fisgedi cwstard.

*Troed nodyn: argyfwng – ond ar gyfer sgidiau.

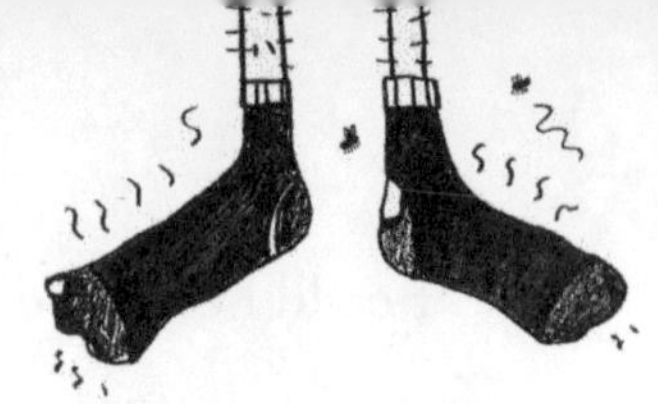

Tynnodd Mr Crîpar ei sgidiau ei hun (oedd fymryn yn afiach), codi'r gromen wydr a reolwyd â thymheredd oddi ar wejys camera Ifor, a rhoi'r sgidiau am ei draed. Yna taniodd yr addasydd esgid AWTOMATIG fel bod y wejys yn ffitio'i draed o'i hun yn berffaith. (Bodiau bychan oedd gan Mr Crîpar i feddwl ei fod o'n ddyn mor dal.)

Yna clipiodd y panel rheoli i'w arddwn a dweud,

'TROWCH. Y WEJYS. YMLAEN.'

Ddigwyddodd ddim byd.

Ailadroddodd y geiriau dro ar ôl tro, mewn gwahanol dôn, ond weithiodd yr un ohonyn nhw.

'Am boen …' mwmialodd. Yna gwelodd rywbeth tebyg iawn i lyfr cyfarwyddiadau oedd wedi'i agor ar y dudalen oedd yn dweud …

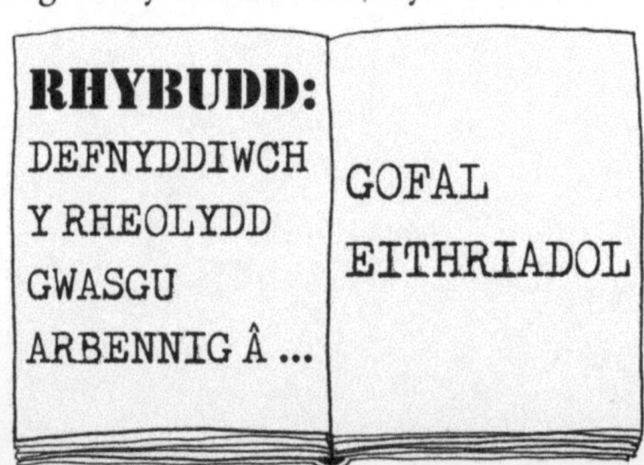

RHYBUDD:
DEFNYDDIWCH
Y RHEOLYDD
GWASGU
ARBENNIG Â …
GOFAL
EITHRIADOL

'Iawn …'

meddai Mr Crîpar, gan storio'r wybodaeth ar ei gof.

Ffliciodd drwy'r llyfryn nes dod o hyd i dudalen oedd yn dweud

**PROBLEMAU TECHNEGOL …**

'Dyma beth dwi angen,' mwmialodd.

'Os nad ydi'r rheolydd llais yn gweithio, ceisiwch ei

DIFFODD a'i droi'n ôl YMLAEN eto.'

Llwyddiant.

Daeth y WEJYS yn fyw.

Cymerodd Mr Crîpar gip ar ei

adlewyrchiad yn y ffenest. 'Dim yn ddrwg …'

nodiodd, yn falch ohono'i hun.

'Dim yn ddrwg o gwbl.'

Rŵan bod y wejys camera'n barod ac am ei draed, anelodd tuag at dŷ'r teulu Troed.

Brasgamodd heibio i'r ddau swyddog diogelwch a safai wrth ddrws WAW a chodi'r bar rheoli mynediad wrth iddo chwifio'i bàs arno.

'Dy'ch chi heb fy ngweld i,' hisiodd Mr Crîpar arnyn nhw. 'A dy'ch chi'n bendant ddim wedi 'ngweld i'n gwisgo'r WEJYS 'ma.'

Sleifiodd Mr Crîpar i lawr i **Stad Bocsgidiau,** gan sbecian o'i gwmpas i wneud yn siŵr bod neb yn ei wylio, cyn diflannu y tu ôl i GOEDEN arbennig o LYDAN oedd reit tu allan i dŷ'r teulu Troed.

Yna tapiodd y sgrin ar ei arddwn a, chan ddefnyddio'r rheolydd llais, sibrydodd 'CODWCH, WEJYS,' fel y gallai weld yn well.

Gallai Mr Crîpar weld bod y teulu'n eistedd o gwmpas y bwrdd yn sgwrsio.

'Perffaith.' Gwenodd yn fygythiol.

Yna gwthiodd ei droed DDE allan a sibrwd, 'Gollwng y camera.'

Ymddangosodd braich fetel hir drwy ddrws bach yn ei sawdl, gan ddatgyrlio'n araf allan o'i esgid. Nadreddodd ar hyd y llawr ac yna cripio i fyny ochr y tŷ nes pwyntio'n syth at ffenest y teulu Troed.

Edrychodd Mr Crîpar ar y sgrin ar ei arddwn i gael llun clir da.

'Ffocysu a recordio.'

Roedd y sŵn fymryn yn aneglur i ddechrau, ond gallai glywed un math o sŵn yn eglur … sŵn grrrrwndi, jyst cyn i'r sgrin gyfan fynd yn DDU.

'Camera,' sibrydodd ar frys, 'i'r chwith, i lawr, ffocysu. FFOCYSU.'

Yn sydyn, LLENWODD DWY LYGAD DISGLAIR y sgrin gan SYLLU'n syth ato.

'Allan o'r ffordd – OI! Y GATH dwp!' Ceisiodd symud y camera ond y cwbl allai o weld oedd ei chynffon yn swisho'n ôl ac ymlaen.

Yn y diwedd, llwyddodd Mr Crîpar i fynd mor uchel fel na allai'r gath flocio'r olygfa, jyst fel CLYWODD Ifor yn dweud DAU AIR HYNOD O BWYSIG.

'SGIDIAU HEDFAN.'

Gwrandawodd a gwrandawodd Mr Crîpar a gwenu gwên ddieflig.

'IEI! Diolch, Ifor Troed. Glywais i di'n eglur neis – a wnaiff pawb arall rŵan hefyd.' ROEDD GANDDO DYSTIOLAETH! Gallai Mr Crîpar CHWIFIO cytundeb Ifor o gwmpas i'w atgoffa o'r hyn a gytunodd, byddai'r **Heddlu Sgidiau**'n ei gefnogi drwy edrych yn llym, a gallai Wendi gymryd beth oedd yn eiddo iddi hi: y sgidiau hedfan.

Roedd hi'n amser mynd tua thre. Byddai Wendi wedi gwirioni ac yn ei LONGYFARCH – ac ELLA byddai'n cael y dyrchafiad hir-ddisgwyledig yna? Roedd o'n ei haeddu.

Roedd Mr Crîpar yn dychmygu'i hun yn eistedd mewn swyddfa newydd, gyda sgidiau NEWYDD, â'i draed ar y ddesg pan bigodd RHYWBETH o ar ei WDDF. *PING!*

'AW!' Teimlai fel pigiad gwenynen.

Daeth *PING* arall a dyma rhywbeth yn ei FWRW uwch ei BEN.

'Gas gen i wenyn,' meddai gan edrych o'i gwmpas. Roedd hi'n amser gadael. Sibrydodd Mr Crîpar i mewn i'w reolydd garddwn. 'Camera'n ôl.'

Llithrodd 'nôl i lawr y wal ac roedd o wrthi'n paratoi i adael pan STOPIODD yn stond. Roedd y camera wedi cael ei ddal ar rywbeth.

'Be rŵan?' meddai Mr Crîpar unwaith eto.

'Camera'n ôl. O, DIM TI eto,' ochneidiodd pan welodd o beth oedd yno.

Roedd Sgid wedi llamu ar y camera, fel petai'n LLYGODEN.

'Jet dŵr YMLAEN,' meddai Mr Crîpar gan wylio Sgid yn cael ei gwlychu, cyn iddi NEIDIO i fyny a gollwng ei gafael.

'Da iawn. Rŵan camera 'nôl!'

Llithrodd ar draws y ddaear ac aeth 'nôl i mewn i'w sowdl wej â chlic foddhaol.

'Ffiw,' mwmialodd wrth i rywbeth ddechau *SUO* o gwmpas ei ben. GWENYNEN arall. Pwyntiodd ei droed i fyny, i wneud yn siŵr bod popeth wedi'i gau. Roedd hi'n bryd iddo adael.

'Cer o 'ma!' mwmialodd o dan ei wynt, gan geisio

BWRW'r wenynen â'i law.

Yna *PING!*

Cafodd ei bigo ar ochr arall ei wddf. Trawodd Mr Crîpar ei groen, er mwyn ceisio gwasgu beth oedd oddi tano. *PING!*

Pigwyd ei fraich nesaf.

*PING!* Yna'i FOCH.

*PING!* Slapiodd ei wyneb ei hun i geisio cael gwared o'r gwenyn, ond glaniodd un ar ei reolydd garddwn. Ar ôl iddo'i ysgwyd ychydig o weithiau, GWYLLTIODD Mr Crîpar a BWRW'r rheolydd nifer o weithiau â'i law arall. 'Cymer HWNNA!' hisiodd, cyn BWRW'r botwm

GWTHIO-I-FYNY SÎWPYR-DWPYR

ar ddamwain.

Gwnaeth y wejys sŵn od oedd ddim yn argoeli'n dda iawn.

'O na,' sibrydodd, ond roedd hi'n rhy hwyr.

Fe wthion nhw fo reit yn ei ôl ar y **PŴER** cryfaf un, posibl,

cyn ei

SAETHU

i FYNY

i'r awyr

fel

corcyn

allan

o botel.

Estynnodd Mr Crîpar am y gangen agosaf a dal yn sownd ynddi cyn hired ag y gallai (oedd ddim yn hir).

Edrychodd i fyny a gweld bod nyth gwenyn REIT DRWS NESAF I'W DDWYLO! 'Yh-oh!' Gollyngodd ei afael a chwympo i'r llawr gyda THWMP. 'Gwenyn gwirion,' grwgnachodd Mr Crîpar gan geisio cael trefn arno'i hun. Cymerodd gip ar y wejys CAMERA i wneud yn siŵr eu bod nhw'n dal i weithio, cyn eu gwisgo nhw eto a thyngu llw na fyddai o BYTH yn gwasgu'r botwm yna eto.

'Ges i ddihangfa lwcus. Rŵan, 'nôl â fi at Wendi er mwyn i fi gael dweud y newyddion DA wrthi …' meddai … jyst fel y CWYMPODD y nyth gwenyn i LAWR wrth ei draed ac yr HEIDIODD y gwenyn allan ohono'n GANDRYLL a'i orchuddio.

RHEDODD Mr Crîpar mor gyflym ag y gallai gan geisio ysgwyd y GWENYN oddi arno. LLAMODD dros far mynediad WAW fel petai'n rhedeg ras glwydi. Sgrechiodd y swyddogion diogelwch.

'STOP! TRESMASWR!' a gollwng y cŵn.

'FI sy 'ma! FI!' bloeddiodd Mr Crîpar.

Baglodd i mewn i'r rhaeadr siâp W a chuddio o dan y chwistrell ddŵr er mwyn ACHUB ei hun, gan anghofio popeth am y wejys camera uwch-dechnolegol oedd am ei draed.

(Na, doedden nhw ddim yn dal dŵr.)

Arhosodd Mr Crîpar yno nes i'r gwenyn adael ac y galwodd y swyddogion diogelwch ar y cŵn i ddod 'nôl.

Allai pethau ond gwella i Mr Crîpar.*

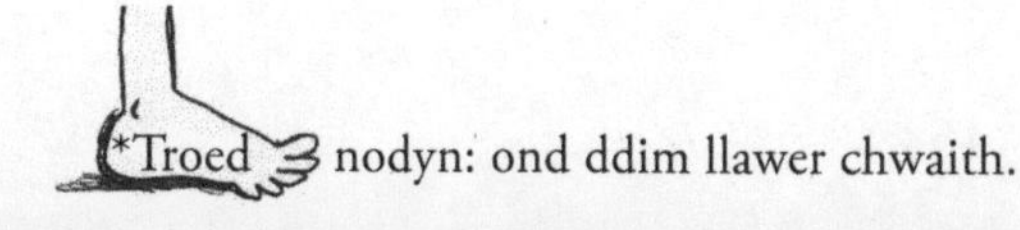

*Troed nodyn: ond ddim llawer chwaith.

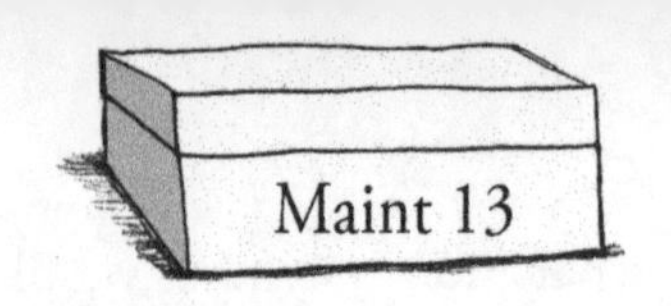


Roedd hi'n fore cynnar pan ddaeth Walter i weld Wendi, oedd yn eistedd wrth ei bwrdd pincio'n gwisgo'i cholur.

**'Walter, fy WEJ bach i, sut wyt ti? Ti'n edrych fymryn bach yn … BINC? Dim rash ydi o gobeithio?'** gofynnodd Wendi, wrth iddi wisgo'i hamrannau ffug a phwyso'n ei hôl (rhag ofn ei fod o'n heintus).

'Na!' cyfarthodd Walter. 'Y PAENT COCH ydi o, o hyd! Dwi'n methu cael ei wared. Dwi wedi cael DAU fath a dwi'n CASÁU 'molchi! Mae'n rhaid i ti ddarganfod pwy wnaeth hyn i Fi, Mam.'

**'O, Walti, druan, dwi'n ADDO darganfod pwy wnaeth. Mae gen i fy amheuon yn barod,'** cysurodd Wendi o.

'DA IAWN, achos mae angen eu cosbi nhw. Wna i roi powdwr cosi yn eu sanau a gyrru'r CŴN ar eu hôl!' hisiodd Walter, yn awchu am ddial.

**'Wrth gwrs y gwnei di. Mae'r cnafon wedi dinistrio fy arwydd Tre-wej i hefyd,'** meddai Wendi wrtho.

Daliodd Wendi'r siart AELIAU wrth ei hwyneb. Pa SIÂP ar gyfer heddiw?

Dewisodd FFYRNIG a dechrau creu'r amlinellau ar ei hwyneb, wrth i Walter ei gwylio.

**'Mae HEDDIW yn ddiwrnog PWYSIG, Walter,' eglurodd. 'Mae fy ngweithwyr WEJ yn cyflwyno'u creadigaethau sgidiau i fi ac mae'n well iddyn nhw fod yn dda. Mae'n RHAID i fi ennill GWOBR YR ESGID AUR eleni. Does 'na NEB yn mynd i chwerthin ar fy mhen i eto.'** Oedodd pan sylwodd bod Walter yn edrych yn ddryslyd.

**'Be sy'n bod? Rhy ffyrnig?'** gofynnodd Wendi.

'Rhy WONCI. Maen nhw fel pryfed genwair wobli, Mam,' dywedodd Walter wrthi.

(Dim yr edrychiad roedd Wendi eisiau.)

Sychodd Wendi'r aeliau i ffwrdd ac ailddechrau eu hamlinellu'n gyflym.

'Beth am fy wyneb I?' gofynnodd Walter, wedi cael llond bol.

**'Ti'n edych yn GORJYS – jyst fel fi, ond yn fwy pinc ac ag amrannau llawer llai anhygoel. Ddaw'r paent i ffwrdd … yn y diwedd,'** cysurodd Wendi o.

'Wel, dw i ddim yn cael bath arall – BYTH!' meddai Walter yn flin.

Anwybyddodd Wendi ei sylw ac edrych o'i chwmpas yn ddiamynedd am Mr Crîpar.

**'Ble mae'r dyn 'na? DYLAI o fod yma yr EILIAD hon â newyddion PWYSIG i fi. Pam mae o mor hir?'**

Roedd Wendi'n dechrau cael llond bol. Cydiodd yn ei ffôn. **'FFEINDIA Mr Crîpar a dweud wrtho am FRYSIO,'** cyfarthodd ar un o'i gwehilion. Wrth iddi fangio'r ffôn i'w grud, roedd CNOC ar y drws.

**'HEN bryd!'** gwaeddodd Wendi wrth i'r drws ddechrau agor yn araf.

Daeth ffigwr cloff, wedi'i orchuddio mewn plastar a rhwymynnau i mewn, yn shifflan ac yn gwneud sŵn ofnadwy.

Roedd Wendi'n edrych fel petai hi wedi dychryn (roedd ei hamrannau'n gwneud iddi edrych yn fwy felly) wrth i'r person ddod yn nes.

'MAM, pwy ydi hwnna?' gwaeddodd Walter.

**'Cadw 'nôl!'** gwaeddodd Wendi ar y ffigwr. Ond roedd o'n shifflan yn nes, gan dynnu rhwymynnau a phlastar i ffwrdd fel y gallai siarad.

**'UN cam arall a dwi'n galw ar y CŴN! CHWITH a DDE!'** sgrechiodd Wendi. Ond roedd y person yn dal i ddod yn nes.

Felly amddiffynnodd Wendi'i hun yn yr UNIG ffordd y gallai.

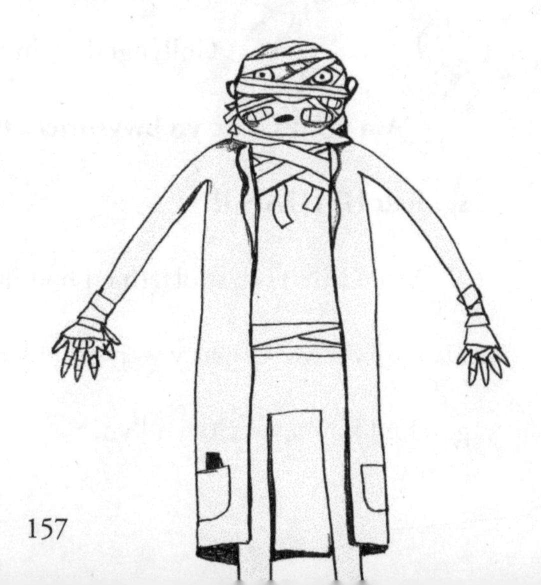

Drwy **WTHIO** Walter o'i blaen.

'Fiiiiiiii sy 'ma ...' llwyddodd y tresmaswr

*Mam!*

i ddweud cyn i'r cŵn ruthro i

mewn gan CHWRYNU a CHYDIO

mewn coes BOB UN yn eu cegau.

'AAAAA! Naaaaaa ... FI sy 'ma!

Mr Crîpar!' GWICHIODD.

**'Er mwyn popeth Mr Crîpar, BE TI'N wneud?'**

gofynnodd Wendi'n gacwn, wedi iddi'i adnabod

o'r diwedd. **'Gollyngwch o.'**

Gollyngodd Chwith a Dde ei goesau'n anfodlon.

**'Am OLWG! Ac yn bwysicach, ti WEDI cael gafael ar fy sgidiau HEDFAN i?'**

'Mae GEN i'r dystiolaeth eu bod nhw GAN Ifor Troed.' Dangosodd Mr Crîpar y wejys camera iddi, oedd wedi'u tolcio a'u gorchuddio mewn chwyn llyn.

**'BETH ar wyneb y DDAEAR ddigwyddodd?'**

gofynnodd Wendi.

'Ges i 'mhigo'n ofnadwy gan ... ' dechreuodd Mr Crîpar egluro.

**'NA. Does gen i ddim diddordeb ynot TI.'**

(Doedd Wendi ddim yn un i ddangos cydymdeimlad.)

'O, na, wrth gwrs. Ry'ch chi'n iawn, Ms Wej. Mae Ifor wedi torri'i gytundeb. Wnaeth o ddyfeisio sgidiau HEDFAN a'u cuddio oddi wrthych chi. A dwi wedi recordio'i GYFFES.'

Os oedd Mr Crîpar yn disgwyl cael ei longyfarch gan Wendi, ddigwyddodd hynny ddim.

**'WYT TI'N DWPSYN?'** gofynnodd Wendi, wedi'i hysu gan gynddaredd. **'Dwi ddim eisiau gweld LLUNIAU, dwi eisiau'r sgidiau GO IAWN.'**

'Wrth gwrs. Wnes i DDIM meddwl. Wna i ffonio'r HEDDLU sgidiau YR EILIAD HON, i fynd i chwilio'r tŷ,' meddai Mr Crîpar, yn gyflym, gan drio gwella pethau'n ffrantig.

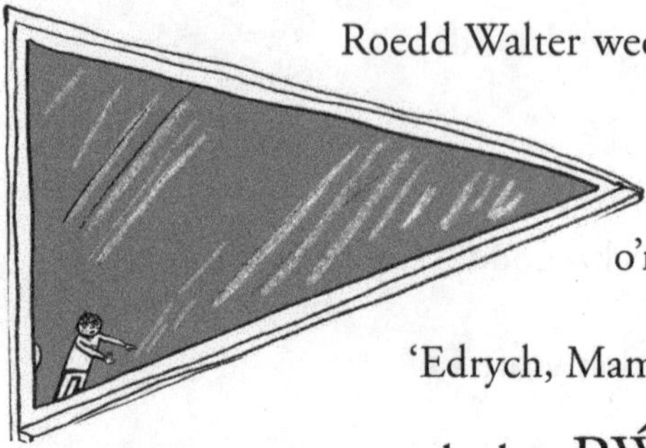

Roedd Walter wedi diflasu erbyn hyn ac wedi crwydro i ffwrdd i sbecian allan o'r ffenest FAWR siâp wej.

'Edrych, Mam! Dyna'r teulu TROED! Beth am i ni yrru'r cŵn ar eu holau RŴAN!' bloeddiodd, gan bwyntio at Ifor, Rhian a Tal, oedd ar eu ffordd i'r ysgol.

Edrychodd Wendi i lawr. **'Da iawn ti am eu gweld, Walter. Edrycha arnyn nhw'n sgipio i ffwrdd, heb bryder yn y byd. Caiff y cŵn aros. Mae gen i gynlluniau eraill. Amynedd, Walter. Mae'r TEULU TROED TRYCHINEBUS 'na wedi bod yn rhaffu celwyddau wrtha i yr holl amser,'** hisiodd. **'Fydd Ifor ddim yn mynd i NUNLLE nes caf i FY SGIDIAU I. A wna i ddelio â'i blant OFNADWY yn nes 'mlaen.'**

'Â PHOWDWR COSI!' sgrechiodd Walter. Cydiodd yn y tric roedd o wedi bod yn ei gadw ar gyfer achlysur arbennig.

JINIYS

**'Ti MOR glyfar, Walter. Tydi, Mr Crîpar?'**

Nodiodd Mr Crîpar fel petai'i fywyd yn dibynnu arno.*

**'Bydd Ifor yn chwilio am ei wejys camera. Dwi'n meddwl ei bod hi'n amser am ychydig o HWYL,'** ychwanegodd Wendi, gan rwbio'i dwylo yn ei gilydd, wrth iddi ystyried beth oedd i ddod.

**'Yn y cyfamser, cer DI i nôl y sgidiau hedfan 'na i fi, Mr Crîpar. Dwi ddim eisiau ESGUSODION – GWNA beth bynnag sydd raid. JYST GWNA FO!'** meddai Wendi wrtho, cyn WINCIO'n lletchwith. Meddyliodd Mr Crîpar fod ganddi DWITSH.

**'WYT TI'N DEALL?'** gofynnodd wrtho eto.

Ceisiodd Mr Crîpar nodio'n ôl ond roedd ei wddf yn rhy boenus. A diolch i Walter, roedd o'n dechrau COSI mewn llefydd na ddylai fod yn cosi.

Doedd o DDIM yn cael diwrnod da.

*Troed nodyn: Roedd o.

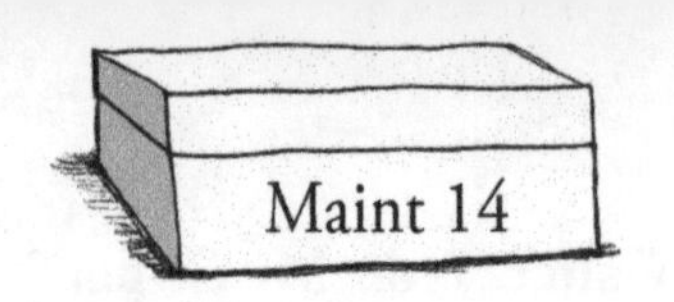


Hebryngodd Ifor y plant i'r ysgol cyn prysuro drwy gatiau Wejys Arbennig Wendi. Roedd yn DDIWRNOD CYFLWYNO'R sgidiau a byddai pawb yn ceisio gwneud ARGRAFF ar Wendi drwy ddangos eu creadigaethau Wej eu hunain.

Roedd Ifor yn gobeithio y byddai'i sgidiau camera'n gwneud cymaint o argraff ar Wendi fel y byddai hi'n anghofio am y sgidiau hedfan. Ella basan nhw hyd yn oed yn ennill **GWOBR YR ESGID AUR**. (Siawns fechan o hynny oedd, ond allai Ifor ond gwneud ei orau.) Ceisiodd YMLACIO wrth iddo ymuno â'i gyd-weithwyr yn y stafell loceri.

'Bore da, Parminda Platfform. Mae heddiw'n ddiwrnod mawr i ni i gyd.'

'Dwi'n gwybod.' Gwenodd Parminda'n nerfus.

'Sut mae pethau, Sami Sawdl? Ti wedi torri dy farf yn ddel, gyda llaw.'

Gwisgodd Ifor ei gôt wen WAW.

'Wyt ti'n barod ar gyfer cyflwyniad **GWOBR YR ESGID AUR**, Ifor?' gofynnodd Gwenda Gwadn.

'Mor barod â fydda i,' ochneidiodd Ifor.

'Glywais i fod hwyliau drwg ofnadwy ar Wendi,' dywedodd Gwenda, gan ostwng ei llais. 'Gallen ni gael diwrnod troed-inebus os nad ydi hi'n hapus. Ydych chi'n cofio'r tro dwytha? Wnaeth hi'n gorfodi ni i weithio drwy'r nos ar ei wejys HEDFAN PREN, pan oedden ni i gyd yn GWYBOD yn iawn eu bod nhw'n rhy drwm i hedfan.'

Cododd Ifor ei ysgwyddau a'u gostwng. 'Wnaiff Wendi ddim gwrando. Mae ganddi obsesiwn ag ennill **GWOBR YR ESGID AUR**. Dim ein bai ni oedd eu bod nhw wedi gwrthod codi oddi ar y ddaear.'

'Shhh, rhag ofn iddi'ch clywed chi,' meddai Gwenda wrth sganio'i phàs, fel y gallai fynd mewn i'r gweithdy. BÎP.

Ifor oedd y nesaf i sganio'i bàs. Wnaeth o ddim BIPIO.

Triodd unwaith eto. Ac eto. Trodd at y gweithwyr eraill ac ymddiheuro. 'Sori, dwi ddim yn siŵr be sy'n bod.'

Yna ymddangosodd wyneb ar y sgrin.

**Loti Lôffyr** oedd yno, eu goruchwyliwr.

'Bore da, Loti. Pam na alla i ddod i mewn. Oes 'na broblem?' gofynnodd Ifor.

'Mae Ms Wej eisiau i ti fynd yn syth i'w swyddfa hi ar gyfer y cyflwyniadau heddiw, Ifor. Ac mae Ms Wej yn dweud bod WELL i ti wneud argraff arni neu gwae ti.'

'GWNEUD ARGRAFF ydi fy enwau canol i,' dywedodd Ifor.

'O ddifri?'

'Na Loti. Dwi jyst yn gwneud jôcs pan dwi'n nerfus,' eglurodd.

'Ti angen jôcs gwell,' meddai Loti, cyn diflannu oddi ar y sgrin.

Doedd gan Ifor ddim rhyw deimlad da iawn am heddiw.

Roedd Mr Crîpar yn aros iddo tu allan i swyddfa Wendi. Roedd o'n symud yn od ac roedd ganddo blastar ar ei wyneb o hyd. Amneidiodd ar i Ifor aros.

'Be ddigwyddodd i ti?' holodd Ifor.

'Nyth gwenyn meirch,' meddai Mr Crîpar, fel petai'n ddim byd. Rhoddodd hyn Ifor ar bigau.

'Ddylwn i ddim bod yn paratoi i gyflwyno fy WEJYS fel pawb arall?' gofynnodd Ifor yn bwyllog. Ond anwybyddodd Mr Crîpar o a syllu'n syth yn ei flaen.

'Felly, beth DWI'N gael ei gyflwyno i Ms Wej 'ta?' ceisiodd Ifor unwaith eto.

Pwyntiodd Ifor at ddrws swyddfa Wendi.

'Mae dy WEJYS di i mewn 'na'n barod,' cyfarthodd a chrafu'i droed.

'Wel, iawn 'ta,' gwenodd Ifor arno.

Wnaeth Mr Crîpar ddim gwenu'n ôl.

'SsssssssHHHHHhhhhhhhhhhhhh.'

Ymunodd Beti Bŵt ag Ifor. Eisteddodd drws nesa iddo a chodi ael fel petai hi'n dweud 'Be sy'n digwydd?'

'Ble mae dy wejys camera DI?' sibrydodd.

Cododd Ifor ei ysgwyddau e'u gostwng unwaith eto. 'Maen nhw i mewn 'na'n barod, fel dwi'n deall,' dywedodd yn dawel.

Cyrhaeddodd gweddill tîm WAW. Roedden nhw wedi gorffen glanhau, polisho ac addasu'r wejys roedden nhw am ARDDANGOS a bellach y cyfan oedd ar ôl i'w wneud oedd eu CYFLWYNO i Wendi. Wejys pwy fyddai'n gwneud y mwyaf o argraff arni?

Agorodd Mr Crîpar y drws. 'Gewch chi fynd i mewn rŵan,' meddai.

'Be ddigwyddodd i ti?' gofynnodd Sami Sawdl.

'Dim, be ti'n feddwl? Dwi'n hollol iawn,' meddai Mr Crîpar wrtho.

'Ti ddim yn edrych yn iawn,' dywedodd Beti.

Rowliodd pawb y cromenni gwydr a orchuddiai eu creadigaethau i mewn i'r stafell. Pawb heblaw Ifor. Doedd o'n dal ddim yn gallu gweld ei wejys camera. *Beth ydi gêm Wendi?* meddyliodd.

Aeth y stafell yn dywyll a dechreuodd goleuadau piws fflachio o'r tu ôl i ddrysau llithro enfawr. Gwyliodd y tîm wrth i Wendi a Walter ymddangos mewn silwét. Roedd Wendi'n caru GWNEUD SIOE a doedd hi byth yn colli cyfle i wneud ymddangosiad dramatig.

Safodd y ddau fel DELWAU gan aros i'r gerddoriaeth ddechrau.

Doedd dim o hyn yn helpu i wneud i Ifor deimlo'n llai nerfus.

Sibrydodd Beti wrtho. 'Mae piws yn lliw da.'

'Os ti'n rawnwinen,' atebodd Ifor a cheisiodd y ddau beidio â chwerthin.

'Oni ddylai Walter fod yn yr ysgol sgidiau?' gofynnodd Beti.

'Mae'n cael ei hyfforddi ar gyfer creu gwychbethau,' meddai Ifor wrthi.

Cododd Beti ael a chwarddodd y ddau. Chwyrnodd y cŵn arnyn nhw a rhythodd Mr Crîpar i'w cyfeiriad, felly stopiodd y ddau siarad.

Dechreuodd y drysau agor wrth i'r gerddoriaeth ddechrau ...

… ond nid dyma'r gerddoriaeth roedd hi'n ei ddisgwyl.

**'BETH YDI'R MIWSIG SYRCAS 'MA?**

**DIM CLOWN YDW I!'** bloeddiodd Wendi.

*'Sori, sori – wn i ddim beth ddigwyddodd …'* meddai llais brysiog o'r tu ôl i'r drws gwydr, cyn i'r DIWN gomedi siriol gael ei newid i fiwsig **martsio BEIDDGAR CROCH**.

STOMPIODD Wendi i mewn i'r stafell yn bwrpasol ac eistedd ar y gadair felfed dywyll oedd wedi'i gosod y tu ôl i'w desg slic yr olwg. Roedd rhywun wedi dweud wrth Walter am aros nes iddo gael ei alw a doedd o ddim yn edrych yn rhy hapus.

Roedd Wendi'n dal mewn silwét wrth ddweud, 'Gall pawb glapio rŵan …'

Roedd yna guro dwylo poléit achos doedd neb eisiau bod yno mewn gwirionedd.

**'Bore da. Sut ydym ni i gyd?'** meddai Wendi'n sionc.

Dechreuodd Phil Fflop ateb. 'Ry'n ni i gyd yn teimlo'n …'

Cododd Wendi'i llaw i'w atal. **'Does dim angen ateb, does gen i ddim diddordeb mewn gwirionedd. Er 'mod i'n GOBEITHIO y bydd hwn yn fore da i FI. Dwi ar bigau, yn methu disgwyl i chi greu argraff arna i heddiw. Bydd fy mab rhyfeddol, Walter, yn ymuno â ni ar gyfer y beirniadu. Gall PAWB glapio i Walter.'**

CERDDODD Walter i mewn yn edrych yn hunanfodlon (er ei fod o dal fymryn yn binc o ganlyniad i'r paent). Eisteddodd i lawr y drws nesaf i Wendi a bu bron iddo ddiflannu o'r golwg.

**'Wnaiff rhywun nôl clustog, neu ddwy, i Walter …'** gwaeddodd Wendi gan edrych i lawr ar ei mab. **'Neu gwnewch o'n dair.'** Ymddangosodd y clustogau'n gyflym a sodrodd Walter nhw ar ei gadair.

**'Ble roedden ni …?'** gofynodd Wendi, rŵan bod y broblem wedi'i DATRYS.

**‘Fel y gwyddoch i gyd, mae GWOBRAU’R ESGID AUR fory a dwi’n bwriadu ennill. DIM yr esgid effeithiau arbennig orau, na’r esgid orau y gallwch ei BWYTA. Dim o’r lol ’na, ddim y tro yma. Dwi eisiau’r brif wobr. FELLY GADWCH I NI WELD P’UN OHONOCH CHI sydd wedi gwneud y WEJYS BUDDUGOL I FI.’**

Pwyntiodd at Beti. **‘Chdi gynta …’**

Gwthiodd Beti Bŵt ei wejys tuag at Wendi a chodi’r gromen wydr, er mwyn iddi allu craffu’n fanylach. Tapiodd Wendi’i hewinedd ar y ddesg. **‘Maen nhw’n edrych yn ddiflas. Be maen nhw’n ei wneud?’** holodd, gan guchio.

‘Maen nhw’n cyfansoddi cerddoriaeth, Ms Wej. Mae pawb angen cerddoriaeth yn eu bywydau,’ meddai Beti wrthi.

**'Dim pawb,'**

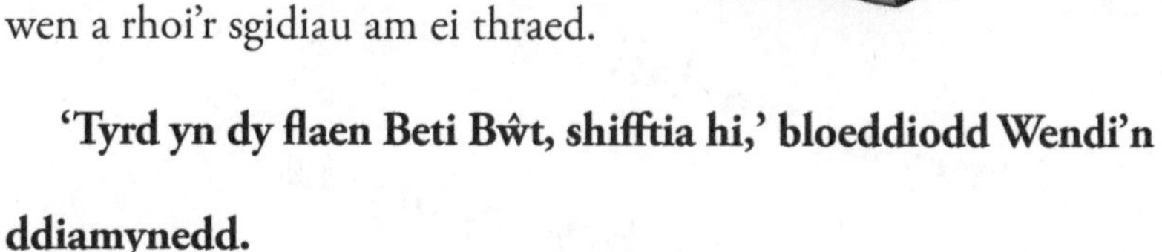

culhaodd llygaid Wendi wrth iddi wylio Beti'n tynnu'i chôt wen a rhoi'r sgidiau am ei thraed.

**'Tyrd yn dy flaen Beti Bŵt, shifftia hi,' bloeddiodd Wendi'n ddiamynedd.**

'Ia, BRYSIA,' ychwanegodd Walter.

Gallai Beti deimlo llygaid Wendi'n llosgi i mewn iddi, gan wneud i'w bysedd grynu. Ceisiodd fod yn bwyllog a sicrhau bod y wejys yn ddiogel am ei thraed.

Roedd gan bob un fotymau gwahanol liw, deialau, golau, switshys a bolltau golau, yn ogystal â DAU seinydd ar y tu blaen.

Anadlodd Beti'n ddwfn, cyn dechrau tapio un droed. Cariodd y sŵn tapio yn ei flaen, ar ôl iddi stopio. Yna clapiodd ei dwylo a thapio'i throed arall. Cafodd y clapio a'r tapio'u recordio er mwyn adeiladu rhythm.

**'Brysia, wnei di?'** hisiodd Wendi.

Tapiodd Beti'i thraed unwaith eto a dyma LAIS Wendi'n dechrau dod ALLAN o'r seinyddion sgidiau.

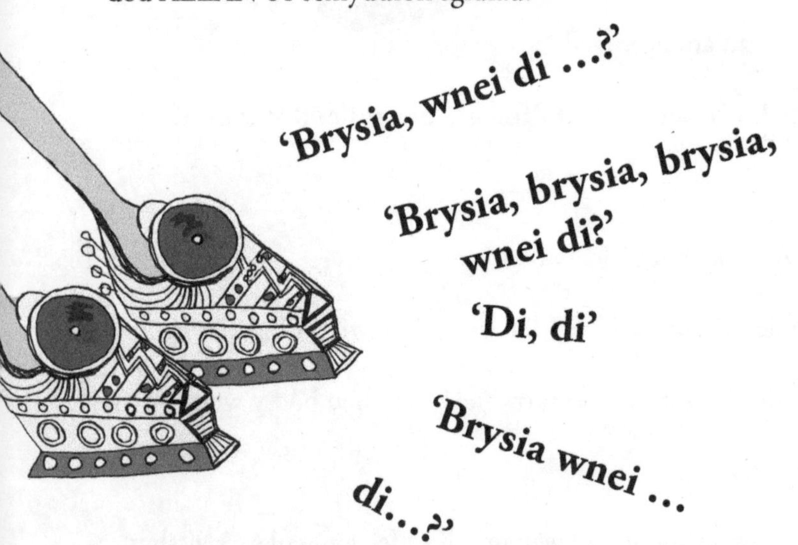

'Brysia, wnei di ...?'
'Brysia, brysia, brysia, wnei di?'
'Di, di'
'Brysia wnei ... di...?'


Cuchiodd Wendi'i thalcen a phlethu'i breichiau, gan ddisgwyl i Beti wneud argraff arni.

'Yna,' meddai Beti, 'gallwch roi'r cyfan at ei gilydd fel HYN!'

Dechreuodd y wejys chwarae cerddoriaeth, â'r golau'n fflachio i'r bît. Daeth olwynion bychan i'r golwg o dan y wejys a dechreuodd Beti DROELLI mewn cylch.

Dawnsiodd yn ysblennydd, heb unrhyw ymdrech o gwbl, gan hedfan yn ôl ac ymlaen, a gorffen â throelliad rhyfeddol, hynod gyflym. STOPIODD Beti a thaflu'i breichiau i'r awyr. 'Ta-rah! I'r WEJYS mae'r diolch. Does dim angen unrhyw sgiliau dawns. Ry'ch chi'n recordio'r gerddoriaeth ac yna mae'r nodwedd dawns yn YMATEB YN SYTH, felly gall unrhyw un DDAWSIO yn y wejys yma.'

CLAPIODD Ifor a'r gweithwyr WEJ eraill yn frwdfrydig.

Rhoddodd Wendi'i llaw o dan ei gên, cyn dylyfu'r ên honno. **'Dwi wedi gweld digon. Walter, be ti'n feddwl?'** gofynnodd. Crychodd Walter ei drwyn.

'Diiiiiiiiiiiflas,' atebodd.

**'YN UNION. BLE roedd y WAW-ffactor, Beti? Dwi wedi gweld sgidiau sy'n dawnsio o'r blaen. Wyt ti'n meddwl y bydd cryddion Caersocs a Chaerclocsia'n crynu yn eu sgidiau? Dwi ddim yn meddwl. NESA!'** bloeddiodd Wendi.

Eisteddodd Beti unwaith eto, fymryn yn fyr ei hanadl wedi'r holl ddawnsio.

'Wel, ro'n i'n meddwl eu bod nhw'n grêt,' sibrydodd Ifor.

'Diolch, ond be haru fi, yn eu gwneud nhw'n HWYL? I Wendi?' sibrydodd Beti'n ôl.

Phil Fflop a Parminda Platfform oedd y nesaf. Camodd y ddau ymlaen.

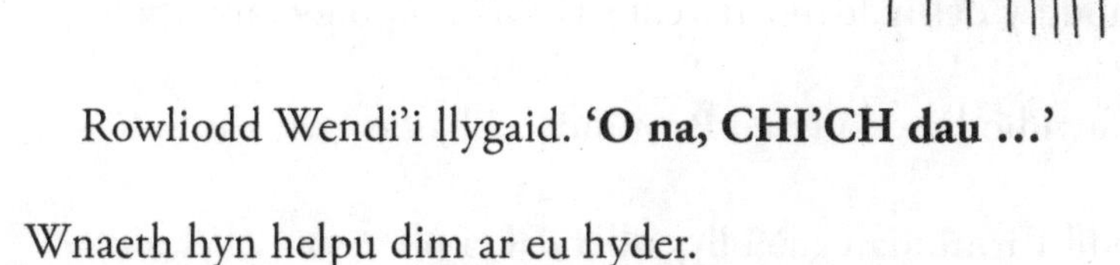

Rowliodd Wendi'i llygaid. **'O na, CHI'CH dau ...'** Wnaeth hyn helpu dim ar eu hyder.

'Ms Wej. Mewn byd sy'n llawn strach a straen, ry'n ni i gyd yn edrych am rywbeth i LINIARU ein nerfau ...'

**'Ry'ch chi'n mynd ar fy nerfau i'n barod. Brysiwch ...'** brathodd Wendi.

Chwarddodd Phil yn nerfus.

'Ms Wej, bydd Parminda Platfform a minnau'n dangos PŴER HUDOL a iachau – meddwl MYFYR-WEJO!' Llyncodd yn galed cyn ychwanegu, 'Mae o fel myfyrio ... ond mewn wejys.'

**'Ydych chi O DDIFRI?'** Rowliodd Wendi'i llygaid unwaith eto. Roedd bocs o'u blaenau â defnydd aur wedi'i daenu drosto. Camodd Parminda arno â'i thraed noeth. Cymerodd anadl ddofn a chau'i llygaid.

'Well i hyn fod yn dda,' mwmialodd Wendi.

Dechreuodd y defnydd aur trwchus lapio'i hun o gwmpas bob troed, gan fowldio bysedd traed Parminda a chau o gwmpas bob ffêr. Parhaodd Parminda i gau'i llygaid a dal ei phen yn uchel, gan OBEITHIO bod popeth yn mynd fel y dylai.

**'Dydyn nhw ddim yn edrych yn hynod o ... WEJ-aidd,'** nododd Wendi.

'Jyst arhoswch,' mentrodd Phil. Plygodd Parminda a chyffwrdd yn y defnydd. Llanwodd fel pecyn o aer a chreu siâp WEJ o dan ei thraed.

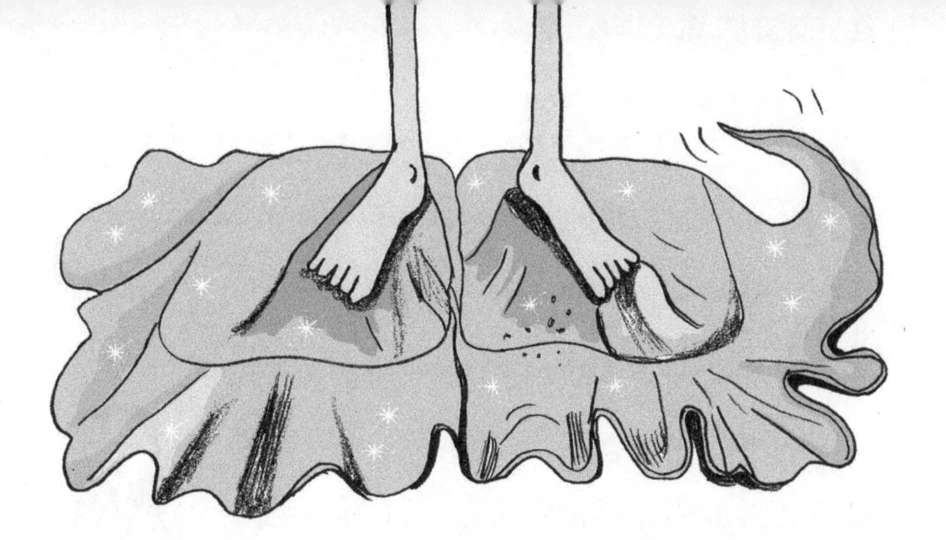

'Mae ein wejys ni'n sensitif i dymheredd a gallan nhw ymateb i'ch hwyliau a'ch amgylchedd. Dychmygwch eich bod yn dechrau

cael llond bol am eich bod chi'n sefyll mewn ciw hir. Gwnaiff y sgidiau bylsio'n dyner er mwyn cael gwared ar unrhyw densiwn,' eglurodd Philip, wrth i'r wejys ddechrau dirgrynu, gan dylino traed Parminda.

**'Fydda i BYTH yn ciwio, beth arall allan nhw wneud?'** cyfarthodd Wendi.

'Maen nhw hefyd yn troi unrhyw chwys traed yn ddŵr persawrus, sy'n casglu ar yr wyneb mewn dafnau bychan. Gallwch eistedd yn yr ardd, â'ch traed i fyny, a bydd adar a ieir bach yr haf hardd yn cael eu denu atoch.'

'Gadwch i ni ddangos i chi,' meddai Parminda gan edrych draw at Phil, wnaeth ollwng ieir bach yr haf ac adar bach i'r awyr. Dechreuodd rheini hofran yn yr awyr cyn mynd i orffwys ar wejys Parminda. Trydarodd yr adar gan greu awyrgylch hyfryd, braf.

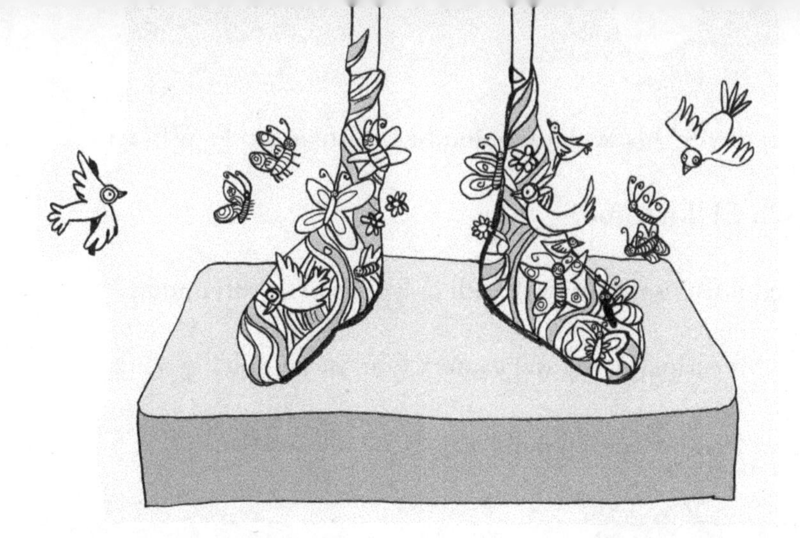

**'ERCHYLL! Pwy sydd eisiau**

**PRYFED neu ADAR yn ymosod ar eich traed?**

**Fyddai hynny ddim yn gwneud i fi deimlo'n braf.**

**Baswn i'n GANDRYLL!**

**Dwi. Wedi. Gweld.**

**DIGON!'**

Sgrechiodd Wendi. Gwnaeth ei llais i'r adar a'r ieir bach yr haf sbydu drwy'r ffenest. **'Rŵan.'** Trodd at Ifor wrth i'r wên front honno ddechrau cyrlio o gwmpas ei cheg unwaith eto.

**'TI. IFOR TROED. Be sy gen ti i fi?'**

'Y peth ydi, Ms Wej, dywedodd Mr Crîpar fod fy WEJYS i gennych CHI'n barod?'

Roedd distawrwydd wrth iddi ei lygadu. Yna estynnodd Mr Crîpar ddwy wej camera fymryn yn dolciog o'i fag, a'u gollwng ar y bwrdd o flaen Ifor.

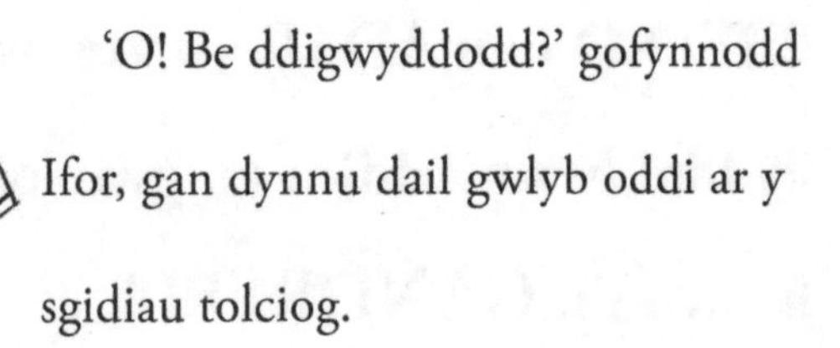

'O! Be ddigwyddodd?' gofynnodd Ifor, gan dynnu dail gwlyb oddi ar y sgidiau tolciog.

'Be ddigwyddodd, Mr Troed, ydi fod Mr Crîpar, yn garedig iawn, wedi RHOI TRO ARNYN NHW i ti.'

'Wisgodd o fy sgidiau i?' gofynnodd Ifor.

**'Fy sgidiau i, Mr Troed. Cofia bod unrhyw beth TI'N ei wneud yn eiddo i fi. Ac wrth iddo wisgo fy sgidiau I, llwyddodd i recordio rhywbeth HYNOD o ddiddorol. Do, Mr Crîpar?'**

Nodiodd Mr Crîpar gymaint ag y gallai, â'i wddf poenus.

**'Oes 'na rywbeth ti eisiau'i RANNU â fi, Ifor? Unrhyw beth o gwbl?'** gofynnodd Wendi mewn llais bygythiol OFNADWY. Cyn i Ifor allu dweud gair, dyma Mr Crîpar yn troi'r wejys camera ymlaen ac ymddangosodd llun gwan, aneglur ar y wal. Distawodd pawb er mwyn gallu gwrando ond doedd y sain ddim yn dda. (A dweud y lleiaf.)

***Sgidibfogeibfgbd cjnns bljb hedfa lnltroell djpwoj dpojepf pgpirb hedfa.***

'Mae'n gwella,' meddai Mr Crîpar.

**'Dwi'n mawr obeithio – dy fwyn DI,'** meddai Wendi wrtho. Aeth Ifor yn dawel. Doedd hyn ddim yn mynd yn rhy dda.

**DIFFODDODD** Mr Crîpar y wejys camera … cyn eu troi'n ôl **YMLAEN,** wrth i Wendi ochneidio o waelod ei bol. Y tro yma, roedd y sŵn yn glir fel grisial.

*'Gadewch i fi wneud yn siŵr 'mod i wedi deall hyn yn iawn.' meddai Ifor. 'Wnaethoch chi GYMRYD fy sgidiau HEDFAN o 'ngweithdy i. YNA wnaethoch chi'u defnyddio i HEDFAN at yr arwydd Tre-wej NEWYDD SBON a pheintio* ***calon*** *dros yr enw?'*

*'Mae'n edrych cymaint yn neisiach rŵan, Dad. Ddylet ti'i weld.'*

*'SUT oeddech chi'n gwybod sut i FFEINDIO'R SGIDIAU? Alla i ddim cuddio dim wrthoch chi, alla i?'*

*'Ddim mewn gwirionedd …'*

Gwingodd Ifor.

Roedd hyn yn **WAEL**.

**'IFOR TROED, ti wedi CAEL DY DDAL!'**

**FFROMODD** Wendi.

Cerddodd Mr Crîpar tuag at Wendi

gan ddal TIWB mawr o'i flaen,

cyn dechrau'i dynnu oddi wrth

ei gilydd i ddangos …

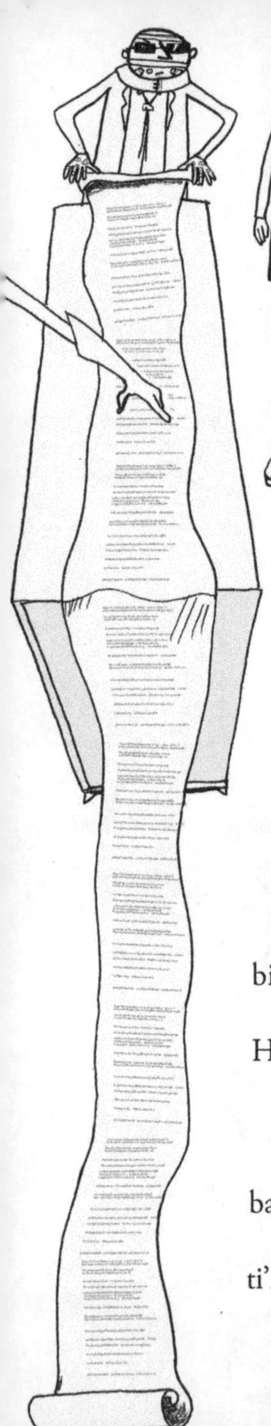

... darn o bapur.

Rowliodd y papur allan ar y ddesg o'i flaen. Roedd o mor hir nes y cwympodd oddi ar erchwyn y ddesg a chario ymlaen i rowlio.

Pwyntiodd Wendi ato.

**'DYMA'r cytundeb wnest TI arwyddo ac rwyt ti wedi'i dorri. Ti'n GWELD? Yn fan HYN mae'n dweud bod unrhyw sgidiau rwyt ti wedi'u gwneud, rŵan neu yn y gorffennol, i GYD yn eiddo i Wendi Wej. Sef FI.'**

'Dwi ddim wedi torri 'nghytundeb – SALI oedd biau'r sgidiau hedfan, DIM FI. HI wnaeth nhw. Mae fy HOLL sgidiau I gyda CHI,' ceisiodd Ifor egluro.

'Ymdrech dda, Ifor. Ond dydi Sali ddim yma, felly pam baswn i'n dy gredu di? Ac mae gyda ni FWY o brawf dy fod ti'n GELWYDDGI BRAWDWRUS.'

Roedd hi'n bendant yn mwynhau'i hun rŵan.

**'Ifor Troed, mae gen TI sgidiau HEDFAN a sgidiau ERAILL ANGHYFREITHLON. Ti wedi torri CYFRAITH TRE-WEJ, nid unwaith, ond DDWY WAITH,'** meddai Wendi wrtho.

Nodiodd y Prif Arolygydd Strapsawdl mewn cytundeb.

'Cywir, Ms Wej. Mae o wedi. Mae gan Mr Crîpar BRAWF.'

Ceisiodd Ifor sefyll i fyny drosto'i hun.

'Ond dwi wedi –'

**'CAU HI, IFOR!'**

Stompiodd Wendi'i throed unwaith eto, cyn amneidio ar Mr Crîpar i fynd yn ei flaen. Estynnodd o dan ei ddesg …

ac yn araf iawn, tynnodd …

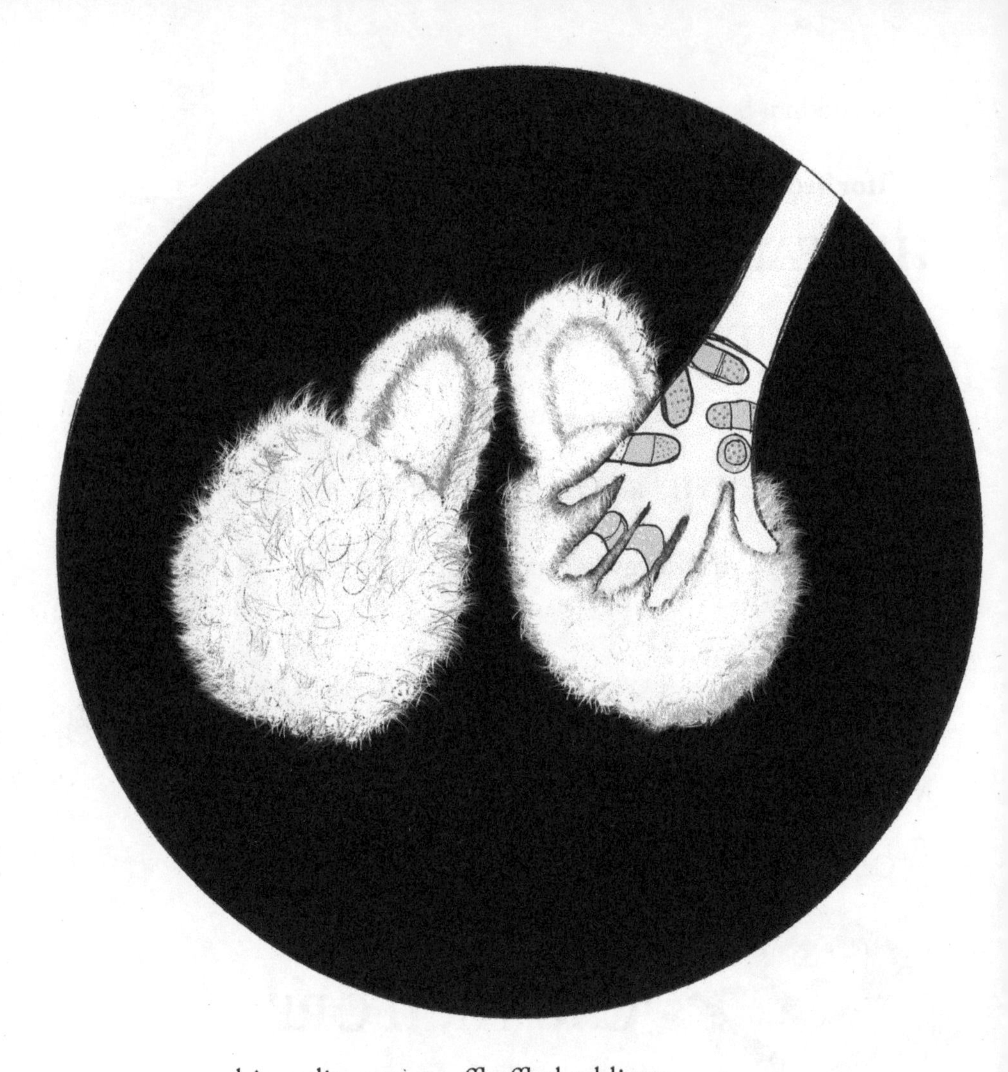

… bâr o slipars gwyn fflwfflyd oddi yno.

Gosododd Mr Crîpar nhw ar y bwrdd

ac anwesu'r fflwff.

Camodd Wendi'n ei hôl yn ddramatig, fel petai hyd yn oed GWELD y slipars yn gwneud iddi deimlo fel petai hi angen LLEWYGU mewn FFIEIDD-DOD.

**'Darganfuwyd ... y PETHAU ANGHYFREITHLON yma yn dy dŷ di, Ifor Troed. Be sy gen ti i'w ddweud AM HYNNY?'** mynnodd Wendi.

'Dim fi pia nhw, Ms Wej. Dwi erioed wedi'u gweld nhw o'r blaen! Maen rhaid bod RHYWUN wedi'u rhoi nhw yno.

Wedi fy slipar-FFRAMIO i!' ceisiodd Ifor egluro.

**'Fflwff a lol – cer â nhw o 'ngolwg i!'**

Sgrechiodd Wendi fel mai dyma'r pethau GWAETHAF roedd hi erioed wedi'u gweld.

Dechreuodd Cwnstabl Corn ddarllen ei hawliau i Ifor.

'Ifor Troed, rydych chi'n cael eich arestio am fod â slipars anghyfreithlon yn eich meddiant AC am dorri eich cytundeb â Wendi Wej drwy beidio â rhoi'r SGIDIAU HEDFAN iddi.'

Torrodd Wendi ar ei draws. **'OS na cha I be dwi eisiau, TI'N mynd i'r CARCHAR SGIDIAU am amser maith. Ewch â fo o 'ngolwg i!'**

'STOPIWCH! Allwch chi ddim gwneud HYN!' bloeddiodd Ifor.

**'Ga I wneud UNRHYW BETH dwi eisiau, Ifor. Fi BIAU'R dre 'ma,'** cywirodd Wendi o.

'Ond mae'r plant fy angen i. Dwi eu hangen nhw. Allan nhw ddim cael eu gadael ar eu pennau eu hunain! Maen nhw wedi colli'u mam yn barod!' erfyniodd Ifor. Ond dim ond gwenu'n gas wnaeth Wendi.

**'Wel, dwi'n siŵr y gallwn ni ffeindio ffordd rownd hynny. Wedi'r cyfan, mae nhw'n ddrwgweithredwyr bach hefyd. Wnaethon nhw ollwng paent coch dros fy Walter bach i. A fandaleiddio arwydd Tre-wej, sy'n eiddo cyhoeddus. Dyna ddwy drosedd.'**

'Damwain oedd hynny! Mae angen mwy o WAITH ar y sgidiau hedfan – aethon nhw'n WONCI yn yr awyr. Dim nhw oedd ar fai. Arllwys dros yr ochrau wnaeth y paent,' ceisiodd Ifor egluro.

**'Glywodd PAWB hynna? Mae stafell gyfan o bobl newydd dy glywed di'n cyfaddef bod dy blant AFIACH di wedi YMOSOD yn ddieflig ar fy Walter bach i!'** gwichiodd Wendi yn fuddugoliaethus.

Safodd Walter i fyny ac ychwanegu'n rhwysgfawr, 'Mae angen i RHIAN A TAL gael eu cosbi, Mam!'

'Allwch chi ddim gwneud hyn,' bloeddiodd Ifor yn daer.

**'Gallaf!' chwyrnodd Wendi.**

'Na fedrwch!' atebodd Ifor.

**'Gallaf siŵr iawn!'** mynnodd Wendi, fel plentyn bach yn cael sterics.

Gallai Beti Bŵt weld bod y sefyllfa GYFAN yn edrych yn wael i Ifor a phenderfynodd wneud rhywbeth i helpu, tra gallai hi. Yn dawel bach, dechreuodd sleifio tua'r drws.

Petai hi'n gallu sleifio o swyddfa Wendi heb i neb ei gweld, roedd siawns y gallai ddod o hyd i blant y teulu Troed a'u cadw'n ddiogel.

Yn ffodus i Beti, roedd llais CRAS Wendi'n ddigon uchel i foddi sŵn y drws yn cael ei agor a'i gau.

**'GALLA I wneud BETH BYNNAG DWI EISIAU! BRYSIA Â'R SGIDIAU HEDFAN I FI NEU WNEI DI DDIM GWEITHIO YN Y DREF 'MA, NA'R UN DREF ARALL BYTH ETO. GALLWN DY ROI DI DAN GLO AM AMSER HIR IAWN IAWN IAWN!'** bloeddiodd Wendi.

'IEI! WEDYN HA-HA!' ychwanegodd Walter

(pan nad oedd eisiau iddo ddweud dim a dweud y gwir).

'Iawn,' meddai Ifor yn dawel. 'Chi sy'n ennill, Ms Wej. Allwch chi gael y sgidiau HEDFAN. OND mae rhywbeth y dylech chi wybod. Dydyn nhw ddim yn barod eto. Mae nhw'n sigledig yn yr awyr a fi ydi'r unig berson all eu sortio nhw. Felly os ydych chi eisiau ennill **GWOBR YR ESGID AUR**, mae angen i chi OLLWNG y cyhuddiadau slipars gwirion 'ma.' Anadlodd yn ddwfn. 'A pheidio â llusgo Rhian a Tal i mewn i hyn.'

'Jyst RHOWCH nhw i GYD yn y CARCHAR, Mam!' gwaeddodd Walter yn gyffro i gyd.

Cododd Wendi'i llaw i ofyn am dawelwch.

**'O, Ifor,'** meddai'n oeraidd. **'Wyt ti ddim yn sylweddoli y gallwn i gael UNRHYW un yn y stafell 'ma i sortio'r sgidiau? Gallai Mr Crîpar wneud hynny hyd yn oed.'**

Sibrydodd Mr Crîpar yng nglust Wendi.

**'Be ti'n feddwl, dwyt ti ddim yn gwybod sut maen nhw'n gweithio? Pa fath o gynorthwyydd WYT ti?'** gofynnodd Wendi wrth i Mr Crîpar godi'i ysgwyddau a'u gostwng. Roedd yn well dweud wrthi rŵan. Camodd Phil Fflop ymlaen yn ddewr a siarad. 'Ms Wej, mae Ifor yn dweud y gwir. Fo YDI'r unig berson all drwsio'r sgidiau. Does neb arall yma'n gwybod sut maen nhw'n gweithio.'

Cliriodd Y Prif Arolygydd Strapsawdl ei gwddf. 'Hefyd, Ms Wej, dwi newydd gofio – ella bydd angen i ni gael rhyw fath o achos llys cyn rhoi neb yn y carchar.' Edrychodd Wendi'n flin.

**'O ddifri? Wel, am DDIFLAS.'** Trodd ei chefn ar Ifor. **'Iawn, brysia â'r sgidiau i fi a gei di un cyfle i'w TRWSIO nhw.'**

'Iawn, Ms Wej,' dywedodd Ifor. 'Ond yn gyntaf, rhaid i chi addo peidio â llusgo'r plant i mewn i hyn?

**'Paid â gwneud i fi golli fy limpyn,'** mwmialodd Wendi.

'Plis, rhaid i chi addo.' Cynigodd Ifor ei fys bach iddi.

**'Be ti'n wneud?'** brathodd Wendi.

'Gofyn i chi dyngu llw,' eglurodd Ifor.

**'Mae hyn yn hurt bost! Pwy GOBLYN sy'n tyngu llw drwy blethu bys bach?'**

Edrychodd o gwmpas y stafell.

Rhoddodd Plismon Pymps ei law i fyny.

'Dwi'n gwneud hynny weithiau.'

'Mae'n rhyw fath o weithio,' cytunodd Cwnstabl Corn.

Nodiodd Parminda Platfform a Teri Trenyr hefyd.

Manteisiodd Ifor ar y cyfle yma i lenwi dychymyg Wendi â delweddau hedfan. 'Ms Wej, dychmygwch yr olygfa – ry'ch chi'n hedfan yn ddiffwdan yn yr entrychion – uwchben pawb. Mae'r beirniaid yn SYNRYFEDDU at eich gwychder. Mae'r HOLL bobl o'r trefydd a'r dinasoedd creu sgidiau cyfagos – oedd yn CHWERTHIN am ben eich sgidiau hedfan pren am fethu â chodi oddi ar y ddaear – yn gorfod gwylio wrth i'r beirniaid roi **GWOBR YR ESGID AUR** i CHI.' (Dechreuodd Wendi edrych yn freuddwydiol a gwyddai Ifor ei bod hi'n dychmygu hedfan yn fuddugoiaethus uwchben criw o bobl fyddai'n rhyfeddu ati.)

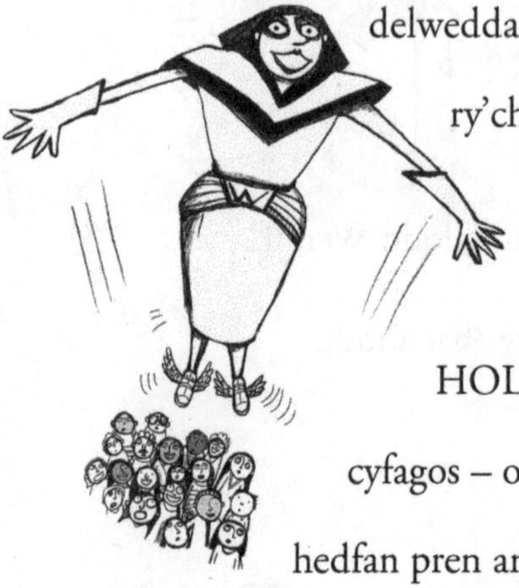

'Dychmygwch y peth. ALL NEB chwerthin tu ôl i'ch cefn chi eto,' ychwanegodd.

**'Roedd pobl yn chwerthin am fy mhen i?'** trodd Wendi at Mr Crîpar. **'Ydi hynny'n wir?'**

Wnaeth o ddim edrych i fyw ei llygaid ond gwnaeth arwydd 'mymryn bach ella' â'i law – oedd yn ddigon i GODI GWRYCHYN Wendi unwaith eto.

'RHAG EU **CYWILYDD** NHW!

**Wna i ddangos i'r trefi bach**

**ofnadwy 'ma pwy ydi PWY.'**

'Yn union, Ms Wej. Dychmygwch y boddhad gewch chi o ddangos i lefydd fel **Blaenesgid**, Aber-gwyn-gwadn, Llanhosanfach, **LLANHOSANFAWR,** Caerclocsia, Sanstileto a Bwtnewydd … bod gyda CHI sgidiau hedfan na allen nhw ond BREUDDWYDIO amdanyn nhw. Gawn nhw eu DALLU gan eich HEDFAN eofn.'

Cymerodd Ifor anadl …

'Jyst cofiwch: rhaid i chi adael llonydd i Rhian a Tal. Allwch chi DDIM torri llw.'

RHYTHODD Wendi arno

**'Hmmmmmm…'**

‘MAM! Paid â gwrando arno! TRIC ydi o!’ gwaeddodd Walter.

‘Dim tric ydi o, Walter. Ond YSWIRIANT i sicrhau ein bod ni’n dau’n cadw’r fargen,’ meddai Ifor. Cynigodd ei fys bach i Wendi unwaith eto.

Cynigiodd Wendi’i bys iddo yntau hefyd, dan brotest.

**‘Dwi’n … addo,’** mwmialodd cyn tynnu’i llaw’n ôl mor gyflym ag y gallai hi.

## ‘RŴAN DWEUD WRTHA I BLE MAE’R SGIDIAU HEDFAN!’

‘O dan y bwrdd crwn yn fy ngweithdy cudd. Bydd rhaid i chi wasgu’r teils yn y drefn gywir er mwyn ei agor – wna i sgwennu’r drefn i chi.’

**'Ro'n i'n GWYBOD bod y bwrdd 'na'n edrych yn amheus!'**

Cipiodd Wendi'r cod oddi ar Ifor a'i drosglwyddo i'r HEDDLU sgidiau.

**'EWCH! A Mr Crîpar, ewch ag Ifor o 'ngolwg i!'**

RHYTHODD Wendi ar Ifor.

'Allwch chi ddim gwneud hyn!' bloeddiodd Ifor.

'O, GALLAF! DYMA sy'n gwarantu na wnei DI adael yr adeilad 'ma nes 'mod i'n cael y sgidiau HEDFAN a **GWOBR YR ESGID AUR** yn fy nwylo.' Ceisiodd Ifor brotestio ond roedd hi'n rhy hwyr. Â'r cŵn yn chwyrnu o gwmpas ei draed, arweiniodd Mr Crîpar Ifor i ffwrdd.

Trodd Wendi at bawb arall.

**'Ar beth ry'ch chi i gyd yn SYLLU? Mae'n DDIHIRYN sgidiau! Dim mwy o gerdded o gwmpas ar FLAENAU EICH TRAED! Ewch 'nôl i weithio'r munud 'ma – neu wna i'ch arestio CHI HEFYD!'** Shifflodd pawb allan o'r stafell.

Cymerodd y Prif Arolygydd Strapsawdl y cod ar gyfer y bwrdd a gadawodd y swyddogion i nôl y sgidiau hedfan. Cafodd Ifor ei hebrwng i ffwrdd gan Mr Crîpar a'r CŴN CHWYRNLLYD. Dilynodd Wendi nhw er mwyn atgoffa Ifor …

**'Mae dim sgidiau hedfan yn golygu dim GWOBR ESGID AUR – a DIM DIHANGFA i ti, am BYTH!'**

'MAM, paid anghofio dy fod ti wedi addo cosbi'r plant!' atgoffodd Walter hi.

**'Wrth gwrs! Dwi wastad yn cadw fy addewidion, Walter.'** Gwenodd Walter a GWYLLTIODD Ifor.

'Peidiwch â llusgo 'mhlant i mewn i HYN! Ry'ch chi'n gelwydd–'

Gwthiodd Mr Crîpar Ifor i mewn i stafell fechan a chloi'r drws.

'Chwith, Dde – cadwch lygad barcud ar bethau,' gorchmynnodd Mr Crîpar.

Rhwbiodd Wendi'i dwylo. Roedd ei chynllun yn gweithio'n dda.

**'Byddaf yn DISGWYL am y sgidiau hedfan yn fy swyddfa,**

**Mr Crîpar – PAID Â'N SIOMI I,'**

chwyrnodd, gan roi EDRYCHIAD LLYM iddo.

'CLYWCH, clywch,'

ychwanegodd Watler a STOMPIO'i droed

ar droed Mr Crîpar ar ddamwain.

Arhosodd Mr Crîpar nes roedd

Wendi a Walter wedi gadael ac yna …

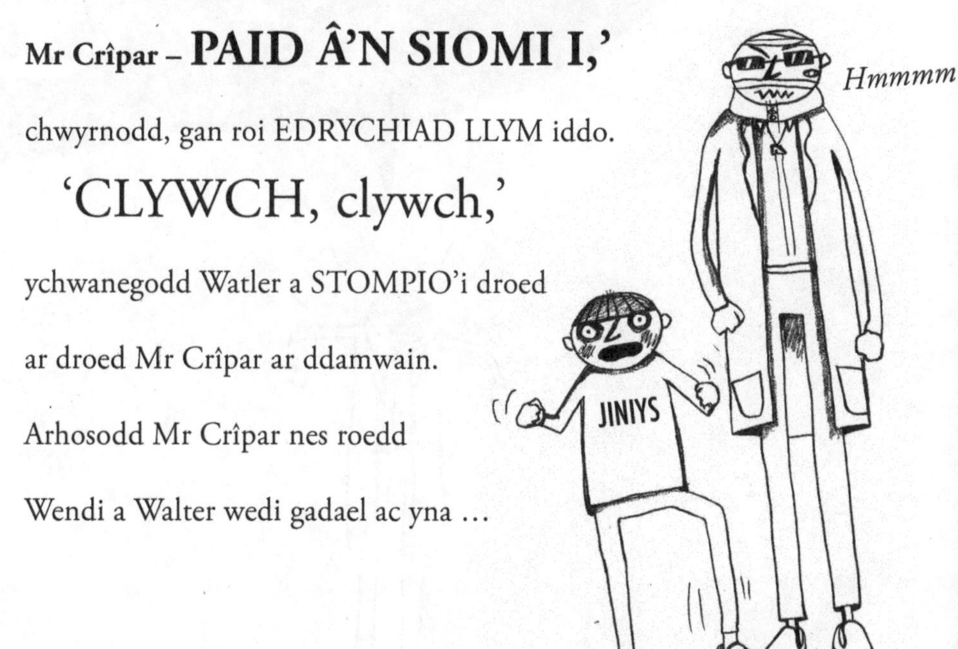

AA

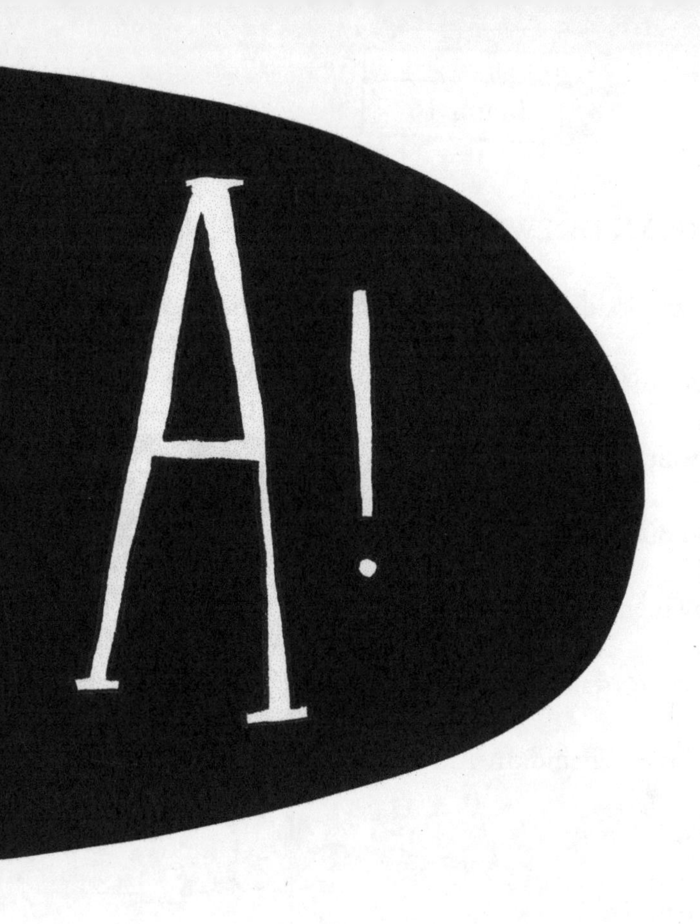
A!

# Maint 15

Roedd Beti Bŵt, YN DDEWR IAWN, wedi llwyddo i sleifio o swyddfa Wendi. Dympiodd ei chôt wen yn y stafell loceri. 'Pwyll rŵan,' meddai wrthi'i hun. Roedd angen iddi wneud yn siŵr ei bod hi'n arwain Rhian a Tal at ddiogelwch. Roedd Wendi allan o **REOLAETH!**

Bygwth rhoi pawb yn y CARCHAR oedd yr ergyd olaf i Beti. Roedd hi'n mynd i ffeindio'r plant a mynd â nhw i rhywle diogel. Pwy a ŵyr beth fyddai Wendi'n ei wneud nesa? (Rhywbeth DAN DIN, mae'n siŵr).

Sleifiodd Beti allan o adeilad WAW, gan gerdded yn fân ac yn fuan. Roedd hi bron â mynd heibio'r swyddogion diogelwch pan wnaethon nhw ei STOPIO. 'Ms Bŵt?' medden nhw, wrth i'r cŵn chwyrnu.

'Ie?' gofynnodd hithau'n nerfus.

'Gan fod **GWOBR YR ESGID AUR** yfory, ry'n ni'n tynhau ein mesurau diogelwch. Plis gwisgwch eich pàs y tro nesa, IAWN?'

'Sori. Wna i. Ro'n i ar frys.'

Cododd Beti ei llaw a chododd y swyddogion eu llaw yn ôl, gan godi'r bar diogelwch, oedd yn rhyddhad mawr.

Doedd yr ysgol ddim yn bell a gallai Beti weld fod y plant eisoes y tu allan am ei bod hi'n amser chwarae.

*Amseru da*, meddyliodd.

OND fyddai sleifio ar dir yr ysgol, heb iddi gael ei gweld, ddim yn hawdd. NES i Beti weld fod darn o banel y ffens bren yn rhydd. 'Perffaith,' sibrydodd a'i godi. Gwasgodd Beti drwy'r twll a chuddio y tu ôl i bot planhigyn mawr. Sbeciodd drwy'r i dail chwilio am y plant. Doedd hi ddim yn hir nes i'w merch, Enlli, redeg heibio. 'Pssssstttttt!' meddai Beti'n uchel, er mwyn tynnu'i sylw.

Stopiodd Enlli. Oedd y planhigyn yn siarad?

'Pssst- Enlli! Fi sy 'ma, Mam. Paid â throi rownd.'

Ond trodd Enlli a syllu ar ei mam, mewn dryswch.

'Wna i egluro POPETH nes 'mlaen. Ond yr eiliad yma, dwi angen i ti fynd i chwilio am Rhian a Tal a dod â nhw'n ôl yma, yn gyflym. Alli di wneud hynna?'

Nodiodd Enlli.

'Ydyn ni'n gadael yr ysgol yn gynnar?' gofynnodd yn obeithiol.

'Ydyn. Brysia a thria BEIDIO tynnu sylw atat ti dy hun, IAWN?' meddai Beti gan amneidio arni i FYND.

'TAL A RHIAN TROED! BLE RYDYCH CHI? DOWCH YMA AR UNWAITH!'

ATSEINIODD llais Enlli o gwmpas yr iard. Ysgydwodd Beti'i phen. Cariodd Enlli ymlaen i weiddi nes iddi'u ffeindio nhw'n eistedd ar fainc.

Yn anffodus, roedd Cerys Clocsen a Wil Wincylpicyr yno hefyd, yn bod yn boen. Cadwodd Enlli'i phellter a cheisio tynnu sylw Rhian a Tal …

... yn y ffordd orau allai hi.

'O, edrychwch! Mae ein ffrind eisiau i ni fynd draw ati. Rhaid i ni fynd,' meddai Rhian wrth Cerys a Wil.

Ond roedd hwyliau GWAEL ar Wil a Cerys ac roedden nhw'n gwrthod gadael iddyn nhw basio.

'Be 'di'r brys?' holodd Cerys, gan HOFRAN DROS Rhian.

'Alli di symud, plis?' gofynnodd Tal yn garedig.

'Dim nes y gwnewch chi ddangos eich WEJYS i ni. Dywedodd Walter wrthon ni am wneud yn siŵr bod gyda chi ddim teclynnau anghyfreithlon eraill ynddyn nhw,' ysgyrnygodd Wil.

'IA – ry'ch chi'ch dau'n meddwl eich bod chi mor sbeshal, pan dy'ch chi ddim,' ychwanegodd Cerys.

'Dangoswch eich sgidiau i ni. NAWR!' mynnodd Wil.

'Maen nhw'n union yr un fath â'ch rhai chi. Gadewch lonydd i ni,' meddai Tal wrthyn nhw'n llym.

'OS oes gyda chi DECLYNNAU wedi'u cuddio y tu mewn iddyn nhw, wnawn ni ddweud wrth Walter, wnaiff ddweud wrth ei FAM a byddwch chi'ch dau mewn LLAWER MWY o ddŵr poeth,' cilwenodd Cerys gan bwyso i mewn yn AGOS at wyneb Rhian.

'Yyywwwwwww … Mae rhywbeth ar dy drwyn di,' meddai Rhian, gan wgu.

'O …' Ceisiodd Cerys weld beth oedd o, cyn sylweddoli mai tynnu coes oedd Rhian. 'Ti ddim yn ddoniol,' cyfarthodd.

'Ond mi wyt ti!' chwarddodd Rhian, wrth i Cerys rythu arni.

'Gad i ni weld dy sgidiau! NEU GWAE TI!' meddai Wil gan STAMPIO'i droed yn galed.

'Ti wedi bod yn treulio gormod o amser gyda Walter Wej,' meddai Tal wrtho.

'HEI! Walter ydi fy ffrind GORAU I!' brathodd Wil 'nôl.

'A FINNA!' ychwanegodd Cerys.

'Dydi Walter ddim yn ffrind GO IAWN – gewch chi weld,' meddai Rhian wrthyn nhw

'Gei di weld,' cilwenodd Enlli.

'IE – fyddwch chi'ch dau'n DYFARU.'

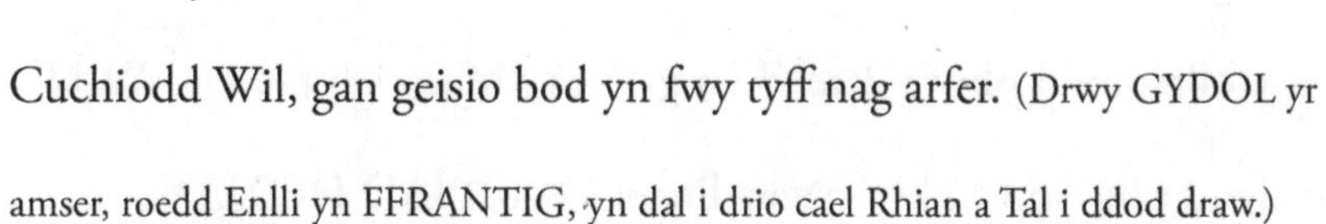

Cuchiodd Wil, gan geisio bod yn fwy tyff nag arfer. (Drwy GYDOL yr amser, roedd Enlli yn FFRANTIG, yn dal i drio cael Rhian a Tal i ddod draw.)

'Ta ta tan toc!' meddai Rhian wrth iddi hi a Tal wthio heibio.

'HEI – dowch 'nôl i fan hyn!' bloeddiodd Wil.

'Ddylen ni eu dilyn …' ychwanegodd Cerys.

'Na – gad i ni fynd i ffeindio rhywun arall, llai, i'w blagio.' Pwyntiodd Wil at ferch oedd yn cerdded heibio.

(Eu hanwybyddu wnaeth hi, oedd yn beth call i'w wneud.)

'Petai Walter 'ma, fyddai hi ddim yn ein hanwybyddu ni,' ochneidiodd Cerys.

'Fyddai neb,' cytunodd Wil. (Roedd hynny'n wir …)

Ymunodd Rhian a Tal gydag Enlli, o'r diwedd. Meddai Enlli:

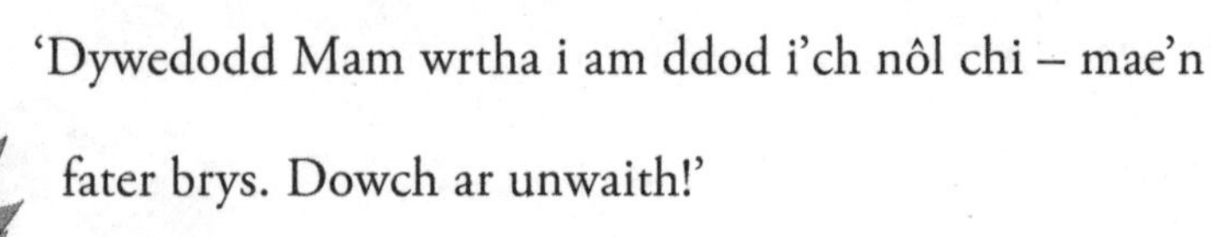

'Dywedodd Mam wrtha i am ddod i'ch nôl chi – mae'n fater brys. Dowch ar unwaith!'

Rhedodd y tri 'nôl at Beti, oedd yn dal i guddio ynghanol y planhigyn.

Roedd gweld y tri phlentyn yn dod tuag ati'n rhyddhad mawr i Beti. Cofleidiodd nhw a dweud yn gyflym, 'Mae eich tad yn IAWN, ond rhaid i ni fynd â chi i rywle diogel YR EILIAD HON.'

'Oddi wrth Wendi Wej?' gofynnodd Tal.

'IA – dowch, dilynwch fi.' Cododd Beti y darn ffens drylliedig fel y gallen nhw wasgu 'nôl drwyddo.

'Oes gan hyn unrhyw beth i'w wneud â'r sgidiau hedfan?' sibrydodd Rhian, gan geisio dal i fyny â Beti.

'Oes, ychydig bach – ond bydd popeth yn iawn, dwi'n addo,' atebodd Beti, gan swnio'n fwy gobeithiol nag oedd hi'n deimlo.

Llwyddodd y tri i ddianc jyst mewn pryd. Wrth iddyn nhw wasgu drwy'r ffens, cyrhaeddodd yr heddlu sgidiau, yn benderfynol o'u ffeindio.

Daeth yn amlwg bod Troed yn gyfenw poblogaidd yn **Nhresgidiau,** a chymerodd sbel fach i'r heddlu sylweddoli bod Rhian a Tal eisoes wedi gadael yr adeilad.

Gwyddai Beti am lwybr aeth â nhw 'nôl i **Stad Bocsgidiau** heb i neb eu gweld.

'Wnawn ni eich cadw o olwg Wendi nes ei bod hi wedi tywyllu,' meddai Beti, gan drio cysuro Rhian a Tal.

Tynnodd Enlli yn llawes ei mam.

'Edrych pwy sy'n fan acw,' sibrydodd.

Mr Crîpar oedd yno.

'Brysiwch, CUDDIWCH!' meddai Beti wrth iddyn nhw wasgu yn erbyn y wal.

Anelodd am dŷ'r teulu Troed wrth i ddau gar plismon barcio y tu allan i dŷ Beti.

'Mae'r heddlu sgidiau ym MHOBMAN. Allwn ni ddim aros 'ma,' ochneidiodd Beti.

‘Beth wnawn ni rŵan?’ gofynnodd Tal. ‘Roedd heddiw’n datblygu i fod yn HUNLLEF.’

‘Beth am guddio yn y siop sglodion?’ awgrymodd Enlli, gan ei bod ar lwgu.

‘Ddim yr eiliad hon,’ meddai Beti’n flinedig.

Edrychodd Tal ar Rhian. Gallai synhwyro beth roedd hi’n ei feddwl.

‘Paid ti hyd yn oed â meddwl am y peth.’

‘Do’n i ddim yn mynd i ganu – ro’n i’n mynd i ddweud y dylen ni fynd i siop Berwyn, wnaiff o ein cuddio ni,’ awgrymodd Rhian.

‘Syniad GRÊT! Da iawn, Rhian – awê!’

Cydiodd Beti yn eu dwylo ac arwain y ffordd i siop sgidiau Berwyn, mor gyflym ag y gallai.

# Maint 16

Edrychodd Beti o'i chwmpas i wneud yn siŵr nad oedd neb yn eu dilyn cyn agor drws siop Berwyn. Canodd cloch – PING! – i hysbysu Berwyn fod ganddo ymwelwyr.

'Dwi'n dwad rŵan,' bloeddiodd o'i weithdy yn y cefn. Pwyntiodd Rhian at yr ARWYDDION PROTEST yn y ffenest. 'Fi wnaeth hwnna!' dywedodd, gan wenu.

Roedd Beti'n edmygu Berwyn am ymladd yn erbyn ymdrechion Wejys Arbennig Wendi i feddiannu'i siop. Gwyddai y byddai Berwyn eisiau eu helpu. Roedd Berwyn wedi bod yn brysur yn darfod pâr ardderchog o frôgs roedd o wedi'u gwneud â llaw. Synnodd o weld Beti, ond roedd o'n falch o'i gweld hi, Enlli a phlant y teulu Troed yn sefyll o'i flaen.

'S'mai bobl annwyl!' Gwenodd. 'Beth alla i ei wneud i chi? Ydi sgidiau YSGOL WAW Wendi'n brifo eich traed? Neu ydi'r ysgol jyst wedi cau'n gynnar heddiw?'

Wnaeth Beti ddim gwastraffu amser cyn dweud wrth Berwyn am sut roedd Wendi Wej wedi cael ei bachau ar sgidiau hedfan Ifor.

'Mae'r ddau yma angen rhywle diogel i guddio,' meddai Beti wrtho. 'A ry'n ni'n gobeithio y galli di helpu.'

'Wrth gwrs! Hen sguthan beryglus ydi'r Wendi Wej 'na!' meddai Berwyn yn flin. 'Mae hi wedi bod yn trio cau fy siop i ers oes pys. Mae Mr Crîpar yn gadael ei chŵn hi y tu allan i fy siop er mwyn dychryn fy nghwsmeriaid a gwneud iddyn nhw gadw draw. OND dwi wedi bod yn eu bwydo â selsig ar y slei, fel nad ydyn nhw'n poeni neb.' Chwarddodd Berwyn. 'Maen nhw'n rhy LLAWN i symud a does gan Mr Crîpar ddim syniad.'

'Da iawn chdi, Berwyn,' gwenodd Beti.

'Mae hynna mor ddoniol!' dywedodd Rhian, gan gydio yn un o'r bŵts roedd Berwyn wedi'u gwneud â llaw, oedd ag adran fach gudd yn y sowdl.

'Mae eich sgidiau'n edrych yn ofnadwy o gyffyrddus,' meddai Enlli wrtho.

'Wel, mae Berwyn yn GRYDDFEISTR. Ond yr eiliad hon, mae angen i ni guddio Rhian a Tal,' atgoffodd Beti bawb, gan eu hebrwng drwodd i'r gweithdy yn y cefn. Roedd hi'n braf cael cyfle i eistedd i lawr, wedi'r holl ruthro o gwmpas, ac roedd angen amser i feddwl ar Beti.

'Dwi eisiau bod yn GRYDDFEISTR rhyw ddiwrnod,' meddai Rhian wrth bawb, gan edrych o'i chwmpas mewn rhyfeddod.

'Bydd yn rhaid i ti fod yn brentis am dair blynedd i ddechrau, er i Berwyn ei wneud o mewn dwy,' eglurodd Tal.

'Sut wyt ti'n gwybod hynny?' gofynnodd Berwyn, ychydig yn syn.

'Ddywedoch chi wrtha i unwaith a dwi'n un da am gofio pethau,' meddai Tal.

'Mae o – a gall fod yn niwsans weithau,' ychwanegodd Rhian.

'Dim fi ydi'r unig gryddfeistr yma. Beti, ti wastad wedi gwneud sgidiau rhagorol hefyd.'

'Dydi Wendi ddim yn cytuno – doedd hi ddim yn hoffi fy wejys

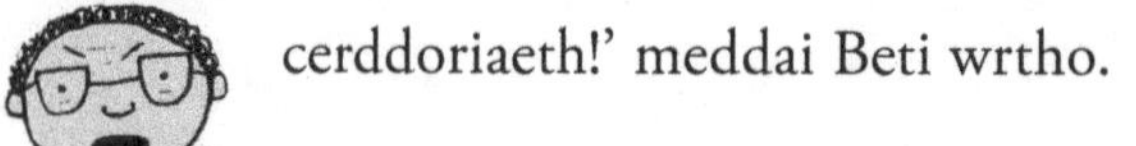

cerddoriaeth!' meddai Beti wrtho.

'Be mae HI'N ei wybod?' gofynnodd Berwyn yn ddig.

'Mae hi'n gwybod bod ganddi siawns o ennill **GWOBR YR ESGID AUR** fory. Os gall Ifor drwsio'r sgidiau hedfan,' eglurodd Beti.

'Dwi'n gobeithio gall o ddatrys y broblem yn GYFLYM, er ei fwyn ei hun,' meddai Berwyn.

Edrychai Tal a Rhian yn bryderus.

'Pwy sydd eisiau bwyd?' gofynnodd Berwyn, gan geisio symud eu meddwl.

'FI!' Rhoddodd Rhian, Tal ac Enlli eu dwylo i fyny.

'Allwn ni ddim aros, Enlli,' ochneidiodd Beti.

'Pliiiiis ga i ddarn o deisen?' erfyniodd Enlli.

‘Mae wir angen i ni ddychwelyd i’r stad i gadw llygad ar gartref Rhian a Tal. Allwn ni adael iddyn nhw wybod pan fydd yr heddlu sgidiau wedi mynd a’i bod hi’n saff iddyn nhw ddod adre,’ eglurodd Beti. Cofleidiodd Rhian a Tal.

‘Bydd popeth yn iawn, dwi’n addo. Awn ni â chi adre wedi iddi dywyllu.’

Rhoddodd Berwyn rywfaint o deisen mewn bag i Enlli. Cododd hynny ei chalon.



‘Diolch, Berwyn!’ Gwenodd Beti a’i gofleidio hefyd.

‘I beth mae hen ffrindiau’n dda? Rhaid i ni feistr cryddion sticio gyda’n gilydd.’

# Maint 17

Amser paned
a thraed
i fyny

Caeodd Berwyn y siop a rhoi arwydd ar y drws. Roedd o'n gobeithio y byddai hynny'n cadw pawb draw am sbel. Eisteddodd Rhian a Tal wrth y bwrdd wrth i Berwyn roi mwy o fwyd allan: bara menyn, caws, jar o geuled lemwn, selsig, olewydd, teisen sbwng ac eirin gwlanog o dun mewn powlen.

'Diolch am hyn, Berwyn,' meddai Tal. 'Dwi'n gobeithio bod Dad yn OCÊ.'

'A finna. Go drapia Wendi Wej,' atebodd Rhian, gan helpu ei hun i deisen.

'Dwi'n siŵr y bydd o'n iawn. Sori am y cymysgedd od o fwyd!' ymddiheurodd Berwyn.

'Does dim ots gyda ni,' meddai Tal, gan helpu'i hun i damaid o gaws, wrth i Rhian estyn am y selsig.

'Dydi o ddim yn deg – ddylai Wendi ddim ennill y wobr am sgidiau hedfan Mam,' meddai Rhian, wrth iddi fwyta.

'Cytuno. Er 'mod i'n gwneud sgidiau ers cantoedd, dwi erioed wedi dod yn AGOS at wneud pâr o sgidiau hedfan. Fyswn i ddim yn gwybod ble i ddechrau,' meddai Berwyn. 'Wnaeth eich tad erioed sôn wrtha i am eu bodolaeth nhw – mae'n ffantastig am gadw cyfrinachau. Ys gwn i sut gwnaeth Wendi ffeindio allan?'

Edrychodd Rhian a Tal ar ei gilydd. 'Ein bai ni oedd hynny,' cyfaddefodd Rhian yn ddiflas. 'Cadwodd Dad nhw'n saff yn ei weithdy. Ond ddihunais i un noson a'i weld o'n hedfan o gwmpas y gegin ynddyn nhw. Roedd Tal yn cysgu – yn chwyrnu fel mochyn bach.'

'Do'n i ddim yn chwyrnu,' protestiodd ei brawd.

'Oeddet, mi oeddet ti! A beth bynnag,' aeth Rhian yn ei blaen, 'dyma ni'n benthyg y sgidiau i HEDFAN i fyny a pheintio dros yr arwydd Tre-wej newydd. Defnyddiais i'r paent coch wnaethoch chi'i roi i fi, Berwyn!'

'CHI'CH dau wnaeth hynna?' gofynnodd Berwyn yn syn.

Nodiodd Rhian a Tal yn frwdfrydig.

'OND aeth y sgidiau'n sigledig yn yr awyr a DYFALWCH ar bwy y tywalltodd y paent?' gofynnodd Rhian.

‘Wendi?’ mentrodd Berwyn wrth i ias fynd drwyddo.

‘Bron – Walter. A welodd o ni’n hedfan i ffwrdd,’ ochneidiodd Rhian.

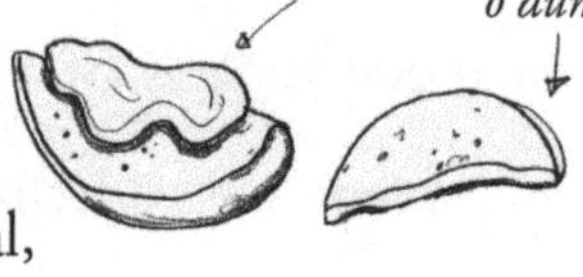

‘Dyna pam bod Mr Crîpar yn ein tŷ ni rŵan. Mae’n chwilio am y sgidiau,’ eglurodd Tal, gan roi ceuled lemwn ar sleisen o eirinen wlanog o dun.

‘Ydi hwnna’n neis?’ gofynnodd Rhian yn chwilfrydig.

‘Ddyweda i wrthyt ti mewn eiliad …’ Rhoddodd o’n ei geg. ‘Mmmmm, melys ond neis,’ dywedodd Tal.

‘Mae Dad yn dweud mai’r unig beth mae Wendi Wej yn poeni amdano ydi ENNILL **GWOBR YR ESGID AUR**,’ meddai Rhian wrth Berwyn.

‘Mae dy dad yn iawn. Dydi’r cywilydd o golli’r ddwy wobr olaf ddim yn helpu, Roedd pawb yn gwybod bod ei WEJYS PWYSO FEL PLUEN yn drychineb.’

‘Cafodd y sgidiau yna’r marciau gwaethaf yn hanes y gwobrau. Ac mae hi wedi colli TAIR tro yn olynol,’ meddai Tal, gan gywiro Berwyn.

'Mae hynny wedi ei gwneud hi hyd yn oed mwy TAER i ennill, doed a ddêl. Dwi ddim yn hoffi'r ffordd mae Wendi'n cymryd POPETH drosodd yn y dref yma. Dydi o ddim yn iawn. Gadwch i ni obeithio na wnaiff Mr Crîpar ffeindio'r sgidiau,' meddai Berwyn, gan wylltio fwy fyth.

'Mae gweithdy cudd Dad yn LLAWN o stwff y gellir chwilio drwyddo. *GALLEN* nhw fod yno.'

'Beth am fynd 'nôl i edrych?' awgrymodd Tal.

'Gallen ni gystadlu yng **NGWOBR YR ESGID AUR** wedyn!' Roedd Rhian yn ddechrau cyffroi wrth ystyried y syniad.

'Wn i ddim a fyddai hynny'n gweithio. Dy'n ni ddim eisiau gwneud pethau'n waeth i'ch tad, ydyn ni?' ystyriodd Berwyn.

'Rhaid bod RHYWBETH y gallwn ni wneud?' gofynnodd Rhian, gan flasu sleisen o eirinen o dun a cheuled lemwn arno.

'Beth os na lwyddith Dad i drwsio'r sgidiau? Os na wnaiff Wendi ennill y wobr, dwi'n poeni* na wnaiff hi'i ryddhau o,' meddai Rhian.

'A hyd y oed os GWNAIFF hi, bydd hi'n ei gadw dan glo, yn gwneud sgidiau iddi am BYTH, beryg,' meddai Tal.

'Rhaid i ni wneud rhywbeth,' atebodd Rhian. 'Dydi o ddim yn deg i Wendi ennill efo sgidiau Mam.'

'Ti'n iawn,' cytunodd Tal, ei lygaid yn dawnsio. 'Mae'n hen bryd i rywun roi stop ar Wendi. Dwi'n meddwl dylen ni lunio cynllun. Ond yn gyntaf, mwy o fara.'

Cymerodd Tal dafell, wrth i Rhian flasu olewydd am y tro cyntaf erioed.

(A'r tro olaf)

*Troed nodyn: roedd hi'n iawn i boeni.

*Wyneb gwrth-olewydd Rhian.*

# Maint 18

Daeth hi'n nos. Canodd y ffôn yn y diwedd: Beti oedd yno'n galw i ddweud ei bod hi'n meddwl bod yr heddlu sgidiau a Mr Crîpar wedi gadael **Stad Bocsgidiau.** Paciodd Berwyn y selsig oedd dros ben, gyda mwy o deisen, fel gallai Rhian a Tal fynd â pheth adre gyda nhw.

'Barod, blantos?' gofynnodd.

'BENDANT,' meddai Tal.

'Dwi'n croesi bysedd y bydd Mr Crîpar wedi methu ffeindio'r sgidiau hedfan ac y byddan nhw'n dal yno,' ychwanegodd Rhian. Sleifiodd y tri i'r nos a chyrraedd adre'n ddiogel. 'Bydd yn rhaid i ni fod yn gyflym, rhag ofn i rhywun ddod 'nôl,' sibrydodd Berwyn. Dilynodd Rhian a Tal o i'r drws ffrynt, oedd eisoes ar agor.

Roedd y tu mewn i'r tŷ …

## ... yn LLANAST.

Roedd stwff ym mhobman. Ac i wneud pethau'n saith gwaeth, roedd bwrdd crwn Sali wedi'i ORFODI ar agor ac roedd rhai o'r teils a baentiwyd mor hardd, wedi cracio.

'Gallaf i eu trwsio – peidiwch â phoeni,' cysurodd Berwyn Rhian a Tal.

'Dyna weithdy Dad,' meddai Rhian wrtho.

'Clyfar iawn,' dywedodd Berwyn, gan edmygu'r fynedfa gudd. Dringodd y tri i lawr yr ysgol ac yn syth bin, dyma nhw'n gweld bocs pren gwag ar y llawr. 'Beryg bod y sgidiau hedfan yn hwnna,' ochneidiodd Berwyn.

'Ond wnawn ni ddal i chwilio, jyst rhag ofn.' Doedd Rhian erioed wedi gweld y tu mewn i'r gweithdy o'r blaen. Roedd o'n llawn gwrthrychau hynod o ddiddorol. Aeth ar ei chwrcwd wrth ymyl silff isel a ffeindio casgliad o lyfrau difyr yr olwg. Roedd hi ar fin tynnu un oedd wedi'i glymu â rhuban oedd wedi pylu, pan ddywedodd Berwyn y dylen nhw tsiecio i fyny'r grisiau unwaith eto.

Gwthiodd Rhian y llyfr o dan ei siwmper a thra oedd Tal a Berwyn yn edrych o gwmpas gweddill y tŷ, tynnodd o'n ôl allan i'w ddarllen unwaith eto. Ar y clawr, mewn ysgrifen berffaith, roedd y geiriau:

*Llyfr Dylunio Sgidiau*
*a Breuddwydion*
*Sali Sandal.*

'Llyfr Mam ydi o,' sibrydodd Rhian, cyn datglymu'r rhuban ac agor y llyfr. Ar bob tudalen, mewn papur oedd wedi melynu fymryn, roedd llun manwl o fathau gwahanol iawn o sgidiau. Drws nesa i bob

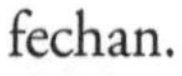

dyluniad, roedd cyfarwyddiadau wedi'u hysgrifennu mewn llawysgrifen fechan.

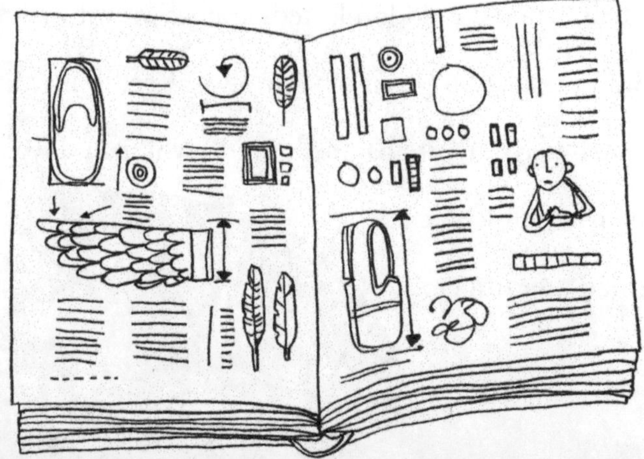

Gallai glywed Tal yn dweud wrthi am frysio. Caeodd Rhian y llyfr, cyn ei wasgu i mewn i'w bag ac ymuno â nhw.

Roedd Berwyn yn sefyll yn eu llofft yn ysgwyd ei ben. 'O nefi, wnaeth Mr Crîpar a gweddill yr heddlu sgidiau wneud llanast go iawn yn eich llofft chi hefyd,' ochneidiodd.

Chwarddodd Tal. 'Na, mae hi wastad yn edrych fel hyn. Mae Rhian yn un ofnadwy o flêr. Mae ganddi LWYTH o stwff, yn enwedig dyngarîs.'

'Ti'n fwy blêr na fi a dwi'n hoffi dyngarîs. Dwi'n mynd i wisgo fy nyngarîs lwcus yr eiliad hon,' meddai Rhian.

'Gallen ni wneud â chymaint o help â phosib,' meddai Tal, cyn iddo STOPIO siarad yn sydyn, a rhoi ei law dros ei geg.

'Shhh! Peidiwch â symud modfedd,' sibrydodd. RHEWODD pawb. Roedd RHYWBETH yn gwneud i'r llawr y tu allan wichian.

**Llamodd** Sgid ALLAN A'U DYCHRYN YN DWLL!

'AAA!' sgrechiodd Berwyn.

'Dim ond Sgid ydi o,' meddai Rhian.

Cododd y gath. 'Pwyll rŵan …'

'Dwi'n trio,' ochneidiodd Berwyn.

'Siarad â Sgid oeddwn i,' meddai Rhian.

'Dylen ni fynd â Sgid gyda ni i'w chadw hi'n saff,' awgrymodd Tal.

'Syniad da,' cytunodd Berwyn. 'Rŵan casglwch beth sydd ei angen a ffwrdd â ni am dŷ Beti.' Aeth Berwyn i ffenest y gegin i wneud yn siŵr nad oedd neb o gwmpas.

Newidiodd Rhian i'w dyngarîs lwcus, wrth i Tal gymryd un sbec arall o gwmpas rhag ofn iddo ffeindio'r sgidiau hedfan. Ond roedden nhw'n bendant wedi mynd.

'Bydd yn rhaid i ni adael drwy'r drws cefn rŵan – mae 'na ddynes yn siarad â'r swyddog heddlu sgidiau y tu allan,' rhybuddiodd Berwyn.

'Oes gyda hi ffon gerdded?' gofynnodd Tal.

'Oes.'

'Mrs Daps,' meddai Rhian a Tal fel un.

'Mae hi'n anhygoel o fusneslyd,' eglurodd Rhian.

'Gobeithio gwnaiff hi gadw'r swyddog heddlu'n brysur,' ychwanegodd Tal.

Sleifiodd y tri allan drwy'r drws cefn a chyrraedd tŷ Beti heb i neb eu gweld.

Wnaeth Enlli ddim gwastraffu dim amser yn helpu Rhian a Tal i setlo. Roedd Beti wedi rhoi cwpwl o sachau cysgu yn ei stafell, oedd braidd yn gyfyng, ond doedd dim ots ganddyn nhw. Doedd gan neb fawr o le yn **Stad Bocsgidiau.**

'Diolch am edrych ar eu hôl, Berwyn,' meddai Beti, gan estyn paned o de iddo. 'Ond doedd dim sôn am y sgidiau hedfan?'

'Wedi mynd. Mae'n rhaid bod Mr Crîpar wedi'u rhoi nhw i Wendi erbyn hyn,' meddai Berwyn, wrth iddo sipian ei de.

'Dwi'n ceisio gwarchod y plant, rhag iddyn nhw boeni, ond dydi o ddim yn hawdd,' sibrydodd Beti wrth Berwyn.

Roedd sylweddoli beth yn union oedd bwriad Wendi WIR yn dechrau eu bwrw.

'Os gwnaiff Wendi ddefnyddio'r sgidiau hedfan i ennill y wobr fory, fydd pethau byth yr un fath eto,' meddai Berwyn yn ddramatig, gan ysgwyd ei ben.

'Beth ydych chi'n feddwl?' gofynnodd Rhian, oedd yn clustfeinio ar eu sgwrs.

'Dydi o'n ddim byd i boeni amdano. Wedi i dy dad ddod adre, wnaiff hi jyst BROLIO am y wobr am byth,' meddai Beti, gan wneud ei gorau i beidio â chodi ofn ar Rhian.

'A dim dyna'r cwbl … chaiff yr un dref na dinas arall FYTH wneud sgidiau hedfan, dwi'n dweud wrthoch chi. Wnaiff Wejys Anhygoel Wendi brynu BOB UN siop sgidiau. Gawn ni i gyd ein gorfodi i wisgo'i wejys mawr trwsgwl hi DRWY'R AMSER, jyst am ei bod HI'N eu hoffi nhw. Wnaiff Wendi ddefnyddio'i sgidiau hedfan i DDOMINYDDU'R byd sgidiau. Mae hi esioes wedi gwahardd SLIPARS. A dim ond y dechrau ydi hynny. Fydd dim lle i siopau fel fy un i rhagor. Dim ond mater o amser fydd hi, cyn iddi wneud rhywbeth ANHYGOEL O SLEI i gau fy siop.'

Cymerodd Berwyn anadl ac oedi.

Roedd ymateb pawb arall wedi gwneud iddo ddechrau berwi.

'NEU, ella na wnaiff hi ennill a bydd popeth yn aros yr un fath, felly peidiwch â gwrando arna i,' meddai Berwyn gan geisio pwyllo.

(Oedd bach yn hwyr yn y dydd …)

'Pam na wnaethoch chi a Beti erioed geisio gwneud sgidiau hedfan, Berwyn?' gofynnodd Rhian.

'Dyna ro'n i'n ei feddwl hefyd,' dywedodd Tal.

'Wnes i drio,' meddai Berwyn.

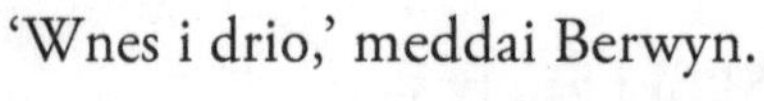

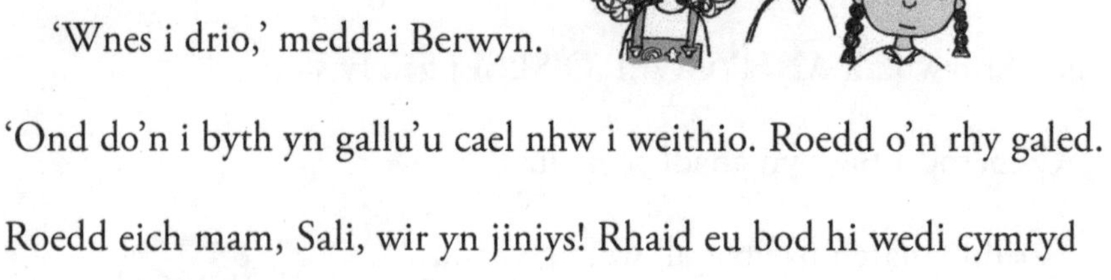

'Ond do'n i byth yn gallu'u cael nhw i weithio. Roedd o'n rhy galed. Roedd eich mam, Sali, wir yn jiniys! Rhaid eu bod hi wedi cymryd blynyddoedd cyn iddi lwyddo i'w cael nhw'n iawn.'

‘Gwir. BREUDDWYD bob crydd oedd dyfeisio’r pâr cyntaf o sgidiau hedfan,’ meddai Beti.

‘Ydych chi’n cofio Rhyfeddodau Prentastig Wendi? Wnaethon nhw erioed lwyddo i godi oddi ar y ddaear!’ chwarddodd Berwyn.

‘Ac yna roedd ei hymdrech i wneud sgidiau ROCED. Wnaeth hynny ddim gweithio chwaith,’ atgoffodd Beti o.

‘Dim ond am dri deg pump eiliad y llwyddon nhw i aros yn yr awyr, cyn iddyn nhw gwympo’n ôl i’r ddaear,’ meddai Tal wrthyn nhw. Roedd o wastad yn un da am wybod ffeithiau am sgidiau.

‘Ro’n i wir eisiau dyfeisio sgidiau allai hedfan. Ond do’n i byth yn gwybod BLE i ddechrau,’ dywedodd Beti.

‘Ond beth tase gyda chi rywbeth fyddai’n DANGOS i chi sut yn UNION i’w gwneud nhw? Allech chi eu gwneud nhw wedyn?’ gofynnodd Rhian.

‘Llyfr cyfarwyddiadau?!’ ti’n feddwl, gofynnodd Berwyn.

‘Byddai’n rhaid iddo fod yn HYNOD fanwl,’ meddai Beti. ‘Ond gallen, siŵr o fod.’

‘Bydda i ’nôl mewn eiliad,’ meddai Rhian wrthyn nhw a mynd i nôl ei bag.

‘Beth ydi’i gêm hi?’ meddai Tal yn amheus. Daeth Rhian ’nôl â’i bag a thynnu’r llyfr MAWR allan ohono.

‘Ble cest ti hwnna?’ gofynnodd Tal.

‘Gweithdy Dad,’ atebodd Rhian. Rhoddodd y llyfr ar y bwrdd yn ofalus. ‘Llyfr nodiadau Mam ydi o. Mae’n llawn deiagramau a nodiadau.’

Casglodd pawb o gwmpas y llyfr i gymryd golwg fanylach.

‘Dwi’n adnabod llawysgrifen hardd eich mam,’ meddai Beti wrthyn nhw.

Edrychodd Berwyn ar y lluniau manwl. 'O nefi, mae HWN yn anhygoel. Ti'n iawn. Mae popeth YMA – mae'r holl gyfarwyddiadau yn y llyfr. Roedd dy fam MOR glyfar! Mae hyn yn berffaith.'

Roedd y llyfr wedi gwneud cryn argraff ar Berwyn.

'Felly allech chi wneud sgidiau hedfan o gynlluniau Mam RŴAN?' gofynnodd Tal.

Ystyriodd Berwyn y diagram yn feddylgar. 'Ella,' meddai. 'Ella y byddai'n bosibl, gyda help meistr crydd arall.' Edrychodd ar Beti.

'Cer amdani, Mam – gwna y sgidiau hedfan!' meddai Enlli.

'Gallech chi GYSTADLU yng **NGWOBR YR ESGID AUR**!' meddai Rhian.

'RHIAN, ti'n jiniys!' meddai Tal.

'O'r diwedd, ry'n ni'n cytuno ar rywbeth!'

'Dychmyga WYNEB Wendi,' chwarddodd Tal.

'Byddai werth o jyst er mwyn hynny,' cytunodd Berwyn.

'Ond oes gyda ni ddigon o amser?' gofynnodd Beti.

Stopiodd Beti ddarllen yn sydyn. 'O NA!' meddai.

'Be sy'n bod?' gofynnodd Beti eto. 'Alla i ddim dy helpu di, Berwyn. Bydd yn rhaid i ti eu gwneud nhw dy hun.'

'Pam?' gofynnodd Berwyn.

'Achos mae gen i'r UN cytundeb yn union ag Ifor. Mae'r holl sgidiau dwi'n eu gwneud yn eiddo i Wendi a WAW. Os gwna i hyd yn oed dy helpu di i wneud y sgidiau hedfan, hi fydd berchen arnyn nhw.'

'Ydi hynny'n gyfreithlon?' gofynnodd Berwyn.

'Ydi, yn Nhre-wej. Mae Wendi'n gwneud fel mae hi eisiau.'

'Sut bydd hi'n gwybod?' meddyliodd Rhian.

'Trystia fi – wnaiff hi ffeindio allan.' Pylodd gwên Berwyn. Byddai gwneud y sgidiau hedfan yn anodd iawn, heb help Beti.

'Gallwch chi'i wneud o, Berwyn,' mentrodd Rhian.

'Pliiiiisss, Berwyn! Dwi wirioneddol eisiau hedfan!' gofynnodd Enlli'n neis.

'Mae'n lond trol o hwyl …' meddai Berwyn.

‘Ydi, wir yr,’ ychwanegodd Rhian.

‘Gallech eu GWERTHU yn eich siop. Byddai sgidiau hedfan MOR boblogaidd, Berwyn. Byddech chi a Dad – gyda’ch gilydd – yn gwneud FFORTIWN!’ dywedodd Tal.

‘Allai Wendi ’mo’ch cau chi wedyn,’ ychwanegoddd Rhian.

‘Mae gyda nhw bwynt, Berwyn. Be ti’n feddwl?’ gofynnodd Beti iddo.

‘Does ’na fawr o amser. Byddai’n RHAID i fi weithio DRWY’R nos er mwyn cael siawns, a hyd yn oed wedyn …’ meddai Berwyn, gan feddwl yn uchel. ‘Ond IAWN, dwi’n mynd i fynd amdani. Mae’n hen bryd i ni roi stop ar Wendi Wej.’

‘AWÊ, BERWYN!’ gwaeddodd Rhian a Tal, wrth i Enlli guro’i dwylo’n frwd.

‘Reit, byddai’n well i fi fynd ’nôl i ’ngweithdy i ddechrau arni. Dwi ond yn gobeithio y gwnaiff hyn blesio Ifor,’ meddai Berwyn.

‘Bydd o’n falch ein bod ni’n ymladd ’nôl. Gallai hyn newid popeth,’ meddai Beti.

'NI yn erbyn Wejys Arbennig Wendi,' meddai Tal wrthyn nhw.

'Mae'n RHYFEL Y SGIDIAU!' meddai Rhian yn falch.

Rhoddodd Beti lyfr Sali mewn bag papur brown yn ofalus a'i roi i Berwyn.

'Wna i 'mo'ch siomi chi,' meddai Berwyn, yn benderfynol o wneud ei orau.

Doedd Wendi Wej ddim yn mynd i ENNILL y wobr yma â sgidiau oedd ddim yn perthyn IDDI.

Gwyliodd pawb wrth i Berwyn sleifio drwy'r drws cefn ac allan i'r nos. Cerddodd Berwyn yn gyflym, gan gydio'n dynn yn y llyfr gwerthfawr o dan ei fraich, a chadw'i ben i lawr. Aeth rownd congl ar wib a bwrw'n SYTH i mewn i …

Mr Crîpar.

Llithrodd y llyfr o dan ei fraich a DISGYN ar lawr.

'Edrych i ble ti'n mynd, wnei di?' meddai Mr Crîpar wrtho'n siarp. Roedd o'n dal yn boenus ers iddo gael ei bigo gan y gwenyn.

Rhuthrodd Berwyn i godi'r llyfr cyn i Mr Crîpar ei weld.

'Mae'n ddrwg gen i, wnes i ddim dy weld,' meddai Berwyn, wrth iddo drio rhoi'r llyfr 'nôl yn y bag. Ond roedd ganddo fysedd llithrig a gollyngodd y llyfr ETO. Gwgodd Mr Crîpar.

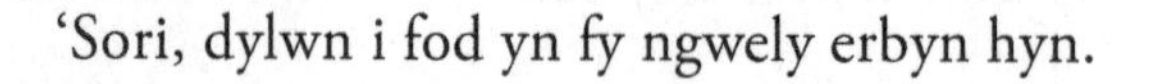

'Sori, dylwn i fod yn fy ngwely erbyn hyn. Rhaid i fi … hedfan!' bwldagodd Berwyn. Gwasgodd y llyfr i'w fynwes a melltio i lawr y ffordd.

Difarodd Berwyn ddefnyddio'r gair YNA yn SYTH.

'Pam ddywedais I HEDFAN?' mwmialodd wrtho'i hyn.

Safodd Mr Crîpar a'i wylio'n mynd.

'Pam fod Berwyn ar gymaint o frys?' meddyliodd. Roedd Berwyn yn ymddangos yn nerfus ac ar bigau. Dechreuodd Mr Crîpar feddwl fod gan Berwyn rywbeth i fyny'i lawes. Gwnaeth hyn iddo feddwl am rywbeth ar wahân i'r cosi ar ei droed. Ond ddim ond am eiliad.

'Pryd wnaiff y droed 'ma stopio cosi?*' mwmialodd.

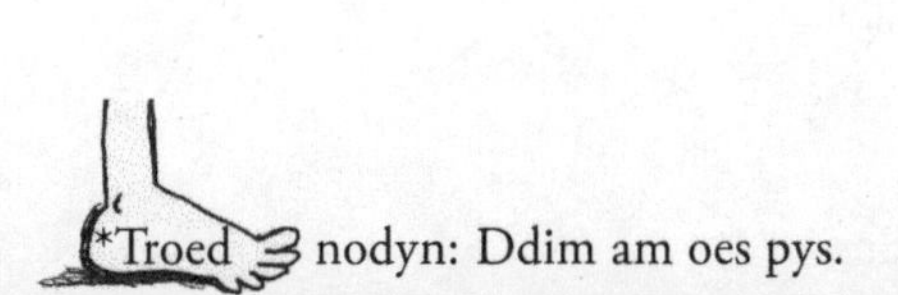

*Troed nodyn: Ddim am oes pys.

# Maint 19

Dihangodd Berwyn mor gyflym ag y gallai oddi wrth Mr Crîpar. Doedd o ddim wedi gweld y llyfr, oedd yn ryddhad mawr. Roedd angen i Berwyn fwrw iddi a dechrau gwneud sgidiau (rhai hedfan). Unwaith roedd o'n ôl yn y siop, clodd yr holl ddrysau a chau'r llenni'n gyflym. Yna, unwaith roedd o'n ddiogel yn ei weithdy, dechreuodd ddarllen cyfarwyddiadau Sali. Roedden nhw'n glir, â diagramau oedd yn help mawr. Yn rhyfedd iawn, dechreuodd Berwyn awchu am eirinen o dun, gyda ceuled lemwn* arno, er mwyn cynnal ei egni. Dyfarodd yn syth.

'Be haru fi?' gofynnodd iddo'i hyn cyn bwyta un arall, yn awtomatig.

Roedd hi'n mynd i fod yn noson hir.

HIR iawn.

*Wyneb bwyta eirinen o dun a cheuled lemwn Berwyn*

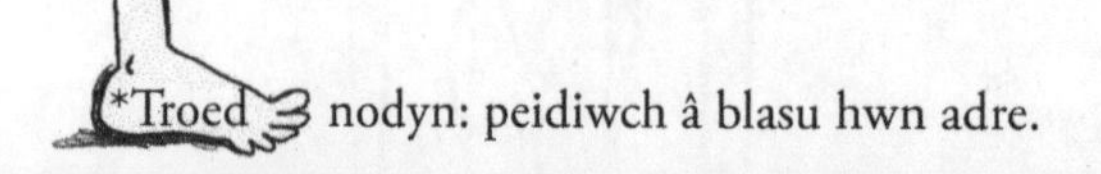

*Troed nodyn: peidiwch â blasu hwn adre.

*Berwyn – yn gweithio'n hynod o galed*

# Maint 20

Aeth Beti a'r plant i'w gwelyau a thynnu'r cynfasau amdanyn nhw'n glyd, gan obeithio y bydden nhw'n cysgu.

'Pryd gwnaiff Wendi ryddhau Dad?' gofynnodd Rhian wrthi.

'Cyn bo hir – mae jyst angen iddo drwsio'r cryndod yn y sgidiau,' atebodd Beti. 'Wna i fynd i mewn i WAW yn gynnar yfory a gwneud yn siŵr ei fod o'n IAWN. Dwi am drio rhoi stop ar Wendi hefyd.'

Aeth Enlli i gysgu, ond arhosodd Rhian a Tal ar ddi-hun am oesoedd, yn meddwl am bopeth oedd wedi digwydd.

'Tal, wyt ti ar ddi-hun?' sibrydodd Rhian.

'Nadw.'

'Wyt, mi wyt ti.'

'Jôc.'

'Beth petai Wendi ddim yn rhyddhau Dad?' meddai yn ofnus.

'All hi 'mo'i gadw fo yna am byth. Byddai hynny'n erbyn y gyfraith,' atebodd Tal. Wnaeth hyn ddim gwneud i Rhian deimlo'n well. Cododd a sbecian drwy'r ffenest. Gallai weld yr adeilad W mawr drwy'r llenni. Sibrydodd Rhian, 'Mae Dad i mewn yn fan yna yn rhywle a …'

'A beth …?' gofynnodd Tal.

'Ac mae angen i ni wneud rhywbeth. Beth os gwnaiff Wendi wylltio'n gacwn a chael WOBLI? Dydi hi'n poeni dim ffeuen am y gyfraith. Dwi ddim yn ei thrystio hi. Ella gwnaiff hi hyd yn oed FRIFO Dad. Ry'n ni wedi colli Mam yn barod. Allwn ni ddim colli Dad hefyd.'

Cododd Tal ar ei eistedd ac edrych ar ei chwaer yn ddewr.

'Ti'n iawn, Rhian. Mae angen i ni fynd i mewn i WAW ac achub Dad. Ond sut?'

'Galla i eich helpu,' sibrydodd Enlli.

(Roedd hi wedi bod ar ddi-hun ac yn gwrando arnyn nhw drwy'r amser.)

'Dwi'n gwybod ble mae Mam yn cadw ei phàs.'

‘Dy’n ni ddim eisiau dy gael di i drwbwl,’ meddai Tal.

‘Os mai fy mam i fyddai dan glo, baswn i’n gwneud yr un peth,’ meddai Enlli. ‘Roedd hi’n ffrindiau gyda’ch mam chi. Byddai hi eisiau helpu.’

‘Mae gen i hiraeth am Mam,’ dywedodd Tal yn dawel.

‘A finnau,’ meddai Rhian.

Gorweddodd y plant yno’n dawel am funud. ‘Fyddai Mam ddim yn cymryd unrhyw lol gan Wendi,’ meddai Tal wrthyn nhw.

‘Yn union – dyna pam y dylen ni’i wneud o. Fyddai hi ddim yn stopio nes byddai Dad wedi cael ei achub ac wedi dod ’nôl adre,’ meddai Rhian.

Mewiodd Sgid fel petai’n cytuno.

‘Wna i nôl y pàs ond beth am y cŵn? Byddan nhw’n chwyrnu o gwmpas y lle,’ atgoffodd Enlli nhw.

‘O ia, yr hen gŵn afiach ’na …’ gwingodd Rhian.

Gwisgodd Tal a Rhian amdanyn nhw a rhoddodd Enlli bàs ar gyfer WAW iddyn nhw, sach gefn bob un a dewis o fasgiau. 'Dy'ch chi ddim eisiau i neb eich adnabod chi. Mae 'na ddewis o lygoden neu uncorn,' eglurodd.

'Syniad da. Dwi eisiau'r llygoden,' meddai Tal.

'Y llygoden oeddwn i eisiau!' protestiodd Rhian.

'IAWN, cymera di o,' meddai Tal gan roi'r masg iddi. 'Mae'n dy siwtio di'n well.'

'Dwi wedi rhoi selsig Berwyn i mewn hefyd,' meddai Enlli. 'Wna i roi gobennydd yn eich sachau cysgu fel ei fod o'n edrych fel petai chi'n dal yno. Does dim angen i Mam wybod eich bod chi wedi mynd – dim ond poeni wnaiff hi.'

'Ry'n ni fel dau asiant cudd,' sibrydodd Rhian yn gyffrous.

'NI yn erbyn Wendi Wej ydi hi – gadwch i YMGYRCH RHYFEL Y SGIDIAU gychwyn!' meddai Tal, gan ddyrnu'r awyr.

'Os ti'n dweud,' gwenodd Rhian.

Unwaith roedd popeth wedi'i bacio, gadawodd Enlli nhw allan drwy'r drws cefn. 'Pob lwc,' sibrydodd a chodi ei llaw arnyn nhw.

GWOBRAU'R ESGID

WEJYS
WEJ
ARBENNIG

SIOE 'SDIGIA FAWREDDOG! YN FYW

Roedd sgidiau bownsio ysgol arbennig Rhian a Tal yn eu galluogi i redeg ynghynt. Roedd **Stad Bocsgidia** yn neis ac yn dawel ac edrychai fel petai hyd yn oed Mrs Daps yn cysgu, gan nad oedd ei llenni'n twitsho'n ôl eu harfer. Ond wrth iddyn nhw'n agosáu at WAW, dechreuodd pethau BRYSURO'n ofnadwy. Roedd llinell hir o faniau a thryciau'n aros i fynd i mewn drwy giatiâu WAW. Roedd pobl wrthi'n brysur yn gweithio drwy'r nos i baratoi ar gyfer **GWOBRAU'R ESGID AUR** ac roedd y swyddogion diogelwch yn tsieico PAWB oedd yn mynd i fewn ac allan.

'O na,' sibrydodd Rhian.

'Ella bydd rhaid i ni feddwl am ffordd arall o fynd i mewn,' meddai Tal yn dawel. Buon nhw'n gwylio'r halibalŵ o bell, wrth iddyn nhw ystyried beth i'w wneud nesaf.

Daeth fan i stop wrth eu hymyl a daeth dyn allan ohoni ac agor y drws cefn. Roedd y fan wedi'i STWFFIO'N llawn balŵns a bu bron iddyn nhw hedfan i ffwrdd. Edrychodd y dyn ar y cyfeiriad a dweud, 'Rhaid 'mod i'n y lle iawn.'

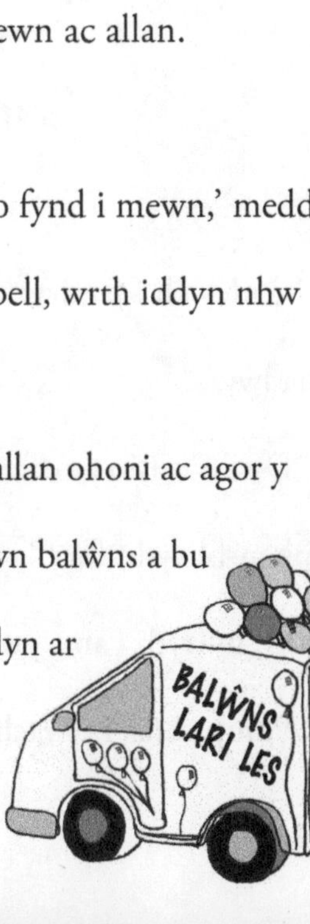

BALŴNS
LARI LES

'Wyt ti'n meddwl be dwi'n feddwl?' gofynnodd Rhian wrth Tal.

'Mae hynny'n dibynnu. Be wyt ti'n ei feddwl?'

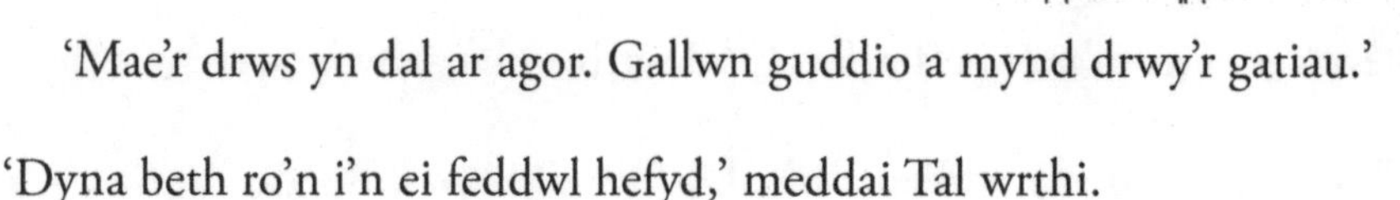

'Mae'r drws yn dal ar agor. Gallwn guddio a mynd drwy'r gatiau.'

'Dyna beth ro'n i'n ei feddwl hefyd,' meddai Tal wrthi.

Neidiodd y ddau i gefn y fan gyda'r balŵns a cheisio peidio â'u BYRSTIO wrth i'r fan yrru tua'r gatiau.

Stopiodd y fan cyn i'r gyrrwr ddechrau siarad â'r swyddogion diogelwch.

'**Lari Les** ydw i a dwi wedi dod â balŵns draw ar gyfer y gwobrau. Dylwn i fod ar y rhestr.'

'Gadewch i fi edrych … O, ia, dyma chi. Ry'ch chi'n gynnar ofnadwy.'

'Dwi'n ceisio gorffen gwaith a mynd adre. Mae fy merch yn cael ei phen-blwydd fory.'

'O, hyfryd. Faint yw ei hoed hi?' holodd y swyddog diogelwch.

'Pump. Lois Les fach.'

'Gobeithio caiff hi ddiwrnod da. Ewch i barcio yng ngofod 3. Mwynhewch eich noson,' meddai'r swyddog diogelwch a'i chwifio drwyddo.

Allai Rhian a Tal ddim gweld ei gilydd oherwydd yr holl falŵns.

'Y munud gwnaiff y fan stopio, bydd raid i ni sleifio allan,' sibrydodd Rhian. Rhoddodd ei llaw ar y drws, er mwyn bod yn barod.

'Dos â bwnshad o falŵns gyda chdi, er mwyn cuddio,' awgrymodd Tal.

'Iawn, awê!' Symudodd Rhian y balŵns o'i hwyneb a chyfri i dri.

'Un … dau … tri … ffwrdd â ni!'

Llamodd y ddau allan, gan lusgo bwnshyn ENFAWR o falŵns ar eu holau, gan geisio osogi'u clymu yn ei gilydd.

'Hei, beth ydych chi'n ei wneud â rheina?'

Lari Les oedd yna.

Rhewodd Rhian a Tal.

'Ry'n ni'n mynd â nhw i **WOBRAU'R ESGID AUR** wrth gwrs,' meddai Tal.

Cilderychodd Lari Les arnyn nhw.

'Dan orchymyn Wendi,' meddai Rhian.

'IAWN 'ta,' meddai Lari Les. 'Allwch chi arwyddo amdanyn nhw.'

Sgriblodd Rhian *W Wej* ar y dderbyneb a'i rhoi'n ôl iddo.

'Diolch am yr help. Mwynhewch **WOBRAU'R ESGID AUR**. Pwy sy'n mynd i ennill – unrhyw syniadau?' gofynnodd.

'Ni,' mwmialodd Rhian.

'Da iawn chi,' meddai Lari, wrth i ateb Rhian fynd i fewn drwy un glust ac allan drwy'r llall. Sbonciodd 'nôl i'w fan a gyrru i ffwrdd.

'Dyna be sy'n digwydd pan ti'n gwisgo dyngarîs LWCUS,' meddai Rhian. Edrychodd i lawr a gweld un o'r cŵn diogelwch yn CHWYRNU wrth ei thraed.

'Wnes i siarad yn rhy fuan,' sibrydodd.

'Paid â symud. Mae o eisiau balŵn,' tynnodd Tal ei choes.

'Caiff o nhw i gyd,' sibrydodd Rhian.

*Ci bach blin*

'Rhaid i ni fynd i mewn,' hisiodd Tal.

'Cadwa di fo'n brysur!' meddai Rhian wrtho.

'Sut?'

'Wn i ddim – siarad ag o?'

'Dyna gi da ...' gwenodd Tal wrth i'r ci chwyrnu.

'Dwyt ti'n annwyl?' Ond chwyrnodd y ci yn UWCH.

'Tynna'i sylw fo â balŵn. Wna i sortio'r drws,' awgrymodd Rhian a thynnu'i phàs allan. Shiflodd tua'r drws a chwifio'r pàs ar draws y scaniwr.

BÎP! BÎP!

CLICIODD y drws ar agor, jyst mewn pryd.

'Grrrrrrrrr.'

'DOS! YN GYFYLM!' gwaeddodd Rhian ar Tal.

'Beth am y balŵns?'

'GAD nhw!'

Felly dyna beth wnaeth o, gan wneud i'r ci bach golli arno'i hun yn llwyr wrth i'r drysau gau y tu ôl iddyn nhw ac wrth i'r HOLL olau ddiflannu.

CI
W.A.W

Roedd hi mor dywyll

â bol buwch.

'Lle wyt ti?' gofynnodd Rhian.

'Fan hyn,' meddai Tal.

'Ble?'

'FAN HYN.'

Gallen nhw deimlo

waliau'r corridor ond

oedd hi'n anodd iawn

gweld i ble roedden

nhw'n mynd.

'O leiaf all neb ein gweld ni,

mae hynny'n beth da,'

sibrydodd Tal.

'Dwi'n meddwl

'mod i'n gwybod

pa ffordd i fynd. Dilyn fi,'

meddai Rhian wrtho

a dechrau cerdded …

# PING!

DAETH YR HOLL

OLEUADAU YMLAEN A'U

DALLU.

'Synhwyrwyr symudiad. Ddim y peth gorau,' meddai Tal, gan flincio yng nghanol yr holl DDISGLEIRDEB.

'O leiaf ry'n ni'n gallu GWELD rŵan,' meddai Rhian wrtho.

'Edrych i fyny fan'cw,' dywedodd Tal, gan bwyntio at y nenfwd. 'Camerâu. Gwisga dy fasg cyn i rywun ein hadnabod ni.'

Dechreuodd Rhian a Tal redeg, gan danio'r synhwyrwyr symudiad wrth iddyn nhw fynd. Roedd drws arall ym mhen draw'r coridor. Roedd y ddau'n brwydro am anadl wrth iddyn nhw estyn am y pàs.

'Mwy o gŵn! Wyt ti'n meddwl eu bod nhw'n chwilio amdanon ni?' sibrydodd Rhian.

'Dwi ddim eisiau ffeindio allan. Gad i ni anelu am fan'cw.' Pwyntiodd Tal at ddrws arall. Gwasgodd y ddau yn erbyn y waliau a llithro'n eu blaenau'n araf, gan ddefnyddio'r pàs unwaith eto.

BÎP! Roedden nhw i mewn.

'Mae'r pàs yma'n HYNOD ddefnyddiol. Diolch, Enlli,' meddai Rhian. Hyd yma, roedd popeth yn mynd fel watsh…*

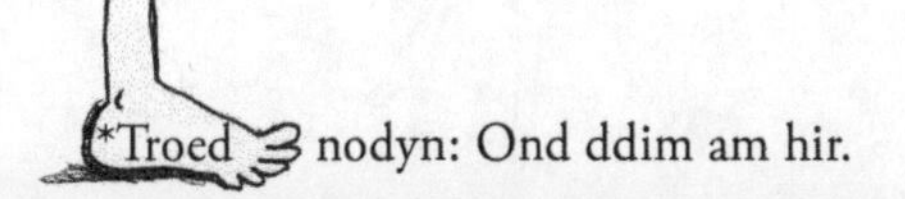

*Troed nodyn: Ond ddim am hir.

Roedden nhw mewn stafell fawr. Roedd desg siâp W fawr yno ac roedd y waliau wedi'u gorchuddio â lluniau o Wendi, yn rhythu i lawr arnyn nhw'n ffyrnig.

'Hon ydi swyddfa Wendi mae'n rhaid,' sibrydodd Tal.

'Sut galli di ddweud?'gofynnodd Rhian.

'Oherwydd y …'

'Tynnu coes ydw i. Rŵan, ble byddai Wendi'n cadw Dad?' gofynnodd Rhian gan edrych ar y tri drws oedd o'u blaenau.

Wrth iddyn nhw drio penderfynu pa ffordd i fynd, cerddodd cysgod hynod GYFARWYDD heibio'r gwydr barugog ar ochr dde'r stafell. Gwnaeth gweld Wendi Wej eu helpu i benderfynu'n

GYFLYM!

'Wendi ydi honna! Brysia! Gad i ni fynd o 'ma!'

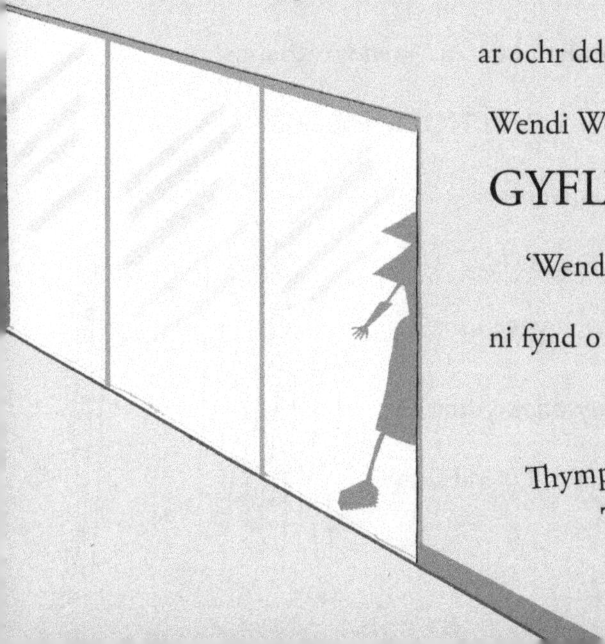

Thymp

Thymp

**Thymp**

Sleifiodd y ddau allan o swyddfa Wendi a ffeindio'i hunain ym mhrif ran adeilad Wejys Anhygoel Wendi. Roedd y gweithdai'n llawn o bobl mewn cotiau gwynion, oedd yn edrych yn hynod

ddifrifol, wrth iddyn nhw ddarfod eu WEJYS ar gyfer **GWOBRAU'R ESGID AUR**. Cerddodd Rhian a Tal heibio bob ffenest, ar flaenau eu traed. Brathodd y ddau eu pennau i fyny ac i lawr fel swricathod, yn edrych am Dad.

'Pam eu bod nhw'n dal i weithio ar y wejys 'na? Mae Wendi wedi gorfodi Dad i weithio ar y sgidiau hedfan,' meddai Rhian.

'Achos mae hi'n hunanol ac eisiau'r HOLL wobrau,' sibrydodd Tal, cyn pwyntio at weithdy.

'Edrych! Dyna wejys camera Dad.'

'Gallen ni eu defnyddio nhw RŴAN, i helpu i edrych am Dad drwy ddefnyddio'r camera,' meddai Rhian wrth Tal. Doedd dim

rhaid iddyn nhw aros yn hir cyn i'r drws agor a dechreuodd y cryddion mewn cotiau gwyn adael.

Cuddiodd Rhian a Tal tu ôl i ddrws, heb dorri gair. Sleifiodd y ddau i'r gweithdy wrth i'r drws gau y tu ôl iddyn nhw. 'DYMA TI – gwisga di un wej a wisga i'r llall, fel bydd gan y DDAU ohonon ni gamera,' awgrymodd Rhian. Cymerodd banel rheoli a'i roi ar ei garddwn, cyn rhoi'r llall i Tal.

'Iawn – gad i ni weld. Camera i fyny,' meddai Rhian wrth ei phanel rheoli, gan wneud iddo FFOCYSU ar Tal.

'Iw-hwwwwwww, galla i dy weld ti! Cwyd dy law …' meddai hi wrtho.

'Rhian, does gyda ni ddim amser,' sibrydodd Tal.

'Mae 'na WASTAD amser i fynd ar dy nerfau di. Dwi jyst yn edrych i weld a ydyn nhw'n gweithio, dyna i gyd.'

'Pwynt da, i ffwrdd â ni,' meddai Tal.

'Ble ry'n ni'n dechrau? Mae'r adeilad 'ma'n ANFERTH,' gofynnodd Rhian.

'Dim syniad, ond byddai'n well i ni frysio,' meddai Tal wrthi. 'Rhaid i ni ffeindio Dad. RHAID ei fod o yma yn rhywle.'

Cychwynnodd y ddau i lawr y coridor unwaith eto.

(Roedd Dad yn nes nag oedden nhw'n ei feddwl…)

# Maint 21

WWWWooooW

WWWooooW

WWooooW

WoWWW

Gallai Ifor glywed sŵn siarad y tu allan

i'r stafell lle'r oedd o dan glo.

Dechreuodd ysgwyd bwlyn y drws yn WYLLT

a gweiddi, 'HEI! Gadwch fi allan!'

Ond gwnaeth hyn i'r cŵn oedd yn

gwarchod y drws – Chwith a DDE –

GYFARTH YN UWCH.

Roedd Ifor yn pryderu'n OFNADWY.

Oedd y plant yn IAWN?

Am ba mor hir oedd Wendi am ei gadw?

A gan BWY oedd ei sgidiau hedfan?

Roedd dal angen eu haddasu i gael gwared o'r CRYNDOD.

Roedd o wedi dweud wrth Wendi y byddai o'n eu TRWSIO ar gyfer

**GWOBRAU'R ESGID AUR**.

Ond hyd yma, doedd neb wedi dod â nhw'n ôl.

Ella nad oedden nhw'n ei gredu? Roedd Ifor wastad yn cadw'i addewidion, yn wahanol i Wendi Wej, oedd yn cadw dyfeisio cyfreithiau ar hap, i siwtio'i hun. Gallai Wendi wastad gyhuddo IFOR o fod yn berchen y slipars a'i roi yn y CARCHAR.

Beth oedd mor ofnadwy am slipars beth bynnag?

'Biti na fysa'r sgidiau hedfan 'na gen i'r eiliad hon. Baswn i'n DIANC – YN HEDFAN allan drwy'r drws 'na, dros ben pawb,' mwmialodd Ifor. Roedd o'n dechrau blino.

'Sut ydw i BYTH yn mynd i ddianc o'r lle 'ma rŵan?' meddai wrtho'i hun.

Roedd Ifor mewn sefyllfa amhosibl.*

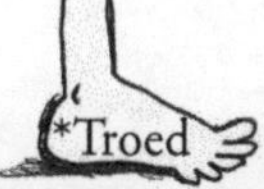

*Troed nodyn: Neu dyna roedd o'n feddwl.

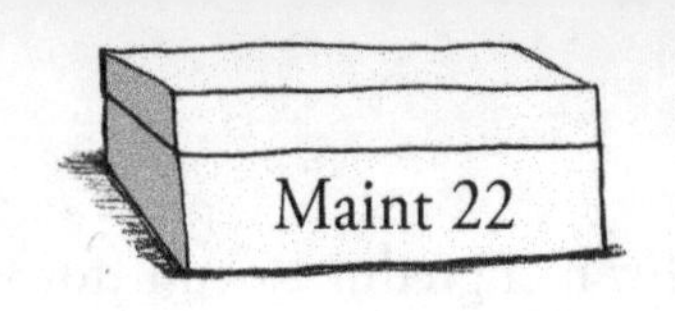

# Maint 22

'Ry'n ni'n edrych fel ARCHARWYR!' Pwyntiodd Rhian ar y cysgodion hynod fawr roedden nhw'n daflu o'u blaenau.

'Paid â stopio – rhag ofn i rywun ein gweld ni,' meddai Tal wrthi – jyst eiliad yn rhy hwyr. Roedd Mr Crîpar a'r Prif Arolygydd Strapsawdl yn cerdded yn SYTH TUAG ATYN NHW.

'Wyt ti'n meddwl, rhywun fel … nhw?' meddai Rhian. 'Brysia, CUDDIA!' Mewn panig, rhedodd y ddau i gyfeiriadau gwahanol.

Gwelodd Tal ddrws a defnyddio ei bàs i fynd drwyddo'n gyflym.

'Roedd hynna'n agos!' meddai, gan ddisgwyl gweld Rhian wrth ei gwt. Doedd hi ddim yno – ond roedd rhywbeth arall …

Ggggrrrrrrrrrrrrrr…

GGGrrrrrrrrrrrrrrr…

Cŵn diogelwch.

'O na …'

Camodd Tal 'nôl wrth i Chwith a Dde ddod yn nes. Bwriodd yn erbyn locyr, chwilio am y drws, neidio i mewn iddo, a'i GAU jyst mewn pryd. Rhuthrodd y cŵn amdano gan GYFARTH yn wallgo. Allai pethau ddim mynd yn waeth, allen nhw? (Gallen.) Cerddodd Mr Crîpar a'r Prif Arolygydd Strapsawdl i mewn.

'Caewch hi, chi'ch dau! Dim ond NI sy 'ma,' meddai Mr Crîpar wrth iddo gerdded heibio'r locyr. 'Gweithiodd y cod roddodd Ifor i ni ar gyfer y bwrdd rhyfedd, ond doedd y sgidiau hedfan ddim YNO. Edrychon ni ym mhob man,' clywodd Tal Mr Crîpar yn dweud.

'Mae Ifor Troed yn gwybod mwy na mae o'n ei ddweud. Mae'n bryd i ni droi'n LLYM,' meddai'r Prif Arolygydd Strapsawdl.

GRRRRRRRrrrrrrrrrrr

O'r tu mewn i'r locyr, gwyliodd Tal nhw'n chwifio'u

pasys at ddrws arall a'i wthio'n agored.

Am eiliad, cafodd Tal gip ar …

# DAD!

ROEDD O YN Y STAFELL HONNO!

IEI! Dwi wedi'i FFEINDIO fo!

meddyliodd.

Roedd yn GYMAINT o ryddhad –

nes iddo gofio am y cŵn.

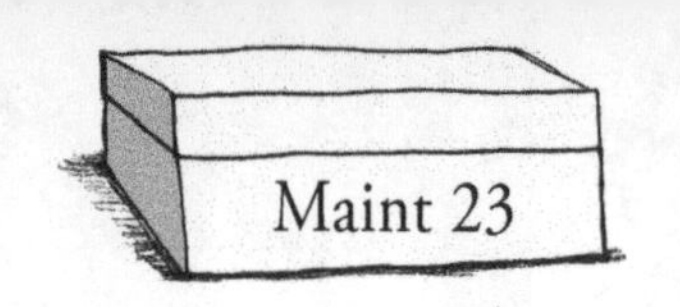

# Maint 23

Roedd y Prif Arolygydd Strapsawdl yn myllio.

'WNEST TI RAFFU CELWYDDAU WRTHON NI, IFOR TROED! DOEDD Y SGIDIAU HEDFAN DDIM yno! BETH WYT TI WEDI'I WNEUD Â NHW, IFOR? MAE ANGEN i ni EU FFEINDIO NHW'N GYFLYM neu bydd Wendi'n **anniodddefol!**'

'MWY annioddefol, chi'n feddwl,' cywirodd Ifor hi.

'Meddylia am dy BLANT, Ifor. Bydd methu cipio **GWOBR YR ESGID AUR** yn golygu na chei di eu gweld nhw am AMSER MAITH,' ychwanegodd Mr Crîpar.

'Ydych chi'n SICR eich bod chi wedi mynd i'r tŷ iawn?' gofynnodd Ifor.

'WRTH GWRS EIN BOD NI!' rhuodd y Prif Arolygydd, cyn oedi a throi ar Mr Crîpar. 'Wnaethon ni – do?'

'Do, dwi'n meddwl …' meddai cynorthwyydd Wendi.

'Wnaethoch chi – WIR YR?' holodd Ifor.

'DO! Stopia drio taflu'r bai arnon NI! BLE maen nhw, Ifor?' roedd y Prif Arolygydd Strapsawdl yn mynd yn fwy blin.

'Yn y stafell gudd, ble gwnes i eu gadael,' mynnodd Ifor.

'WEL, dy'n nhw ddim YNA rŵan. Os na chaiff Wendi'r sgidiau 'na erbyn y bore mae gen TI broblem SIÂP WEJ ENFAWR.'

'Ella bod dy BLANT wedi mynd â'r sgidiau!' awgrymodd Mr Crîpar.

'Pam fydden nhw'n gwneud hynny?' gofynnodd Ifor.

'Dweud TI wrthon ni!' dechreuodd Mr Crîpar gosi dros ei gorff i gyd.

'Dim dyma'r tro cynta iddyn nhw fod mewn trwbwl, NACI?' meddai'r Prif Arolygydd Strapsawdl.

'Dywedodd yr Heddlu sgidiau wrthon ni nad oedden nhw'n yr ysgol. Mae nhw wedi diflannu gyda'r sgidiau,' meddai Mr Crîpar wrth Ifor.

'Mae hynna'n hurt! Maen nhw wedi bod yn sâl: yn SMOTIAU drostyn nhw i gyd. Gofynnwch i Wendi, welodd hi nhw.'

Edrychodd y Prif Arolygydd Strapsawdl a Mr Crîpar yn ddryslyd.

'Maen nhw'n HYNOD o heintus. Dy'ch chi ddim eisiau mynd ar eu CYFYL.' Roedd Ifor yn dweud y peth cyntaf oedd yn dod i'w feddwl i'w cadw nhw draw oddi wrtho Rhian a Tal.

'Chwara teg i ti am drio, Ifor. Ond dim ond mater o amser ydi o cyn y down ni o HYD iddyn nhw. A well i ti OBEITHIO bydd y sgidiau hedfan yna gyda nhw,' meddai Mr Crîpar wrtho.

'Pa fath o bobl ydych chi, yn pigo ar blant bach? Roedd **Tresgidiau**'n arfer bod yn lle gwych i fyw ynddo nes i Wendi Wej gymryd drosodd. Allwch chi 'mo'i thrystio hi. Mae hi wastad yn torri'i haddewidion. BETIA i ei bod hi wedi gwneud hynny i CHITHAU hefyd.'

Edrychodd Mr Crîpar a'r Prif Arolygydd Strapsawdl ar ei gilydd yn sydyn. (Gallai Ifor ddweud ei fod o wedi taro'r hoelen ar ei phen.)

'Byddwn ni'n ôl,' medden nhw mewn ffordd fymryn yn sinistr, cyn i'r ddau adael mewn TYMER.

Roedd Chwith a Dde yn DAL i eistedd o flaen y locyr ble roedd Tal yn cuddio.

'Beth ry'ch chi'n ei wneud yn FAN 'NA? Dylech chi fod yn gwarchod Ifor,' meddai Mr Crîpar wrth y cŵn yn llym a phwyntio at y man ble roedd o eisiau iddyn nhw fod.

Aeth y ddau gi draw yno a thaflu'u hunain ar y llawr.

Daliodd Tal ei wynt nes iddo glywed y drws yn cau ar ôl Mr Crîpar a'r Prif Arolygydd Strapsawdl.

Roedd DAD MOR agos!

Roedd Tal jyst eisiau'i WELD a gadael iddo wybod ei fod o a Rhian wedi dod i'w ACHUB.

Ond sut roedd o'n mynd i fynd heibio'r cŵn?

'SELSIG!' sibrydodd Tal.

Roedd ganddo rai yn ei fag.

Roedd hi'n werth trio.

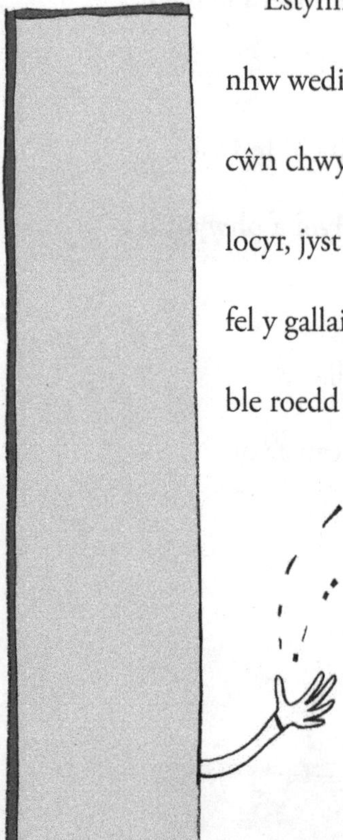

Estynnodd Tal am y selsig dros ben oedd ganddo. Roedden nhw wedi'i lapio mewn ffoil, ac yn syth bin, dechreuodd y cŵn chwyrnu a SYNHWYRO'R awyr. Agorodd gil drws y locyr, jyst digon i yrru'r camera drwyddo, fel y gallai weld **yn union** ble roedd y cŵn. Wnaeth hi ddim cymryd llawer i'w ffeindio nhw. Gallai'r cŵn AROGLI'R selsig. Roedden nhw'n dod yn nes ac yn mynd yn fwy llwglyd.

'O na ...'

TAFLODD Tal y selsigen gyntaf cyn BELLED ac y gallai i'w cyfeiriad.

'EWCH I'W NÔL!'

HWYLIODD y selsigen yn osgeiddig drwy'r awyr, yna – **SNAP!** – Neidiodd Dde i fyny a'i CHIPIO yn ei geg. Yna, anelodd Tal am CHWITH.

Doedd o ddim eisiau bod ar ei hôl hi, felly HYRDDIODD ei hun am y selsigen.

**SNAP!**

Yna, mor bwyllog ag y gallai, camodd Tal o'r locyr a mynd heibio'r ddau gi.

'Dyna ni, gŵn da,' sibrydodd.

Yna gollyngodd Tal fwy o selsig er mwyn rhoi digon o amser iddo ACHUB Dad. Tynnodd ei bàs allan a'i sganio a CHLICIODD y drws ar agor.

'DAD!' gwaeddodd Tal.

'Tal? Be ti'n wneud 'ma?' meddai Ifor yn syn.

'Dod i dy achub di!' atebodd Tal wrtho a chofleidiodd y ddau'n dynn.

'NI?' ailadroddodd Dad.

'Mae Rhian 'ma hefyd – gawson ni ein gwahanu wrth i ni redeg i ffwrdd oddi wrth Mr Crîpar a'r Heddlu sgidiau.'

'BE? Ble mae hi?' Roedd Dad yn ceisio cymryd y cwbl i mewn.

'Rhedodd hi'n ôl y ffordd daethon ni i mewn. Brysia – does gyda fi fawr o selsig ar ôl, meddai Tal, gan ddrysu Dad fwy fyth.

'IAWN – ond beth am y cŵn?' gofynnodd.

Agorodd Tal y drws i ddangos y cŵn yn sglaffio'r darn olaf o'r selsig.

'Maen nhw'n hapus. Ond dim ond un darn sydd gen i ar ôl i'n cael ni allan,' meddai Tal.

'Brysia, wir – does dim amser i aros!' gwenodd Dad ar Tal.

‘Pa ffordd aeth Rhian?’

‘I gyfeiriad swyddfa Wendi, dwi’n credu,’ meddai Tal.

‘Dilyn fi,’ meddai Dad gan wneud yn siŵr fod yna neb o gwmpas cyn iddyn nhw ruthro i ffwrdd i ffeindio Rhian.

‘Dwi BYTH yn gwybod beth ry’ch chi’ch dau’n mynd i’w wneud nesa,’ meddai Dad wrth Tal, wrth iddyn nhw redeg.

‘Dwi’n gwybod – ry’n ni’n mynd i ennill **GWOBRAU’R ESGID AUR**,’ meddai Tal wrtho.

Doedd Ifor ddim yn cymryd llawer o sylw. Roedd o’n ceisio peidio â meddwl beth fyddai’n digwydd pe baen nhw i GYD yn cael eu dal.

‘Dwi’n gobeithio bod Rhian yn IAWN,’ dywedodd wrth iddyn nhw redeg i lawr y coridor.

‘Paid â phoeni – mae Rhian yn dda iawn am wasgu i mewn i lefydd bychan. Wnaiff hi ffeindio rhywle saff i guddio,*’ atgoffodd Tal Dad.

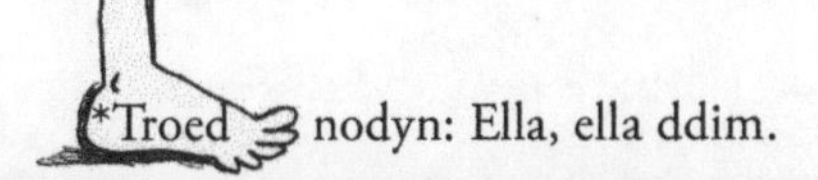

*Troed nodyn: Ella, ella ddim.

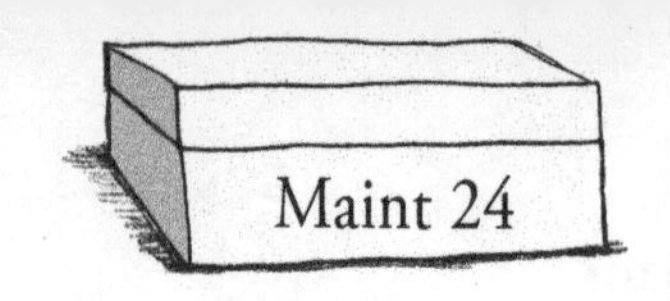


# Maint 24

Doedd cuddio y tu ôl i ddesg enfawr Wendi ddim y guddfan orau y gallai Rhian fod wedi'i ddewis, a bod yn onest. Roedd hi wedi *RHEDEG* mor gyflym ac y gallai oddi wrth Mr Crîpar a'r Prif Arolygydd Strapsawdl ac roedd hi wedi cyrraedd 'NÔL yn yr union fan ble dechreuodd hi – swyddfa Wendi.

Ond, petai hi'n SYDYN, ella byddai hi'n llwyddo i ffeindio CLIW fyddai'n ei harwain at Dad.

'Dwi'n mynd i ymchwilio,' meddyliodd a chripian allan i edrych o'i chwmpas. Roedd y LLYGAID yn lluniau Wendi fel pe baen nhw'n ei dilyn hi i bob man roedd hi'n cerdded – oedd yn crîpi. Aeth ias drwy Rhian a thynnodd stumiau, cyn cydio mewn llun o Walter pan oedd o'n fabi a chwerthin.

'Ha! Mae o wastad wedi bod yn ffŵl,' sibrydodd.

‘A dyna Mami ffŵl,’ meddai Rhian yn ysgafn, gan edrych ar lun o Wendi.

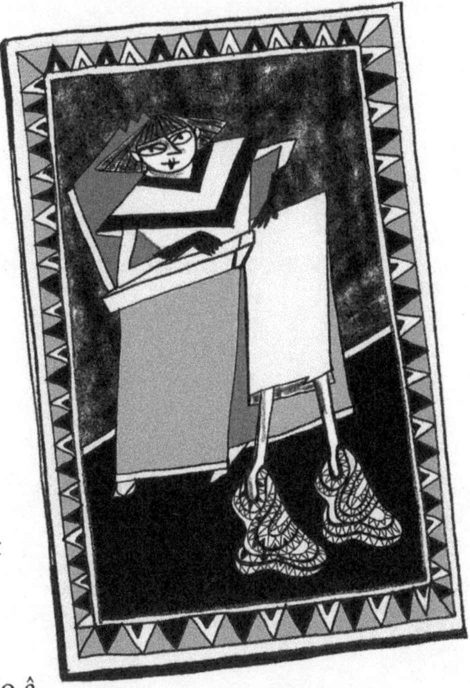

Roedd hi’n gwisgo wejys â phatrwm igam-ogam arnyn nhw ac yn OD IAWN i Wendi, roedd hi’n gwenu. ‘Iasoer,’ mwmialodd Rhian a chario yn ei blaen nes iddi ddod at ddrws arall. Cafodd chwilfrydedd y gorau arni a doedd hi’n methu peidio â busnesu yn y fan honno chwaith. Agorodd y drws.

‘Mae’n RHAID mai yn fan hyn y mae Wendi’n byw. Mae’n GYMAINT mwy na **Stad Bocsgidiau.** Rhaid i Tal weld hyn.’

Sibrydodd Rhian i’w rheolydd garddwn, ‘Troi camera ’mlaen.’

Agorodd ei wej a dyma’r fraich yn estyn allan, gan recordio’r stafell fyw ENFAWR â soffa a chadeiriau siâp W ac unrhyw beth arall roedd hi’n ystyried yn ddifyr.

Yna, camodd i mewn i lofft Wendi. Yno gwelodd y gwely pedwar postyn MWYAF iddi'i weld ERIOED. (Hwn oedd yr unig wely pedwar postyn iddi'i weld erioed.)

Llwyddodd Rhian i reoli'i HAWYDD i NEIDIO arno, ond dim ond oherwydd ei bod hi wedi gweld GWALLT GOSOD. Gwisgodd y gwallt gosod a ffilmio'i hun yn edrych yn ffyrnig. 'Alli di gredu bod Wendi'n gwisgo gwallt gosod?' sibrydodd Rhian i'r camera. 'Ac edrych ar FAINT y cwpwrdd sgidiau 'ma.'

Tynnodd Rhian y gwallt gosod a thynnu'r llenni'n ôl i ddatgelu casgliad Wendi. 'Wwwo – faint o sgidiau sydd angen ar un person?*' sibrydodd Rhian.

*Troed nodyn: eithaf dipyn, ymddengys.

Y tu mewn, roedd rhesi ar resi o wahanol fathau o wejys. Doedd yr un ohonyn nhw'n edrych yn gyffyrddus. Roedd rhai wejys metal â bolltau'n eu dal at ei gilydd, wejys onglog modern, a nifer o wahanol fathau o wejys siâp creaduriaid ffyrnig yr olwg.

Allai Rhian ddim peidio â thrio pâr. Rhoddodd ei throed mewn wej fetal a balansio ar un goes, gan roi'i llaw ar y wal i'w sadio'i hun. Sut gall hi gerdded yn rhain? meddyliodd Rhian wrth iddi WEGIAN a cholli'i *balans.* Rhoddodd ei llaw allan wrth iddi ddisgyn a gwthio llun i mewn i ganol y wal.

'O wps ...'

Rhythodd Rhian wrth i gwpwrdd HOLLOL wahanol ymddangos o rywle. Cwpwrdd sgidiau cudd oedd o. Edrychai RHAIN yn wahanol iawn i'r rhai oedd yn cael eu harddangos. Roedden nhw'n edrych yn fwy meddal, â mwy o liwiau a phatrymau. Roedd gan rhai blu a chen ac roedden nhw wedi'u gwneud o lwythi o wahanol fathau o ddefnyddiau.

Cydiodd mewn pâr a CHYFFWRDD y siapiau ar yr ochr. Newidion nhw eu lliw yn syth.

'Waw.'

Roedd pâr arall oedd gyda phatrwm igam-ogam diddorol.

'Am wallgo,' sibrydodd. Roedd rhywbeth yn dweud wrthi y byddai hwn yn rhywbeth da i'w recordio. Ond wrth i'r camera gofnodi'r holl WEJYS, rhewodd Rhian yn sydyn. Gallai glywed SŴN TRAED.

Sŵn traed trwm, thympaidd. Y math o sŵn traed fyddai ond yn gallu cael ei wneud gan un person.

'O na ...'

Doedd hi ddim yn mynd i fod yn anodd dyfalu PWY oedd ar fin dod i mewn.

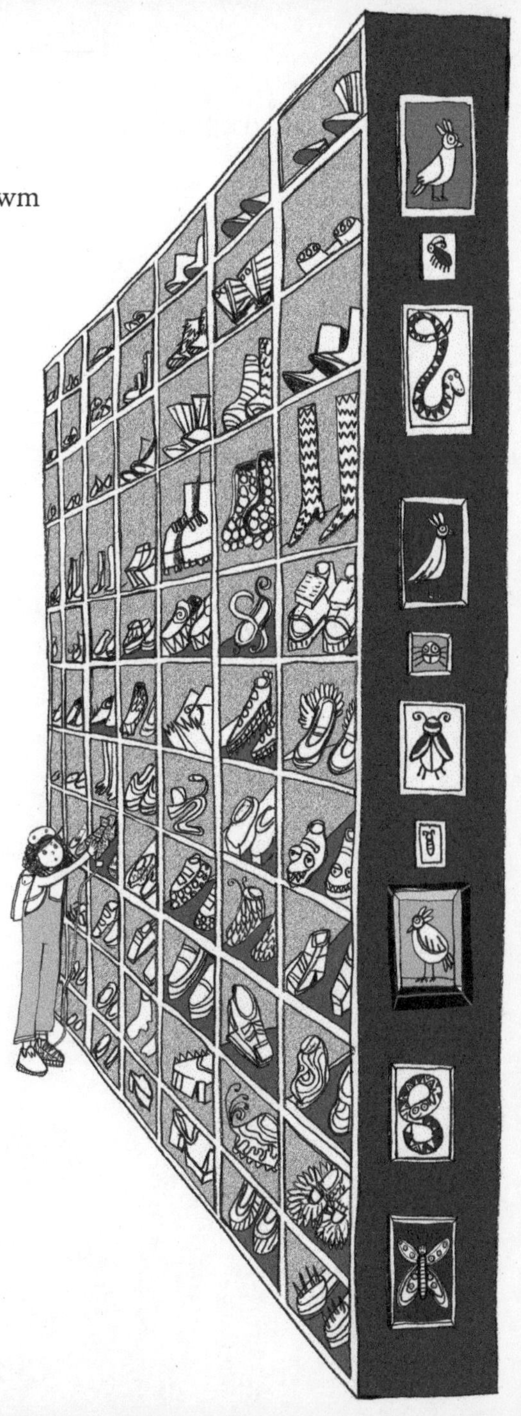

(Dyfalwch eto …)

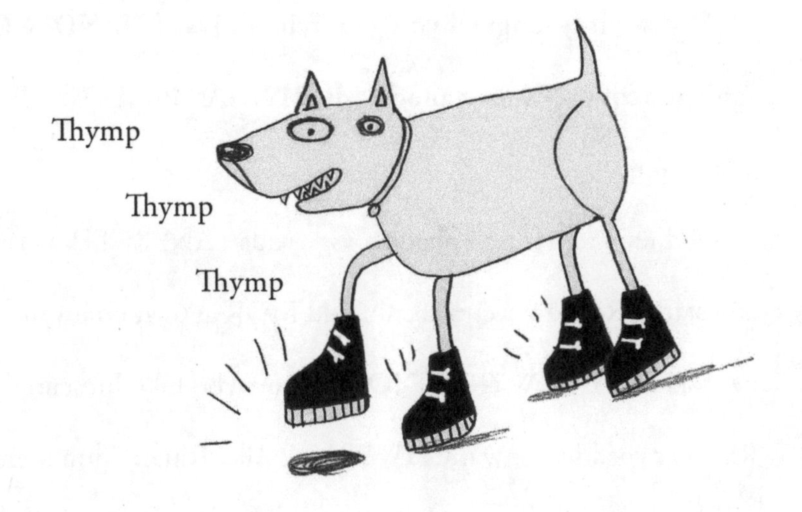
Thymp
Thymp
Thymp

Wendi Wej OEDD yno.

Melltiodd Rhian i mewn i'r llofft a thaflu'i hun O DAN y gwely pedwar postyn, eiliadau cyn i'r drws SWINGIO yn agored ac i Wendi Wej fartsio i mewn. Gallai Rhian weld a THEIMLO'r wejys creaduriaud TRWM yn THYMPIO heibio iddi.

**'Dwi wedi fy amgylchynu gan ffyliaid. Jyst FFEINDIWCH y sgidiau hedfan. Pa mor anodd ydi HYNNA?'** Roedd Wendi'n siarad â hi ei hun.

Dechreuodd dynnu'i phadiau ysgwyddau ANFERTH a'i rhoi nhw ar y stand. Roedd y wejys creaduriaid MOR agos at erchwyn y gwely nes bod eu SYNHWYRYDDION yn ymwybodol o bresenoldeb Rhian ac roedden nhw'n CHWYRNU. Allai Rhian ddim mentro symud modfedd.

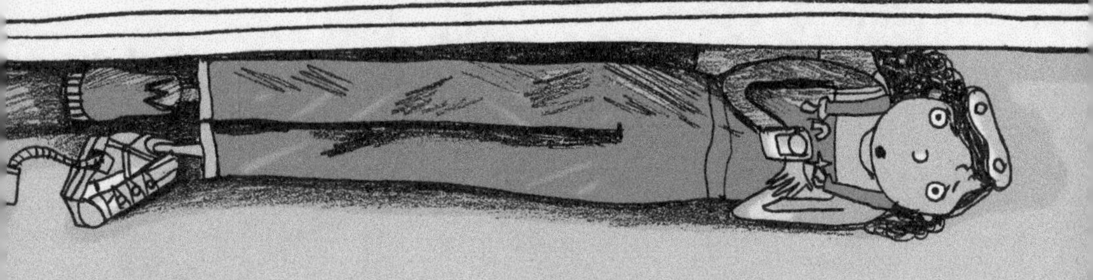

**‘Petai Ifor Troed heb fod mor HUNANOL ac wedi rhoi’r sgidiau hedfan i fi yn y lle cynta, fyswn i ddim yn y sefyllfa ’ma! Och! Mae ’NHRAED i mor boenus.’**

Cerddodd Wendi heibio unwaith eto ac EISTEDD ar y gwely. Cuchiodd Rhian.

**‘Fy modiau bach poenus i,’** llefodd Wendi unwaith eto. **‘Mae’n bryd i fi wneud rhywbeth eithafol.’**

Cododd Wendi i fynd i chwilio am rywbeth a diflannu i’w chwpwrdd sgidiau. DYMA gyfle Rhian i gymryd y goes. Doedd yna fawr o amser. Ond wrth iddi ddechrau rowlio allan o dan y gwely …

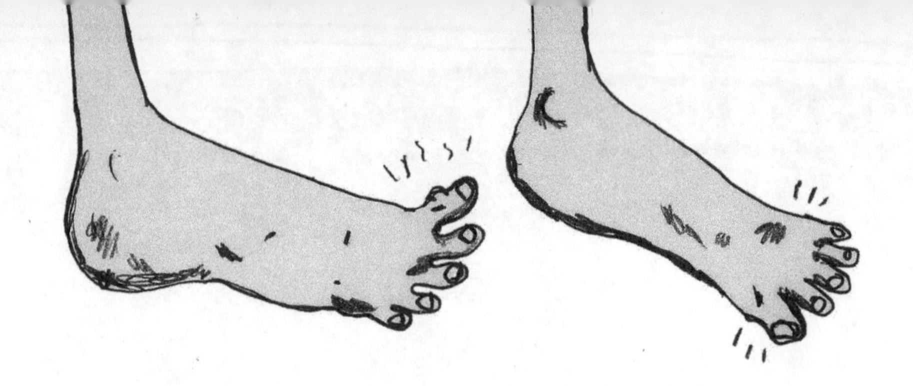

… daeth Wendi 'nôl yn DROEDNOETH.

Gorfodwyd Rhian i daflu'i hun yn ôl o dan y gwely – YN GYFLYM. Cerddodd Wendi 'nôl ac ymlaen cyn STOPIO. Roedd ei thraed esgyrnog MOR agos at wyneb Rhian. Daliodd Rhian ei gwynt (am nifer o resymau). Edrychai traed Wendi fel eu bod wedi treulio BLYNYDDOEDD wedi'u gwasgu i mewn i wejys hynod anghyffyrddus.

Caeodd Rhian ei llygaid a dal ei gwynt. Roedd popeth jyst yn ormod iddi.

Gwthiodd ei hun mor BELL 'nôl ag y gallai.

**'Wedi'r DIWRNOD dwi wedi'i gael, dwi angen rhoi 'NHRAED i fyny a gorffwys. Mae GWOBR YR ESGID AUR fory'n mynd i fod yn HYNOD o sbeshal i fi. Ella gwnaf i jyst ddarllen ychydig dudalennau o fy llyfr cyn mynd i'r gwely.'**

PHYYFF

PHYYFFF

Glaniodd dau beth o flaen Rhian.

Agorodd ei llygaid i weld hen draed cnotiog Wendi'n llithro i mewn i …

BÂR O SLIPARS.

SLIPARS PINC FFLWFFYD.

Gyda PHOM-POMS.

Rhoddodd Rhian ei llaw dros ei cheg I RWYSTRO'I hun rhag SGRECHIAN!

Roedd Wendi'n gwisgo slipars. Slipars fflwfflyd, cysurus, anghyfreithlon. Fyddai neb BYTH yn credu'r peth: roedd perchennog Wejys Anhygoel Wendi, y cwmni gwneud sgidiau MWYAF pwerus yn y dref, yn sefyll o'i blaen hi'r eiliad hon yn gwisgo SLIPARS meddal, cyffyrddus.

Eisteddodd Wendi mewn cadair ac estyn am ei llyfr. Rhoddodd ei thraed sliparsllyd ar stôl gyfforddus a dechrau darllen. Arhosodd Rhian yn gwbl lonydd.

Roedd hi'n amlwg y byddai'n rhaid i Rhian GUDDIO yma am oes pys. Byddai'n rhaid iddi aros i Wendi fynd i'w gwely a disgyn i gysgu'n DRWM cyn y gallai hyd yn oed ystyried dianc unwaith eto.

A gallai hynny gymryd CANTOEDD.

Ond wnaeth o ddim.

Cwympodd ceg gam Wendi'n agored a daeth

sŵn CHWWWWWWYRNU AFIACH

allan ohoni mewn dim. Y TRO HWN

bachodd Rhian ar y cyfle i ADAEL a

dianc i ddiogelwch. Rowliodd allan

o dan y gwely a dechrau croesi'r

stafell ar FLAENAU EI THRAED.

Cymerodd gam bach ymlaen …

## *GWICH!*

Gwingodd Rhian.

Roedd ei hail gam yn ddistawach.

Yna'r trydydd,

a'r pedwerydd cam …

Roedd hi bron allan. NES …

**CNOC**

**CNOC**

**CNOC**

RHEWODD Rhian fel petai hi'n chwarae gêm ddelwau. Trodd i gymyrd cip ar Wendi ac roedd amrannau honno'n dechrau FFLICRO. Roedd hi'n DIHUNO!

Rhedodd Rhian tu ôl i gadair Wendi ar wib a phlygu ar ei chwrcwd.

**'Be? PWY SYDD YNA?'**

mwmialodd Wendi a chodi.

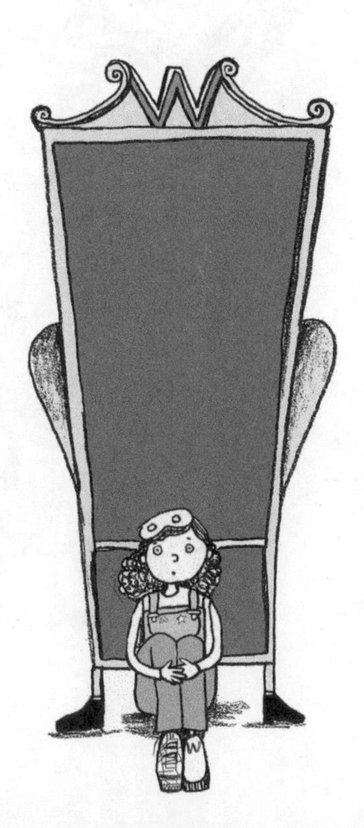

**'PEIDIWCH â dod i mewn!'** rhuodd. **'Bydda i 'na mewn chwinciad.'** Cododd a shifflan i'r cwpwrdd yn ei slipars. **'BE rŵan eto fyth? Does dim llonydd i'w GAEL,'** grwgnachodd Wendi.

CNOC! CNOC! CNOC!

**'ARHOSWCH, ddywedais i!'** bloeddiodd Wendi. Gwisgodd ei phads ysgwyddau a mynd am y drws.

Clustfeiniodd Rhian yn ofalus.

'Ms Wej, mae'n ddrwg iawn gen i'ch styrbio chi …'

**'Baswn i'n meddwl hynny hefyd. WELL i hyn fod yn BWYSIG!'** gwaeddodd.

Allai Rhian ddim gweld ar bwy roedd Wendi'n gweiddi.

**'PAM WNAETHOCH CHI DDIM DOD**

**I DDWEUD WRTHA I CYN HYN? Ffyliaid!'**

Yna caeodd y drws a gallai Rhian glywed sŵn Wendi yn

**STOMP**

**STOMP**

**STOMPIO i ffwrdd.**

Os na fyddai hi'n mynd RŴAN, fyddai hi ddim yn mynd o gwbl.

Cymerodd Rhian gip o du ôl i'r gadair, cyn MELLTIO am y drws, cythru yn ei bag am y PÀS, clicio'r drws yn agored a mynd drwyddo …

'O na …' sibrydodd Rhian wrth iddo gau y tu ôl iddi.

Doedd hyn ddim yn edrych yn iawn o gwbl.

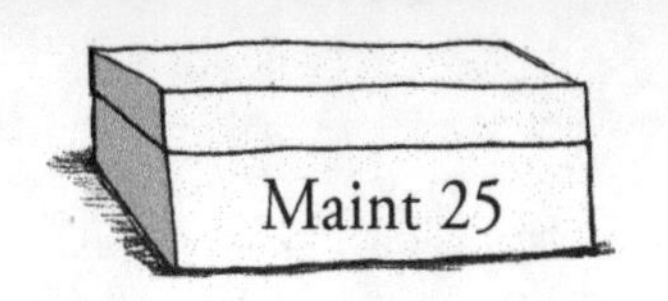


Beth oedd y lle 'ma? Doedd o ddim yn teimlo fel swyddfa neu ran o fflat Wendi. Roedd o'n … dywyllach. Roedd rhesi o danciau gwydr mawr yno ond prin y gallai Rhian eu gweld.

'Be ydi rheina?' meddyliodd Rhian wrth iddi nesáu at y tanc agosaf. Dechreuodd y chwilod y tu mewn iddo fflachio â goleuadau bychan. 'Mae hynna MOR cŵl!'

Gwyliodd y sioe oleuadau fechan, cyn symud at danc arall. 'Byddai'n well i fi ffilmio HYN,' sibrydodd Rhian wrthi'i hun.

Roedd dwsinau o chwilod yn sgrialu o gwmpas, eu hadenydd aur sgleiniog yn fflachio. Aeth Rhian o danc i danc, yn gwylio'r creaduriaid a'r chwilod rhyfedd, ecsotig yr olwg.

'Ai rhyw fath o sŵ ydi hwn?' ystyriodd. Cyffyrddodd yn ochr un o'r tanciau a dechreuodd adennydd y chwilod grychu a phylsio gyda gwahanol liwiau.

'Mae hynna'n anhygoel,' dywedodd Rhian. Gwnaeth yr un peth eto. Roedd y crychu'n ei hatgoffa o rywbeth, ond beth?

Sbeciodd i mewn i fwy o danciau a gweld chwilod coch, llachar, sgleiniog a ieir bach yr haf ENFAWR, â phatrymau disglair ar eu hadenydd. Roedd cawell mwy yn llawn o adar bychan – eu hadenydd wedi'u gorchuddio â phlu o liw gemau hyfryd.

Welodd Rhian erioed ddim byd tebyg i hyn o'r blaen. Roedd yna danicau eraill, UWCH, ond allai hi ddim gweld i mewn i'r rheini yn iawn. 'Biti na faswn i'n dalach,' mwmialodd, cyn iddi sylwi ar ysgol fechan bren. 'Dyna'n union beth dwi'n angen.'

Tynnodd Rhian yr ysgol yn nes a dringo i fyny at y rhes uchaf o danciau.

Doedd hi'n dal i fethu gweld dim. 'Ella eu bod nhw'n wag. Wna i tsiecio.'

Siaradodd Rhian i mewn i'r panel rheoli ar ei garddwn: 'Camera I FYNY.' Dechreuodd wau o ochr i ochr, yn chwilio am rywbeth i'w ffimlio. 'Camera – tapia'r gwydr,' sibrydodd.

**Tap**

**Tap**

**Tap**

**Tap.**

Dim byd o hyd. Cymerodd Rhian un cam i lawr yr ysgol pan symudodd rhywbeth.

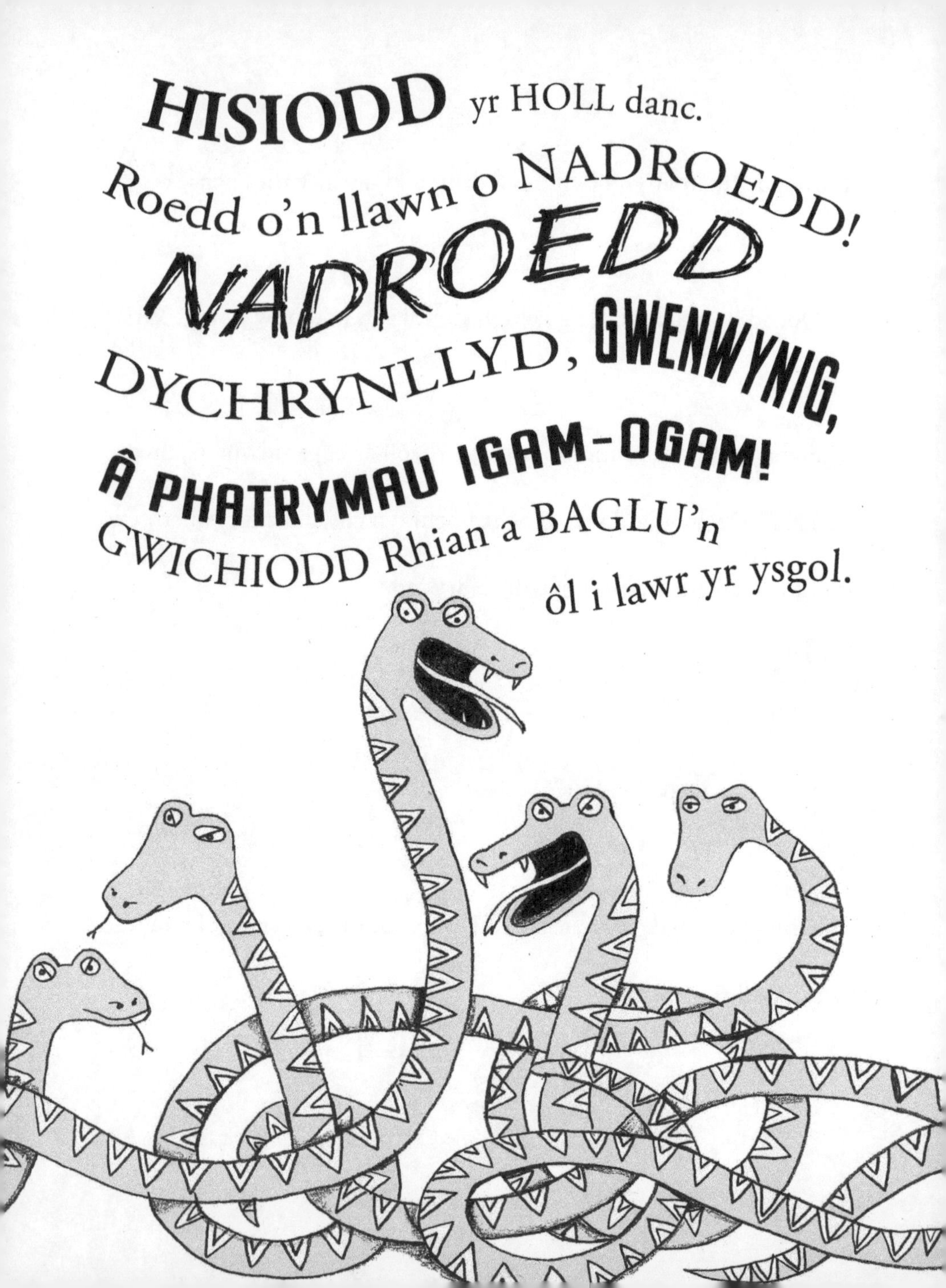
HISIODD yr HOLL danc.
Roedd o'n llawn o NADROEDD!
NADROEDD
DYCHRYNLLYD, GWENWYNIG,
Â PHATRYMAU IGAM-OGAM!
GWICHIODD Rhian a BAGLU'n
ôl i lawr yr ysgol.

Roedd yna GYMAINT o NADROEDD. Beth oedden nhw'n ei wneud yma? Roedd yr holl le yn ffrîci a doedd Rhian ddim yn ei hoffi o gwbl.

Ond roedd yna rywbeth rhyfedd o gyfarwydd am y nadroedd. Esgynnodd Rhian 'nôl i fyny'r ysgol i gael cip sydyn arall.

'Ble ydw i wedi'i gweld nhw o'r blaen?' gofynnodd. Ffilmiodd nhw'n nadreddu o gwmpas yn edrych yn flin eu bod nhw wedi cael eu styrbio. Gwyddai Rhian fod angen iddi adael. Dringodd Rhian 'nôl i lawr yr ysgol a'r tro yma, daeth o hyd i'r drws iawn a RHEDEG

mor gyflym ac y gallai hi …

## … A BWRW I MEWN i Dad!

'RHIAN!' bloeddiodd Dad.

'DAD!' gwaeddodd hithau.

'Dwi 'ma hefyd!' dywedodd Tal wrth iddyn nhw roi coflaid-teulu-Troed FAWR i'w gilydd.

'Ble buest ti?' gofynnodd Tal.

'Gredwch chi DDIM beth dwi newydd WELD!' meddai Rhian.

Edrychodd Dad i lawr ar ei thraed.

'Ti'n gwisgo'r esgid gamera arall!'

'Dwi wedi bod yn ffilmio, Dad. Alla i ddim aros i ddangos i chi'ch dau! Wnaiff o newid popeth!'

'Sut wnest ti hyd yn oed ddod i mewn 'ma? Na, a dweud y gwir, paid ag ateb hynna rŵan – byddai'n well i ni ei heglu hi o 'ma.'

Gwyddai Ifor nad oedd gyda nhw fawr o amser.

'Ble gwnest ti guddio, Rhian?' holodd Tal wrth iddyn nhw frysio i ddilyn Dad.

'Llwythi o lefydd – tu ôl i ddesg Wendi, o dan ei gwely, tu ôl i'w chadair … Welais i gymaint o bethau dychrynllyd.'

'Wn i ddim a ydw i eisiau gwybod …' dywedodd Dad. Doedd o'n dal yn methu credu bod ei blant wedi dod i'w achub. Roedden nhw mor ddewr a gwych â'u mam. Byddai hi wedi bod mor falch ohonyn nhw.

Dilynodd Rhian a Tal Dad allan o adeilad WAW a 'nôl i dŷ Beti ar ras. Gwyddai Dad y byddai Wendi'n **GANDRYLL** ei fod o wedi dianc. Byddai'n mynd yn **HONCO BOST.** Gallai ddychmygu'i hwyneb.

Gwenodd Ifor. Ei blant o oedd y plant gorau yn y byd.

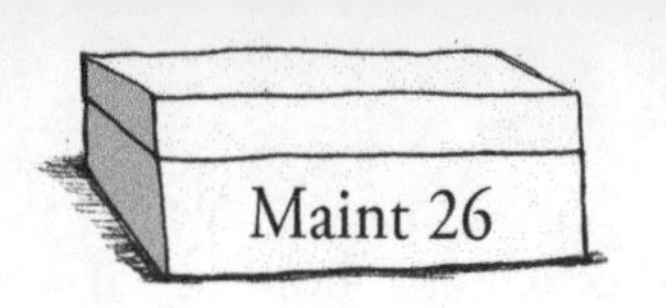

# Maint 26

Roedd hi'n gwawrio pan gnociodd Enlli ar ddrws llofft ei mam, yn cario paned o de.

'Diolch, Enlli – mae hynna'n garedig iawn. Beth wyt ti wedi'i dorri?' gofynnodd Beti, yn hanner tynnu coes.

'Dim byd,' gwenodd Enlli. 'Mae rhywun yma. Ro'n i'n meddwl y byddai'n well i fi ddod i ddweud wrthot ti.'

'PWY? Dim Wendi Wej!' Rhoddodd Beti'i phaned i lawr.

'Na – byddet ti wedi clywed HONNO'N dod o bell. Syrpréis ydi o!'

Ifor oedd y person olaf roedd Beti'n disgwyl ei weld.

'Wyt ti'n IAWN? Sut ar wyneb y ddaear wnest ti ddianc o grafangau Wendi?' gofynnodd Beti.

'Mae'r diolch i gyd i fy ARCHARWYR o blant. Nhw lwyddodd i 'nghael i allan oddi yno,' meddai Ifor wrth Beti, oedd yn gwbl syfrdan.

'Paid â phoeni, Mam – mae popeth yn iawn. Wnaethom ni roi dy bàs WAW di'n ôl,' eglurodd Enlli.

'Ddefnyddioch chi 'mhàs i?!' gofynnodd Beti. 'Beth am y camerâu diogelwch?'

'Roedd gyda ni fasgiau a balŵns,' eglurodd Rhian.

'Paid â meddwl am y peth rŵan, Beti. Rhaid i ni benderfynu BETH i'w wneud nesa. Dydi Wendi ddim yn mynd i stopio chwilio amdanom ni,' dywedodd Ifor wrthi.

'Ti'n iawn – bydd yr heddlu sgidiau allan yn llu. Rhag ofn bod rhywun wedi anghofio, heddiw ydi diwrnod **GWOBRAU'R ESGID AUR**. Ac mae'n rhaid i fi weithio a smalio bod POPETH yn iawn. Fydd hi ddim yn hawdd,' meddai Beti.

'O leia wnaeth Mr Crîpar ddim ffeindio'r sgidiau hedfan. Mae hynny'n rhywbeth. A sôn am hynny, ble gallan nhw fod?' meddai Ifor. 'Ys gwn i a ydyn nhw'n dal i fod yn y tŷ?'

'Na,' meddai Rhian a Tal, fel côr.

‘FELLY, gadwch i fi ddeall hyn yn iawn. Dydi’r sgidiau hedfan ddim gan Wendi. Dydyn nhw ddim gan Mr Crîpar a dydyn nhw DDIM yn ein tŷ ni. Felly gan BWY maen nhw?’

Rhoddodd Ifor ei ben yn ei ddwylo.

‘Wel, mae BERWYN wrthi’n trio gwneud pâr newydd,’ meddai Beti, oedd yn gwneud dim math o synnwyr i Ifor.

‘Mae’n defnyddio llyfr arbennig Mam, yr un wnes i ei ffeindio. Mae Berwyn yn mynd i wneud y sgidiau hedfan ac ENNILL **GWOBRAU’R ESGID AUR** i TI a MAM,’ meddai Rhian wrth Dad yn hapus.

‘Berwyn ydi’r unig grydd sydd heb arwyddo cytundeb ofnadwy Wendi. Mae o wedi bod ar ei draed drwy’r nos yn gweithio arnyn nhw,’ ceisiodd Beti egluro wrth Ifor, ond roedd ei ben o’n troi erbyn hyn.

‘Ond os na allwn ni ffeindio’r sgidiau hedfan, wnaiff Wendi fy rhoi i’n y carchar. Am fod yn berchen ar slipars. Oedd ddim hyd yn oed yn perthyn i fi!’

LLAMODD Rhian ar ei thraed.

Dyna fo! Slipars! Ro'n i'n gwybod 'mod i eisiau dweud rhywbeth wrthych chi!'

'Be felly?' gofynnodd Dad, wrth glywed cnoc sydyn ar y drws.

'Pwy sy 'na?' gofynnodd Beti'n amheus gan sbecian drwy'r ffenest i weld tri swyddog sgidiau'n sefyll yno.

'Ewch chi i gyd i GUDDIO. Wnawn ni ddelio â hyn, yn gwnawn, Enlli?' meddai Beti.

'Gad o i fi Mam … mae popeth mewn llaw,' meddai Enlli a mynd i ateb y drws.

# Maint 27

Roedd tri heddwas tu allan ac un ci bach

(llwglyd yr olwg).

'Ydi dy fam yma?' gofynnodd Swyddog Careiau

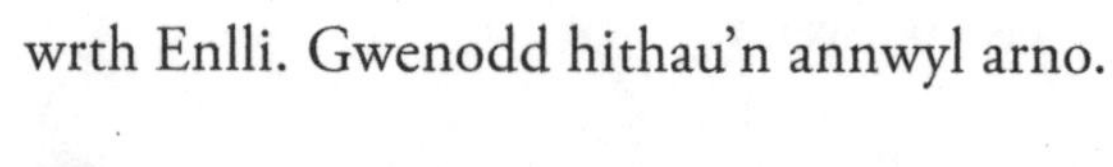

wrth Enlli. Gwenodd hithau'n annwyl arno.

'Ydi,' meddai Enlli. 'Ydych chi eisiau siarad â hi?'

'Ydyn. Ry'n ni eisiau dod i mewn ac archwilio'r tŷ,' meddai Swyddog Welis.

'Oes gyda chi hawl i wneud hynny?' gofynnodd Enlli.

'Oes,' meddai Swyddog Sawdlslic gan grychu'i thalcen.

'Pwy sy'n dweud?'

'Yyymmm, Wendi Wej, dyna PWY.'

'Ond beth os nad ydw i eisiau eich gadael chi i mewn i'r tŷ.'

Edrychodd yr heddlu yn ddryslyd.

'Maen rhaid i ti,' meddai Swyddog Careiau wrthi.

'Nag oes – be ydi'r cyfrinair?' gofynnodd Enlli.

'Dim gêm ydi hon,' meddai Swyddog Welis.

'Cyfrinair plis, ac yna wna i'ch gadael chi i mewn.'

Siaradodd y swyddogion ymysg ei gilydd cyn troi'n ôl ati.

'IAWN – sgidiau ydi o ...?'

'Na. Trïwch eto.'

'WEJYS?'

'NA!'

'GWRANDA, merch i.

Does gyda ni ddim llawer o amser.

Jyst gad ni mewn.'

'Rhaid i chi ddweud y cyfrinair,' meddai Enlli'n gadarn.

Roedd hi wir, wir, yn mwynhau ei hun.

'Ry'n ni'n dod i mewn, barod neu beidio,' meddai Swyddog Careiau.

'Y cyfrinair PLIS. Ddylech chi wir ddysgu sut i fod yn fwy poléit,' cwynodd Enlli, cyn gweiddi, 'MAM!'

Roedd Beti'n coginio selsig yn y gegin ac roedd yr arogl eisoes yn lledaenu drwy'r tŷ, gan wneud i drwyn y ci dwitsho.

'Beth alla i ei wneud i chi, heddweision?' meddai Beti.

'Ry'n ni yma i archwilio eich tŷ,' ailadroddodd Swyddog Careiau.

'Pam?'

'Ry'n ni'n chwilio am sgidiau hedfan ac unrhyw un o'r enwog deulu Troed. Ydych chi'n gwybod unrhyw beth am y sgidiau 'ma neu, ym, y teulu Troed?'

'Ddim mewn gwirionedd,' meddai Beti'n bwyllog. 'Ond mae croeso i chi edrych o gwmpas.'

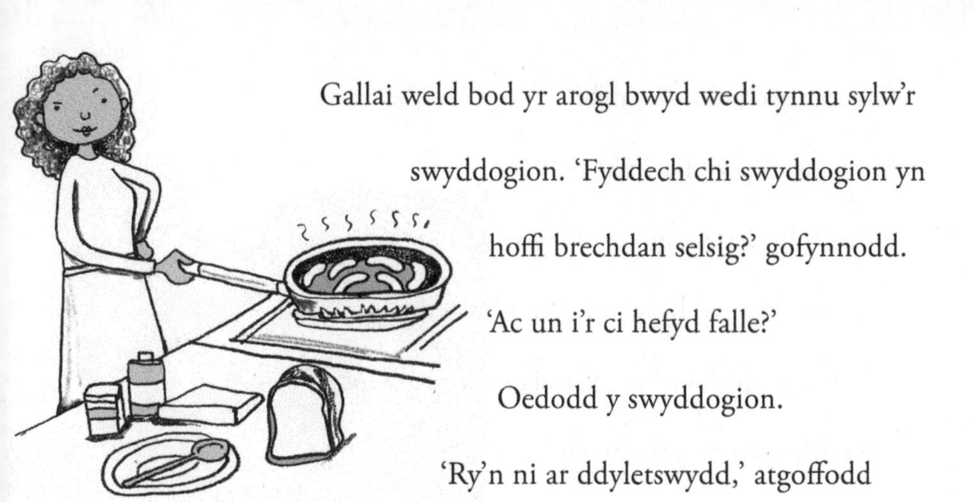

Gallai weld bod yr arogl bwyd wedi tynnu sylw'r swyddogion. 'Fyddech chi swyddogion yn hoffi brechdan selsig?' gofynnodd. 'Ac un i'r ci hefyd falle?'

Oedodd y swyddogion.

'Ry'n ni ar ddyletswydd,' atgoffodd Swyddog Sawdlslic y gweddill.

'Mae hawl gyda ni i gael brêc,' sibrydodd Swyddog Welis. 'Beth am i ni gael cip sydyn rownd y lle a wedyn cael rhywbeth i'w fwyta?'

'RYDW i ar lwgu,' meddai Swyddog Sawdlslic.

'A fydd o'n ddiwrnod hir, â'r gwobrau heno,' ychwanegodd Swyddog Careiau.

Dyma nhw'n trafod eu hopsiynau'n sydyn, cyn i Swyddog Sawdlslic ddweud, 'Ry'n ni angen gwybod rhywbeth hynod o bwysig yn gyntaf …'

'Ewch yn eich blaen …'

‘Oes gennych chi sos coch?’

‘Siŵr iawn,’ pwysleisiodd Beti.

‘A dwi’n llysieuwraig,’ meddai Swyddog Welis wrth Beti.

‘Mae gen i facwn llysieuol. Wna i wneud peth i chi.’

Yna rhoddodd Swyddog Careiau ei law i fyny.

‘Dwi ddim yn bwyta glwten.’

‘Dim problem. Mae gen i fara arbennig.’

‘Figan?’ ychwanegodd Swyddog Sawdlslic.

‘Ie, dim problem.’

Roedd gan Beti ateb i bopeth.

‘Reit, dyna hynna wedi’i setlo. Wnawn ni aros.’

Cymerodd y swyddogion gip sydyn ofnadwy ar bob stafell, gan fethu’n llwyr â gweld y teulu Troed oedd yn cuddio yn y bath. Dyna’n union yr oedd Beti wedi’i obeithio.

Claddodd y swyddogion eu brecwast yn hapus a mwynhau pob cegaid. 'Hyfryd cwrdd â chi'ch dau. Wnawn ni gofio'r cyfrinair y tro nesa, Enlli!' meddai Swyddog Sawdlslic dan chwerthin.

'Welwn ni chi yn y gwobrau!' dywedodd Swyddog Welis.

'Welwn ni chi yno!' meddai Beti gan chwifio hwyl fawr.

Y munud y gadawodd yr heddweision, aeth Beti i ddweud wrth Ifor a'r plant ei bod hi'n ddiogel iddyn nhw ddod allan. Daeth o hyd iddyn nhw yn llofft Enlli, yn cysgu'n sownd. Rhaid eu bod nhw wedi blino'n lân, meddyliodd Beti, a gadael iddyn nhw gael gorffwys.

Roedd BERWYN wedi bod yn gweithio drwy'r nos hefyd a doedd Beti ddim yn credu bod DIM NEWYDDION, yn golygu eu bod nhw am gael NEWYDDION DA.

'Berwyn, druan. Mae gwneud sgidiau hedfan mewn CYN lleied o amser yn dasg amhosibl. Bydd hi'n WYRTH os gwnaiff o lwyddo.'

Ond roedd BERWYN wedi LLWYDDO!

Roedd o wedi dilyn holl gyfarwyddiadau Sali ac wedi gwneud y sgidiau hedfan! Bellach, roedd o'n brysur yn eu profi nhw, ac roedd y sgidiau'n gweithio'n **wyrthiol** hyd yma. Allai Berwyn ddim stopio CHWERTHIN a gwenu wrth iddo suo o gwmpas y stafell.

'RHAIN YDI'R sgidiau
GORAU ERIOED!
RY'N NI'N MYND I ENNILL
**GWOBRAU'R**
**ESGID AUR**
RŴAN!'

meddai Berwyn gan guro'i ddwylo.

Roedd o mor brysur yn gwneud cymaint o sŵn fel na chlywodd o ddrws y siop yn cael ei GICIO'n agored na'r PING a olygai fod rhywun wedi dod i mewn. A chlywodd o mo **TWMP TWMP TWMP** y sŵn traed HYNOD drwm, nes ei bod hi'n rhy hwyr.

## 'RHO'R sgidiau HEDFAN 'NA I FI!'

bloeddiodd llais o'r ddaear.

Wendi Wej a Mr Crîpar oedd yno. Roed Berwyn yn hofran yn yr awyr.

'Na wnaf. Ewch allan o FY SIOP!' meddai Berwyn, gan barhau i hedfan uwch eu pennau.

**'FY sgidiau I YDYN NHW rŵan. BRYSIA I LAWR, neu gallai pethau droi'n GAS,'** gorchmynnodd Wendi.

'Na,' brathodd Berwyn.

**'Gwnei neu BYDD HI'N DDRWG ARNAT TI.'** Doedd Wendi ddim wedi arfer â rhywun yn gwrthod ei gorchmynion.

'Wna i ddim!' bloeddiodd Berwyn.

**'Gwnei!'**

'Na wnaf.'

**'GWNEI Y MUNUD YMA! EWCH I'W NÔL NHW, Mr Crîpar – RHWYGWCH nhw oddi am ei draed!'** mynnodd Wendi.

Tyciodd Berwyn ei goesau oddi tano'n dynn.

Roedd Mr Crîpar yn dal, ond ddim mor dal â HYNNY.

'CADWCH DRAW! Dwi ddim yn dod I LAWR!' meddai Berwyn wrthyn nhw, ond yr hyn glywodd y rheolydd llais, oedd yn y sgidiau, Berwyn yn ei ddweud oedd 'I LAWR.' A dyna beth wnaethon nhw. Hwyliodd Berwyn tua'r ddaear, yn ddigon isel i Mr Crîpar allu cydio yn un o'i fferau a llusgo'r sgidiau ODDI AR ei draed fesul un. Disgynnodd Berwyn yn GLEWT ar y llawr.

**'Berwyn, wyt ti'n IAWN?'** gofynnodd Wendi, gan gamu DROSTO a chipio'r sgidiau.

'Does dim ots gyda chi – dy'ch chi'n poeni am neb ond chi'ch hun!' meddai Berwyn yn flin.

**'Ti'n fy adnabod i'n dda iawn,'** chwarddodd Wendi.

Roedd Berwyn yn GANDRYLL. Eisteddodd yno'n un llanast ar y llawr a dweud wrth Wendi'n union beth roedd o'n ei feddwl ohoni.

'RY'CH CHI'N GAS, sbeitlyd ac yn berson OFNADWY.'

**'Diolch. Dwi'n trio 'ngorau.'**

'Dydi hynny ddim yn beth da,' cyfarthodd Berwyn drwy'i ddannedd.

Roedd pethau ar fin mynd yn SAITH GWAETH i Berwyn. Gwelodd Mr Crîpar lyfr Sali.

'Ms Wej, HWN ydi'r llyfr ollyngodd Berwyn. Mae'r holl gyfarwyddiadau am sut i wneud sgidiau hedfan YN HWN.' Rhoddodd Mr Crîpar y llyfr i Wendi. Byddai o'n siŵr o gael y dyrchafiad rŵan. Gallai ei deimlo yn ei ddŵr.

**'Am HYNOD ddefnyddiol.'** Edrychodd Wendi ar ambell dudalen, cyn rhoi'r llyfr yn ei bag ENFAWR.

'NA! Chewch chi ddim mynd â hwnna. Ifor bia fo!' gwaeddodd Berwyn.

**'FI BIA beth bynnag bia Ifor,'** meddai Wendi'n smyg. **'Mae'n llyfr esgidTASTIG a dwi'n mynd i fwynhau'i ddefnyddio. Bydden ni'n aros yn hirach, Berwyn, ond mae gen i WOBR YR ESGID AUR bwysig i'w hennill â'r sgidiau HEDFAN 'ma.'**

Chwarddodd Wendi ac roedd hi'n swnio fel tarw'n tagu.

**'Ha! Ha! Ha! Ha!**

**Harrrrr Harrrrr!'**

**'A Berwyn? Mwynha yn dy siop fach – fydd hi ddim gen ti fawr hirach. Ond paid â phoeni, galli di wastad ddod i weithio i FI. Dyna mae pawb yn ei wneud yn y diwedd.'**

Gwenodd Wendi gan daflu cwpwl o'i frôgs hyfryd ar y llawr, wrth iddi stompio allan o'r siop.

Griddfanodd Berwyn. Bu wrthi fel lladd nadroedd –

AM DDIM BYD!

Roedd Berwyn MOR flin. Roedd hyn yn WAETH na dim …

Roedd o i gyd er mwyn WENDI WEJ.

Bu'r sgidiau hedfan AM EI DRAED.

Beth oedd o'n mynd i'w ddweud wrth Beti a'r plant rŵan?

Y gwir: sef bod Wendi'n BERSON DRWG, DYCHRYNLLYD, HUNANOL, DIEFLIG, SLEI, STOMPIOG, BLIN, THYMPIOG, ERCHYLL, DA I DDIM, CREULON, WEJAFIACH*.

Ac unrhyw beth arall y gallai feddwl amdano.

*Troed nodyn: ella'i fod o wedi gwneud hynna i fyny. Ond ry'ch chi'n deall y sgôr.

# *DING-DONG*

Roedd cloch y drws ffrynt yn canu.

'Dydi'r heddlu DDIM 'nôl eto, gobeithio?' Sbeciodd Beti drwy'r ffenest. Dim yr heddlu oedd yno, ond Berwyn, a doedd ganddo ddim newyddion da, o ystyried yr olwg ar ei wep. Gadawodd Beti ef i mewn yn syth a dweud, 'Berwyn, paid â phoeni, wnest ti dy orau. Roedd o'n llawer i ofyn. Sori fod y sgidiau ddim wedi gweithio.'

Roedd hi'n trio'i gorau glas i wneud iddo deimlo'n well.

'Och, ond WNAETHON nhw weithio!' llefodd Berwyn wrth iddo gerdded i mewn. 'Wnaethon nhw weithio'n berffaith. Yna wnaeth yr hen WEJAN yna landio â'i chynorthwyydd afiach a'u DWYN nhw, a llyfr Sali hefyd. Mae hyn yn DRYCHINEB!' Cymerodd Berwyn anadl.

Yna rhuthrodd Enlli i mewn 'Mae Ifor, Rhian a Tal wedi deffro!' meddai.

'Mae Ifor YMA?' gofynnodd Berwyn.

'Ydw tad,' meddai Ifor, gan gerdded i mewn i'r gegin. Dylyfodd ei ên ac ymestyn ei gorff.

'Wnaeth y plant ffantastig 'ma fy helpu i ddianc! Ry'n ni wedi bod yn cuddio – a rhaid 'mod i wedi syrthio i gysgu. Dwi'n teimlo cymaint gwell rŵan.'

'Wel, sori, Ifor ond wnaiff HYNNA ddim para'n hir. Wnes i greu'r sgidiau hedfan neithiwr. Ond mae Wendi Wej wedi'u dwyn. A llyfr Sali.'

'Mae LLYFR Mam gan Sali?' gofynnodd Rhian.

'Mae hi'n wir ddrwg gen i. Wnaethon nhw jyst ei GIPIO oddi arna i. Rhaid i ni wneud rhywbeth. All hi ddim gwneud hyn.'

Roedd Berwyn ar gyfeiliorn.

(Doedd neb yn hapus â'r sefyllfa Wendi-aidd yma.)

'Os gwnaiff Wendi ennill **GWOBR YR ESGID AUR** wnaiff hi gymryd yr holl drefi a dinasoedd eraill drosodd hefyd. Gyda'i wejys MAWR TRWSGWL, DIENAID,' meddai Ifor wrthyn nhw.

Nodiodd Berwyn. 'Golla i fy siop yn bendant. Rhaid i ni gael cynllun.'

Cariodd y tri ymlaen i drafod pa mor ofnadwy oedd yr hen fusnes yma, a doedd neb fel pe baen nhw'n gwybod beth i'w wneud nesaf. Roedd hi bron fel petai Wendi wedi ENNILL yn barod.

'Hei Rhian – ti'n cofio chdi'n addo dweud wrtha i beth welaist ti yn swyddfa Wendi? Wel, mae rŵan yn amser da,' meddai Tal.

Llamodd Rhian i FYNY a dechrau neidio fel seren.

'Rhian, beth wyt ti'n ei wneud?' gofynnodd Tal y ddig.

'Dwi jyst wedi CYFFROI!' meddai Rhian, gan neidio'n gynt. 'Wnei di ddim credu'r peth.'

'Rhian, eistedd i lawr. Ti'n gwneud i bopeth grynu,' meddai Dad wrthi.

'Sori, Rhian – stopia os gweli di'n dda. Alla i ddim MEDDWL a tithau'n NEIDIO!' Roedd pen Berwyn yn ei ddwylo.

'Pan ddangosaf i i chi beth welais i, Berwyn, byddwch chithau'n neidio mewn llawenydd hefyd.'

'Dwi'n amau hynny.' Doedd Berwyn ddim mewn hwyliau i neidio.

'Iawn, Rhian, ry'n ni'n gwrando,' meddai Dad.

Dawnsiodd Rhian draw at ei bag a thynnu'r wej camera allan.

Gwasgodd Rhian y botwm AILCHWARAE. 'Y'ch chi'n cofio i fi ddweud 'mod i wedi CUDDIO y tu ôl i wely Wendi?'

'Ydw, er 'mod i'n ceisio peidio â meddwl am y peth,' meddai Dad wrthi.

'Mae angen i **Dresgidiau** GYFAN WELD sut fath o berson ydi Wendi Wej mewn gwirionedd a beth ydi'i gêm hi,' meddai Rhian wrthyn nhw, gan greu tipyn o argraff.

'IAWN, Rhian,' meddai Tal. 'Bwria iddi, ia?'

'Heddiw bydd pawb yng **NGWOBRAU'R ESGID AUR**. A DYMA ble mae ANGEN i ni ddangos HWN.'

Dechreuodd y ffilm a gwyliodd pawb yn GEGAGORED.

Goleuodd wyneb Dad â gwên FAWR. Roedd Beti'n gwenu FEL GIÂT. Ac Enlli. Rhoddodd Tal bawen lawen i Rhian.

'Dwi am ddechrau gwneud neidiau seren os ydi hynna'n IAWN,' meddai Berwyn.

O'r diwedd, roedd hi'n edrych fel petaen nhw'n mynd i allu GWNEUD rhywbeth am Wendi Wej. Doedd neb yn mynd i'r carchar ac o'r OLWG oedd ar wep pawb, roedd pethau'n mynd i newid ER GWELL.

(O leiaf dyna roedd pawb yn ei OBEITHIO.)

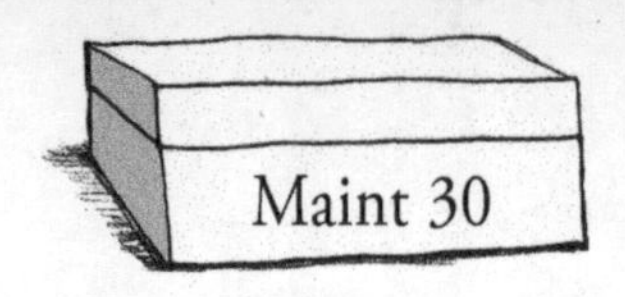


'MAE HYN YN WYCH!

Dyma DYSTIOLAETH bod Wendi wedi bod yn DRWGWEITHREDU. Fydd ganddi ddim WEJ i sefyll arni,' meddai Dad, gan guro'i ddwylo mewn rhyddhad. Roedd o wedi gwylio ffilm Rhian ddeg gwaith erbyn hyn a bob tro roedd o'n gwylio, roedd hi'n well.

Roedd Rhian ac Enlli wedi tynnu'u wejys ac yn dawnsio. Roedd Rhian wedi bedyddio'r ddawns yn 'dawns y ddwy DROED droellog'.

Roedd Berwyn yn dal i neidio fel seren.

Cliriodd Beti ei gwddf. 'Sori 'mod i'n gorfod rhoi stop ar y parti – ond mae'n rhaid i fi fynd. Fydda i gefn llwyfan yng **NGWOBRAU'R ESGID AUR**, felly arhoswch am fy arwydd cyn dod i'r brif stafell REOLI. Ifor – tyrd di â'r camera. Berwyn – cadw di lygad barcud ar bethau. Rhian, Tal, Enlli – rhaid i CHI wneud rhywbeth i dynnu sylw'r heddlu sgidiau a'u cadw draw. Byddai eich DAWNS yn berffaith neu rywbeth DRAMATIG. Reit. Ydi pawb yn BAROD?' Roedd Beti eisiau gwneud yn SIŴR bod PAWB yn deall y CYNLLUN i'r dim.

'Rhaid i ni gael ffugenw,' meddai Tal.

'Mae hyn fel ymgyrch filwrol,' cytunodd Berwyn.

'Beth am ymgyrch WEJ?' awgrymodd Ifor.

'Ia! YMGYRCH WENDI WEJ!' gwaeddodd Enlli.

'Mae gormod o bethu wedi cael eu henwi ar ôl Wendi'n barod,' meddai Rhian. 'Mae gyda ni enw'n barod – RHYFEL Y SGIDIAU?' awgrymodd.

'Neis!' gwenodd Berwyn.

'RHYFEL Y SGIDIAU amdani 'ta,' meddai Beti.

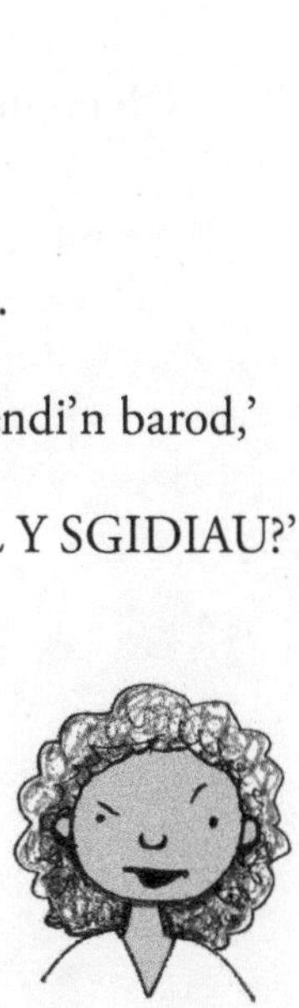

Clymodd pawb eu BYS BACH a thyngu llw bydden

nhw'n gwneud popeth allen nhw i STOPIO'R

ERCHYLL WENDI WEJ rhag ennill

**GWOBR YR ESGID AUR**

â'r sgidiau hedfan.

(Doedd Sgid yn methu aros i gael cefn Wendi Wej chwaith.)

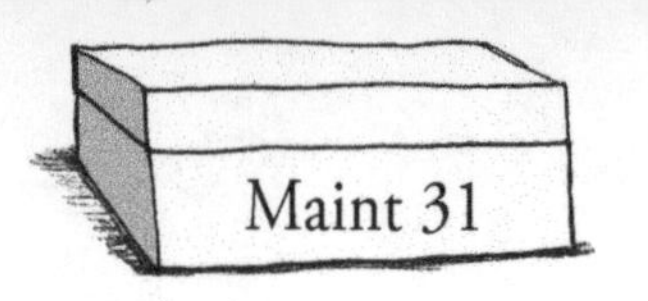

# Maint 31

Roedd Wendi mewn hwyliau SIWPYR-gwych y bore hwnnw, gan ei bod hi wedi cael ei bachau barus ar y sgidiau hedfan a bod **GWOBRAU'R ESGID AUR** ar fin cael eu cynnal.

Roedd galw heibio Berwyn wedi bod yn syniad DA IAWN ar ei rhan hi. BELLACH, roedd ganddi bâr GO IAWN o sgidiau hedfan yn ei meddiant. Ac roedden nhw'n FFANTASTIG – yn union fel roedd hi wedi breuddwydio y bydden nhw.

Roedd Wendi wedi rhoi cynnig arnyn nhw yn y fflat yn barod ac roedd hi'n edrych ymlaen ar gyfer **GWOBRAU'R ESGID AUR** hyd yn oed FWY FYTH. Roedd jyst meddwl am y peth yn gyrru ias bleserus drwyddi. Daeth cnoc ar y drws a gwaeddodd Wendi, **'DEWCH I MEWN.'**

Shifflodd Mr Crîpar i mewn.

**'Dim DYNA ti'n ei wisgo i'r gwobrau gobeithio?'** oedd y peth cyntaf ddywedodd Wendi wrtho.

'Mae hon yn dei newydd,' meddai Mr Crîpar wrthi.

**'Wnest ti gadw'r dderbynneb?'** gofynnodd Wendi a doedd hi ddim hyd yn oed yn tynnu coes.

'Ai dyna pam roeddech chi eisiau 'ngweld i, Ms Wej?' gofynnodd.

**'Na. Ro'n i eisiau dweud rhywbeth cyffrous wrthot ti.'**

Sythodd Mr Crîpar. O'r diwedd. Roedd o'n mynd i gael y dyrchafiad roedd o wedi bod yn ei aros amdano. Doedd diflaniad dirgel Ifor Troed ddim yn mynd i SBWYLIO'i ddiwrnod hyd yn oed.

**'Mae PETHAU'n mynd i NEWID o gwmpas y lle 'ma,'** meddai Wendi wrtho. **'Bydd pawb eisiau pâr o sgidiau hedfan felly bydd yn rhaid i ni gynhyrchu mwy a bydd yn rhaid trefnu MWY o ddiogelwch.'**

'Iawn, Ms Wej,' cytunodd.

'Felly,' aeth Wendi yn ei blaen, â gwên front ar ei gwefusau. **'Hoffwn i ti gyfarfod pennaeth NEWYDD fy nhîm diogelwch.'**

'Sori?' Roedd Mr Crîpar yn meddwl ei fod wedi camglywed.

Stompiodd dynes lem yr olwg â gwefusau tenau a llygaid oeraidd i mewn.

**'Bydd Ms Hoelen-hir yn cymryd rheolaeth o lawer o bethau yma yn WAW, gan gynnwys datblygiad y casgliad newydd o wejys hedfan a PHOB agwedd o'n diogelwch. Mae hi'n HYNOD brofiadol.'**

'Diolch, Ms Wej,' atebodd hithau.

'Ond, ond … fy swydd i ydi honna, Ms Wej,' baglodd Mr Crîpar dros ei eiriau.

**'Dy swydd di OEDD honna. Mae gen i lond gwlad o bethau … eraill i ti'u gwneud. Mae angen hyfforddi Walter. Neu fel arall, SUT gwnaiff o byth gymryd rheolaeth o'r ymerodraeth deuluol rhyw ddiwrnod?'**

Doedd Mr Crîpar ddim yn hoffi'r hyn a glywai.

**'Mae hi'n gyfnod newydd yn WAW,'** aeth Wendi yn ei blaen. **'Bydd angen i ni gael peiriannau newydd i wneud y sgidiau hedfan a bydd angen cael gwared ar rai pobl ddiflas.'**

Syllodd ar Mr Crîpar.

‘Ond mae hanner y DRE’n gweithio ’ma,’ atgoffodd Mr Crîpar hi.

**‘YN UNION! Meddylia faint o arian wna i arbed!’**

Torrodd Ms Hoelen-hir ar eu traws. ‘Ms Wej, mae gen i’r lluniau diogelwch wnaethoch chi ofyn amdanyn nhw.’

**‘Gwych! Mr Crîpar, EDRYCH ar rhain.’**

Cliciodd y teclyn rheoli teledu. Dechreuodd fideo o WAW y noson gynt chwarae. Syllodd Mr Crîpar mewn dychryn ar blant y teulu Troed yn slefio allan o’r adeilad gyda’u tad.

**‘O diar, dyna’r pennaeth diogelwch yn cael ei dwyllo gan blant â masgiau a selsig. GWAEL ofnadwy, ti ddim yn credu, Mr Crîpar?’** coethodd Wendi.

‘Fyddai hynna byth wedi digwydd â fi wrth y llyw,’ meddai Ms Hoelen-hir.

**‘A bu’n rhaid i fi ffeindio’r sgidiau FY HUN!’** cuchiodd Wendi. **‘Roedd Ifor yn rhaffu celwyddau wrtha i AC mae’r plant ’na’n BOEN. Mae’r cŵn ’na’n gwrthod bwyta dim byd arall HEBLAW selsig rŵan. Sy’n DDA I DDIM.**

**A hefyd mae'n rhaid i rywun ENNILL dyrchafiad, Mr Crîpar. Am wneud rhywbeth YCHWANEGOL. A wnest ti FETHU ffeindio'r sgidiau. Ti'n lwcus bod Ms Hoelen-hir yn cywiro dy gamgymeriadau di ac yn cymryd awenau GWOBRAU'R ESGID AUR.'**

Roedd Mr Crîpar wedi'i drechu. 'Jyst dywedwch wrtha i beth ry'ch chi angen, Ms Wej,' meddai'n dawel.

**'Ardderchog, dyna beth dwi'n hoffi'i glywed. Galli di ddod â Walter i lawr i fy stafell newid. Diolch, Mr Crîpar. Gei di'i gwadnu hi o 'ma rŵan.'**

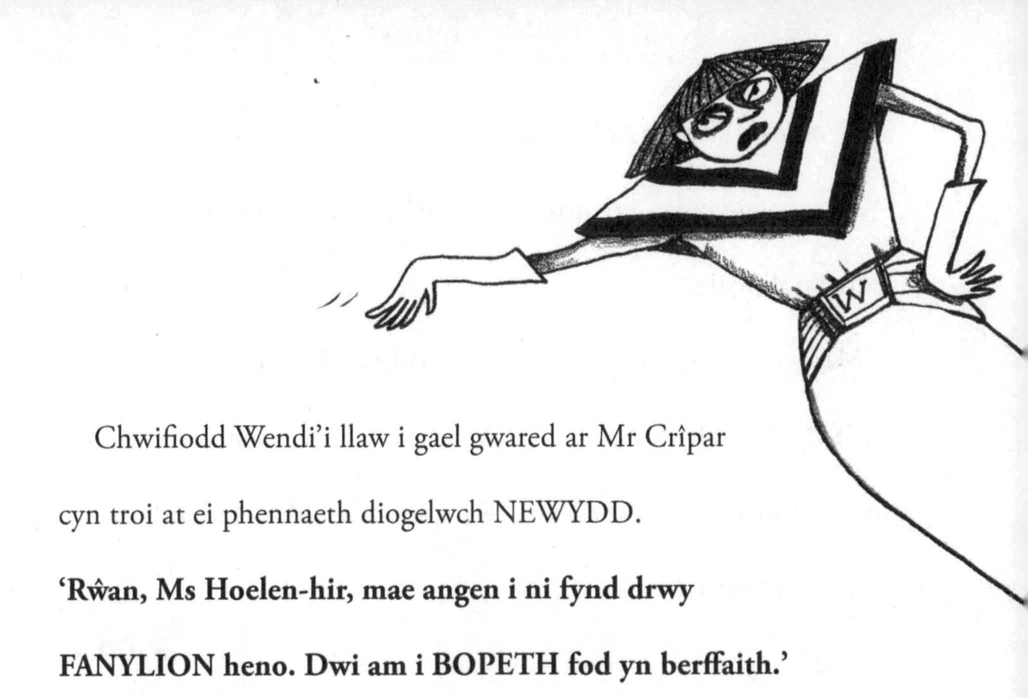


Chwifiodd Wendi'i llaw i gael gwared ar Mr Crîpar cyn troi at ei phennaeth diogelwch NEWYDD.

**'Rŵan, Ms Hoelen-hir, mae angen i ni fynd drwy FANYLION heno. Dwi am i BOPETH fod yn berffaith.'**

Aeth Mr Crîpar allan o swyddfa Wendi yn ei gwman a gweld bod Walter yno'n ei ddisgwyl yn barod (ac roedd o'n tapio'i droed).

'Gymraist ti dy amser,' meddai Walter wrth Mr Crîpar yn bowld.

'Mae dy fam eisiau i ti aros yn ei stafell newid hi. Felly ffwrdd â ni,' meddai'n flinedig.

'Mae hynna'n ddiflas. Mae gen i syniad gwell. TI'n mynd i mewn i'r stafell YNA o hyd. BE sy 'na? Dwi eisiau gwybod,' meddai Walter, gan bwyntio ar y drws oedd yn arwain at stafell ddirgel Wendi, oedd yn llawn creaduriaid.

'Ti ddim yn cael gwybod na mynd i fan'na. Dyna ddywedodd dy fam. Mae'r stafell wedi'i chloi,' meddai Mr Crîpar.

'TWT LOL. Galla I wneud fel dwi eisiau,' dywedodd Walter, cyn cipio pàs Mr Crîpar a GWTHIO heibio iddo.

Doedd Mr Crîpar ddim mewn hwyliau i ddadlau. Gwyddai nad oedd Walter WIR ddim yn hoffi nadroedd. Dyna un o'r rhesymau pam bod Wendi'n cadw'r drws ar glo ac roedd o'n haeddu cael ei ddychryn. Penderfynodd Mr Crîpar jyst aros i Walter ddod allan …

… a wnaeth o ddim cymryd yn hir iawn.

# Maint 32

Gadawodd Beti'i thŷ ac anelu am adeilad WAW. Roedd hi'n mynd i gyflwyno'i wejys CERDDORIAETH yng **NGWOBRAU'R ESGID AUR** yn union fel roedd hi i fod i'w wneud ac roedd hi'n mynd i geisio ESGUS fod popeth yn iawn

Allai Wendi Wej ddim amau dim byd – a fyddai hynny ddim yn rhwydd. Roedd Beti eisioes yn teimlo ychydig yn nerfus. Felly, y peth olaf roedd hi'i angen oedd i unrhyw un ofyn cwestiynau anodd iddi, fel yr heddlu sgidiau neu Mrs Daps … wnaeth YMDDANGOS yn sydyn, o nunlle.

'Ms Daps, dwi'n falch 'mod i wedi'ch gweld chi,' dywedodd.

'Dwi ar frys braidd. Alla i ddim stopio, Mrs Daps. Mae gen i dipyn ar fy mhlât. Mae **GWOBRAU'R ESGID AUR** heddiw,' atgoffodd Beti hi.

‘Toes gan bawb, Ms Bŵt? Ro’n i jyst eisiau dweud pob lwc,’ atebodd Mrs Daps.

‘O, diolch, Ia, fydda i ei angen o,’ atebodd Beti’n syn.

‘Dwi’n cymryd y bydd y teulu Troed yn mynd hefyd?’ gofynnodd Mrs Daps.

‘Errr … ella. Dwi ddim yn siŵr iawn,’ meddai Beti’n annelwig.

‘Dwi’n meddwl eich BOD chi’n gwybod, Ms Bŵt,’ meddai Mrs Daps a rhoi edrychiad iddi. Yna TRODD handlen ei ffon gerdded, ei chlicio yn ei hanner, tynnu dau fflap allan, gwasgu ychydig o fotymau a daeth olwynion bychan allan, cyn i’r ffon gyfan droi’n sgwtyr mini. MELLTIODD Mrs Daps i lawr y ffordd.

'Hwyl, Mrs Daps, wela i chi'n y GWOBRAU?'

gwaeddodd Beti ar ei hôl.

'YN BENDANT!'

gwaeddodd hithau'n ôl.

GWOBRAU'R
ESGID AUR

Roedd adeilad W ANFERTH Troedcadlys Wej wedi'i oleuo yn erbyn tywyllwch y nos. Edrychai'n ANHYGOEL. Roedd pobl o drefi a dinasoedd o bob cwr o'r wlad yn cyrraedd ar gyfer **GWOBRAU'R ESGID AUR**.

Roedd y cyflwynwyr teledu Serena Stiletos a Morus Mewnwadn yn darlledu'n FYW ar y carped porffor. Gellid gweld eu sioe, 'SLOT SGIDIAU', ar sgrinau ENFAWR o gwmpas adeilad Wejys Anhygoel Wendi.

'Felly y cwestiwn MAWR, sydd ar wefusau pawb ydi: a wnaiff Blaenesgid barhau i ddal eu gafael ar eu record am ennill y mwyaf erioed o **WOBRAU'R ESGID AUR**? Neu a fydd dinasoedd cystadleuol Llanhosan Fawr a Llanhosan Fach yn cipio'r teitl? Be ti'n feddwl, Morus?'

**'Mae'n anodd gwybod ar y funud, Serena. Paid anghofio am y NEWYDD-ddyfodiaid Caercamau a'r sawl ddaeth yn ail y llynedd, sef Sanstileo. Roedd eu sgidiau 'Cerdded-ar-y-dŵr – y rhai wnaethon nhw eu harddangos yn y rowndiau cynderfynol rhanbarthol yn ffan-esgid-TASTIG. Ti ddim yn cytuno, Serena?'**

GWOBR
YR ESGID
AUR
GWOBR
YR ESGID
AUR
CAM
wrth GAM
ESGID
-GAM

Cerddodd Serena Stiletos o gwmpas y llwyfan yn gwenu ac yn siarad â'r camera.

'Yna mae Caersocs, y ddinas sydd wedi bod yn dringo'r ysgol sgidiau'n dawel. Ond ELENI, mae llygaid pawb ar **Dresgidiau**.'

**'Tre-wej ti'n feddwl, Serena. Newidiodd Wendi Wej yr enw,'** cywirodd Morus hi.

'Wrth gwrs. Mae pawb yn ceisio dyfalu BETH yn union ddaw Wendi Wej a Wejys Anhygoel Wendi i'r gystadleuaeth y tro 'ma?

Os yw hi wedi cael y syniad iawn,

Morus, gallai gipio GWOBR

OGONEDDUS!'

**'Mae'n anodd peidio canu, Serena.'**

'Da iawn, Morus. A rŵan gadwch i ni fynd am egwyl.'

Roedd **Tresgidiau** gyfan yn llawn cyffro ynglŷn a'r seremoni heno. Roedd Wendi Wej wedi cyrraedd ei stafell newid breifat i gael ychydig o 'amser tawel' cyn ei MOMENT FAWR.

Roedd Walter yno'n barod ac roedd o'n trio dod dros SIOC y nadroedd, drwy wneud beth roedd O'N feddwl oedd yn ddawnsio tap gwych. Doedd hyn yn ddim help i lefelau straen Wendi.

Wedi deng munud (oedd yn teimlo fel oes) gofynnodd Wendi iddo stopio.

**'Walter, bydd yn gariad bach a gwna UNRHYW BETH ARALL ond hynna, wnei di?'**

'Ond mae'r sgidiau tap yma ffeindiais i'n hwyl,' meddai wrthi.

**'Dim i fi, dy'n nhw ddim.'**

Gwgodd Walter a phlygu'i freichiau'n bwdlyd.

**'Walter, cariad, rhaid i ti ddeall bod hwn yn amser arbennig iawn i fi. Byddaf i'n cael fy nghofio am byth, ddim jyst am 'mod i wedi ENNILL GWOBR YR ESGID AUR, ond am ennill â sgidiau hedfan na-welwyd-'mo'u-tebyg-erioed. Dwi'n credu mai hon fydd moment ORAU fy MYWYD!'** ochneidiodd Wendi'n hapus.

'Heblaw am fy ngeni i,' ychwanegodd Walter.

**'Does dim angen i fi ddweud hynny, yn amlwg,'** gwenodd Wendi, (heb ddweud hynny mewn gwirionedd).

**'Ti'n edrych yn smart iawn, Walter,'** meddai hi wrtho er mwyn ei stopio rhag pwdu.

‘Beth ydi’r rhain?’ gofynnodd Walter, gan symud at y bwrdd HELAETH o fwyd.

**‘Byns SIOCLED. Helpa dy hun – o, ti wedi yn barod.’**

Doedd moesau ddim yn un o’i gryfderau o (na Wendi chwaith).

Cymerodd Walter blatiad o fwyd cyn fflopio ar y soffa ENFAWR. Trodd y teledu sgrin L Y D A N ymlaen a gweld bod y ‘SLOT SGIDIAU’ yn cael ei ddarlledu’n fyw o’r tu allan i adeilad WAW. Ymddangosodd llun o Wendi ar y sgrin.

‘EDRYCH, Mam. Mae nhw’n siarad amdanat ti,’ meddai Walter wrthi.

**‘WRTH GWRS eu bod nhw – dwi’n hynod o bwysig. Gad i fi wrando.’** Trodd Wendi’r sain i FYNY.

'Ry'n ni'n ÔL yng **NGWOBR YR ESGID AUR** eleni, ble bydd y **trefi** a'r dinasoedd sgidiau GORAU'n BRWYDRO i gael eu coroni'n ENILLYDD! Mae Wendi Wej – a THRE-WEJ – yn gobeithio mai nhw fydd yn fuddugol eleni. Be ti'n feddwl, Serena? Fydd y beirniaid yn meddwl bod WAW yn waw?'

**'Wrth gwrs mai fi fydd yn fuddugol!'**

**gwaeddodd Wendi ar y teledu.**

'Dwi ddim yn siŵr, Morus. Gall wejys Wej fod ychydig bach yn STOJI. A fymryn yn DRWSGWL, LYMPIOG A THYMPIOG weithiau. Hynny ydi, mae rhywun yn GWYBOD pan mae Wendi Wej ar ei ffordd, tydi?'

**'Ha! Ti'n iawn, Serena. Mae hi'n gwneud ARGRAFF, mae hynny'n bendant!'**

Ar y pwynt yma, diffoddodd Wendi'r sain.

'Ooo, ro'n i'n gwylio hwnna!' cwynodd Walter.

**'FFYLIAID ydyn nhw! Beth maen NHW'N wybod am sgidiau ANFARWOL? AFFLIW O DDIM! Dyna beth. Wna i ddangos iddyn NHW a phwy bynnag arall sydd wedi fy amau i erioed,'** cilwenodd Wendi.

Cariodd Walter ymlaen i wylio'r sgrin deledu dawel. Wrth i'r camera ddangos criw enfawr o bobl oedd yn cyrraedd, shifflodd yn agosach at y teledu ac edrych yn fanylach ar y sgrin. 'Mam, EDRYCH! Dyna'r teulu Troed a Berwyn Brôg mewn rhyw fath o guddwisgoedd … OD. Baswn i'n eu hadnabod nhw o bell.'

Cerddodd Wendi draw a sgwintio ar y sgrin.

**'O ia! TI'N iawn hefyd! Dyna neis eu bod nhw wedi dod fel grŵp. Bydd hi'n haws i ni allu'u harestio nhw i GYD GYDA'I GILYDD. Wna i adael i'r swyddogion diogelwch NEWYDD wybod ble maen nhw – yr EILIAD HON. DA IAWN, Walter.'**

Rhwbiodd Wendi'i dwylo yn ei gilydd yn ddisgwylgar.

'Diolch, Mam. Ella gwna i ddawns tap sydyn arall.'

Gwenodd Walter.

**'Na, dim PERYG!'**

meddai Wendi wrtho'n gyflym.

Daeth cnoc ar y drws. Plismon Pymps oedd yno, yn dod i ddweud wrth Wendi bod y gwobrau ar fin dechrau.

**'Dyma fy MOMENT**
**i DDISGLEIRIO!**
**Dwi'n barod am**
**fy SIOT AGOS,'**

meddai Wendi'n ddramatig.

Safodd o flaen y drych i astudio'i hosgo ac ymarfer ei haraith enillydd. Doedd dim rhaid iddi gofio rhestr o enwau, achos doedd hi ddim yn bwriadu diolch i neb.

Stwffiodd Walter fwy o fwyd i'w geg a dawnsio tap y tu ôl i'w fam wrthi iddi hi THYMP-THYMP-THYMPIO'i ffordd i gefn y llwyfan.

Tap, tap, tap, tapeti-tap …

**THYMP.**

**THYMP.**

**THYMP.**

**THYMP.**

(Gwyddai pawb bod Wendi

ar ei ffordd.)

'Wyt ti'n meddwl gwnaiff unrhyw un ein hadnabod ni?' sibrydodd Rhian wrth Tal.

'Dwi ddim yn meddwl,' meddai Tal a rhoi ei ddannedd dodi yn ei geg.

'Maen nhw'n dy siwtio di!' chwarddodd Rhian.

'Alli di siarad yn olreit?' gofynnodd Enlli.

'Ddim ym iawym,' ceisiodd Tal.

'Hyn yn oed gwell.' Gwenodd Rhian a fflicio'i gwallt gosod gwrach Calan Gaeaf hir. Yn ogystal â'r dannedd dodi, roedd Tal yn gwisgo het fflopi ac roedd gan Enlli sbectol SÊR a mantell. Roedd mwstásh ffug Berwyn a'i wallt gosod sbeici'n wych. Ac roedd gwallt gosod cyrliog Ifor yn edrych fel petai o bron yn real.

Dyma nhw'n ymuno â'r ciw i fynd i mewn. Stopiwyd nhw gan swyddog diogelwch nad oedd Ifor yn ei adnabod. Siaradodd â Tal.

'Faint ydi dy oed di? Chaiff plant ddim mynd i mewn ar eu pen eu hunain.'

Ysgydwodd Tal ei ben. Allai o ddim siarad neu byddai'i ddannedd dodi'n disgyn allan.

'Maen nhw i gyd yma hefo fi,' meddai Ifor, mor hyderus ag y gallai.

'Iawn. Ydych chi'n gwybod i ble ry'ch chi'n mynd?' gofynnodd y swyddog i Tal, a agorodd ei geg i'w ateb. Rhythodd y swyddog mewn dychryn wrth i'r dannedd gwympo i'w law.

'Wps!'

Roedd arwyddion ym MHOBMAN oedd yn dweud: **DIM FFONAU NA CHAMERÂU – NEU BYDD HI'N DDRWG ARNOCH!**

Roedd Ifor wedi llwyddo i sleifio dau gamera i mewn efo fo – drwy eu gwisgo! Roedd yn rhyddhad ENFAWR nad oedd o wedi cael ei stopio. Tynnodd Ifor nhw – cyn gynted â'u bod nhw wedi llwyddo i ddod i mewn i WAW yn ddiogel. Bellach roedd o jyst yn gwisgo'i sanau, ond doedd dim ots am hynny. Rhoddodd un o'r wejys camerâu i Rhian a Tal i'w dal.

'Gwisgwch y panel rheoli garddwn fel gallwn ni gadw mewn cysylltiad,' meddai wrthyn nhw. 'Rŵan anelwch chi am y blaen a chadwch lygad barcud am arwydd Beti.'

'Anelwn ni am y stafell reoli, ac unwaith dywedwch CHI ei bod hi'n iawn i ni fynd amdani, fydd hi'n RHYFEL Y SGIDIAU go iawn,' atgoffodd Berwyn bawb. 'Rhian, pam ti'n chwerthin?'

'Sori,' giglodd Rhian. 'Jyst mae eich mwtsash chi'n edrych yn hynod ddoniol.'

Aeth Ifor a Berwyn i gyfeiriad yr stafell reoli tra cymysgodd Rhian, Tal ac Enlli â'r dorf gan drio, a methu, toddi i'r cefndir. Roedd hyn wedi tynnu sylw Ms Hoelen-hir a'i thîm diogelwch NEWYDD.

Roedden nhw eisioes wedi SŴMIO i mewn ar y cymysgedd od o bobl.

'Gwyliwch y criw 'na ...' meddai. 'Mae RHYWBETH ar y gweill. Ella mai nhw ydi'r gang teulu Troed 'na mae Ms Wej yn chwilio amdanyn nhw.'

'Beth am i ni eu harestio nhw'n syth?' gofynnodd y swyddog diogelwch Plimsol.

'Ddim eto – gadwch i ni barhau i'w gwylio. Mae Ms Wej am i ni aros am y foment iawn,' meddai Ms Hoelen-hir yn fygythiol.

Yn y cyfamser, roedd gan Beti BROBLEM.

Roedd ei phàs wedi stopio gweithio ac roedd y stafell reoli bellach wedi'i hamgylchynu gan swyddogion diogelwch NEWYDD. Roedd hi'n mynd i fod yn amhosibl iddyn nhw fynd i mewn ac roedd yn RHAID i Beti rybuddio Ifor a Berwyn. Fyddai ffeindio ffordd arall i gael eu ffilm ar y sgrin fawr ddim yn hawdd. Gefn llwyfan, roedd Beti'n cerdded o gwmpas ei chyd-weithwyr, yn crafu pen am beth i'w wneud nesaf.

Yna ymddangosodd Mr Hoelen-hir. 'Mae newid yn y cynllun. Does dim o'ch hangen chi arnom ni bellach – heblaw amanat TI, Beti Bŵt. Aros di ble RWYT ti.'

'PAM fi?' gofynnodd Beti.

'Jyst gwna fel dwi'n dweud …' meddai Ms Hoelen-hir wrthi. Roedd ei hwyliau hi'n ddu.

‘Ond pwy wnaiff gynrychioli Tresgid – TRE-WEJ dwi’n feddwl? Ry’n ni i GYD wedi gweithio mor galed ar y wejys ANHYGOEL ’ma,’ meddai Phil Fflop wrth Ms Hoelen-hir. (Fel bod ots ganddi hi.)

‘Cwestiwn TWP – Wendi Wej, WRTH GWRS. Mae hi’n hyderus y gwnaiff hi ennill a wnewch chi jyst wneud pethau’n fwy cymleth iddi. Beti Bŵt, paid symud modfedd,’ arthiodd Ms Hoelen-hir, cyn amneidio ar y swyddogion diogelwch i gadw LLYGAD arni.

Doedd Beti ddim yn hoffi’r ffordd roedd pethau’n mynd. Arhosodd nes i Mrs Hoelen-hir adael cyn nesáu at ymyl y llwyfan fesul tipyn.

‘Cyffrous!’ meddai Beti, gan geisio argyhoeddi’r swyddogion diogelwch mai bod yn chwilfrydig oedd hi. Yna sbeciodd heibio i’r sgrin FAWR a gweld criw ENFAWR o bobl oedd yn eiddgar aros i’r gwobrau ddechrau. Gwelodd Beti Rhian, Tal ac Enlli yn syth, diolch i’w cuddwisgoedd. (Doedden nhw wir ddim yn ymdoddi i’r cefndir.)

Chwifiodd Beti'i breichiau'n wallgo, gan geisio denu'u sylw.

'Edrychwch, dyna Beti.' Chwifiodd Tal yn ôl.

‘Dyna’r arwydd,’ meddai Enlli. Rhoddodd Rhian ei phanel rheoli garddwn ymlaen. ‘Ifor a Berwyn, awê â RHYFEL Y SGIDIAU!’

Aeth y stafell yn dywyllach cyn i sbotoleuadau droelli o gwmpas yr HOLL adeilad. Dechreuodd y gerddoriaeth a thawelodd y gynulleidfa, ar wahân i un person, oedd ddim yn gallu stopio tagu. (Mae ’na wastad un.) Disgleiriodd y golau ar bob beirniad, wrth iddyn nhw gael eu cyflwyno.

Dyma nhw’n codi llaw ar y gynulleidfa wrth iddyn nhw GURO DWYLO. Yna, yn olaf, pwyntiodd y camera at …

**WOBR YR ESGID AUR**.

Roedd EBYCHIAD MAWR a churodd y gynulleidfa eu dwylo hyd yn oed fwy fyth. Esgid AUR smart oedd y wobr ac roedd hi o dan gromen wydr. Atseiniodd llais y cyhoeddwr,

‘Nawr eich bod chi wedi cyfarfod y beirniaid, gadewch i ni fwrw ’mlaen â’r gwobrau. Dwi wedi cael ar ddeall bod newid bach i’r amserlen …’

'… bydd TRE-WEJ yn cael ei chynrychioli

gan … yr UNIGRYW

Wendi Wej!'

Daeth ton fechan o gymeradwyaeth.

(Ond dim llawer. Doedd Wendi ddim yn boblogaidd iawn.)

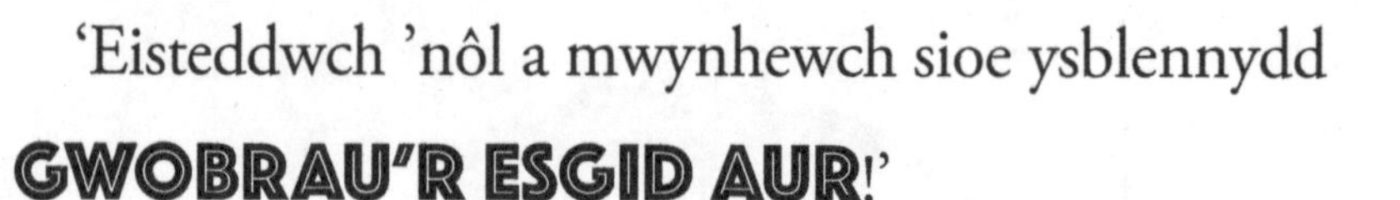

'Eisteddwch 'nôl a mwynhewch sioe ysblennydd **GWOBRAU'R ESGID AUR**!'

Dechreuodd y goleuadau fflachio ac wrth i'r sbotoleuadau fwrw'r llwyfan, dechreuodd y wobr DYWYNNU.

'A DYMA GYFLWYNO EIN CYSTADLEUYDD CYNTAF, O GAERCLOCSIA.

ELENI MAEN NHW'N CYFLWYNO'R ESGID SWSHI i ni – ESGID SY'N LLAWN O DRÎTS BLASUS, AR GLUDFELT SY'N CYLCHDROI, WEDI'I GOSOD MEWN AWYRGYLCH CŴL. BWYD STEI-LYSH I'CH TRAED.'

Nesaf: Dyma'r ESGID ARDD.

GWLEDD I'R LLYGAD, ARDDERCHOG AR GYFER YR AMGYLCHEDD, AC MAE GANDDI SYSTEM DDYFRIO ODDI MEWN. MAE'R ARDD YN AILDYFU O FEWN YCHYDIG WYTHNOSAU. DYMA ESGID WIRIONEDDOL DDAIL-TASTIG.

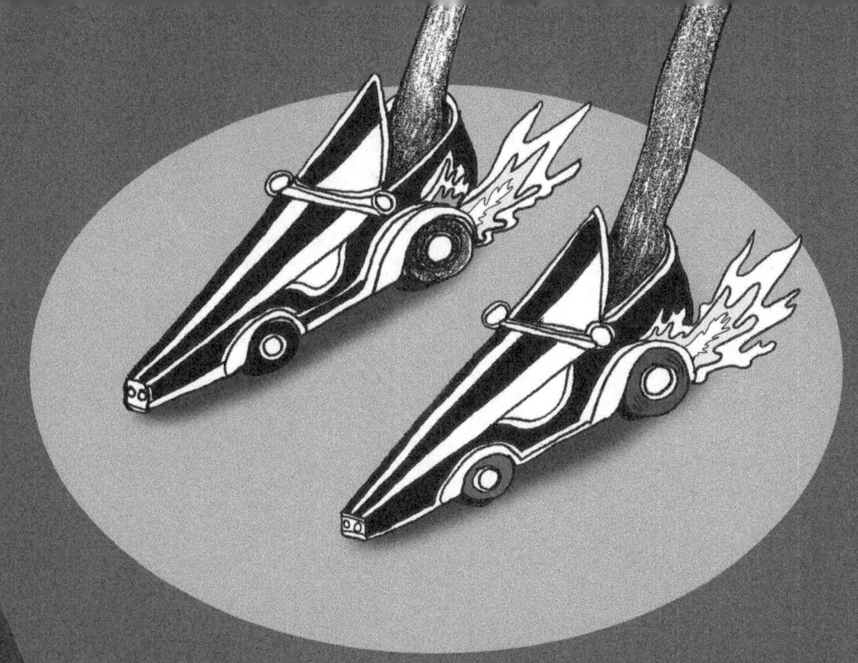

'DOES DIM YN FACH AM

Y SGIDIAU TENNIS YMA O

**LLANHOSANFACH –**

MAEN NHW'N SYMUD YN AWTOMATIG I BLE MAE'R BÊL

AC MAE'R DWYLO-CIPIO'N GOLYGU NA FYDD RHAID I

CHI BLYGU I GODI PÊL BYTH ETO!

A NESAF, Y SGIDIAU CAR HYNOD

GYFLYM A GWIBIOG 'MA.

**OLWYNION TÂN!** Gobeithio'u bod nhw i FOD yn llythrennol ar dân!'

'FYDDWCH CHI BYTH EISIAU

TYNNU'R SGIDIAU LLYFRAU 'MA O

**LANHOSAN FAWR,**

SYDD Â GOLAU DARLLEN YCHWANEGOL

A'R GALLU I DROI TUDALENNAU HEFYD.'

Hyd yma, edrychai'r arddangosfa sgidiau'n GYFFROUS. Roedd y beirniaid wrthi'n brysur yn sgwennu am bob un, ac yn rhoi sgôr. Roedd bonllefau o 'Wwwwwwwwwwww' pan welwyd sgidiau rhaeadr ddiddiwedd **CAERSOCS.**

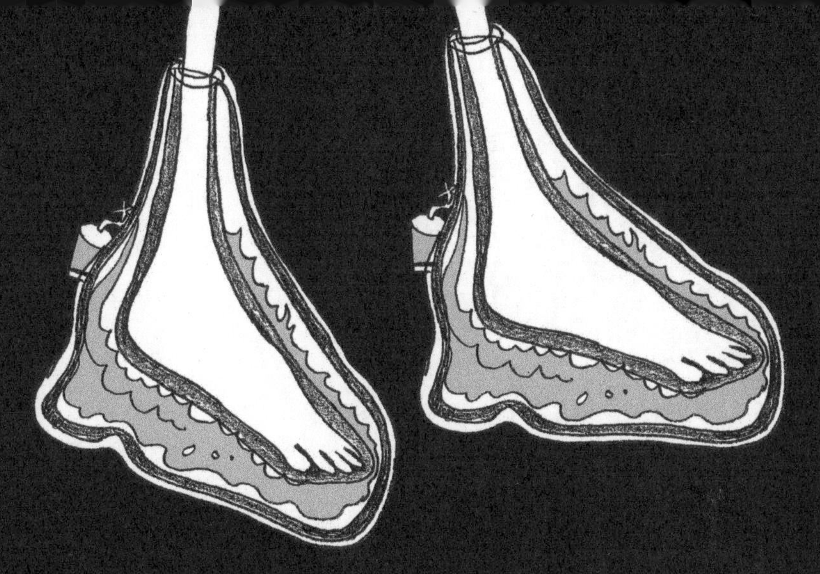

**'Y SGIDIAU SY'N OERI EICH TRAED! BYDD GYDA CHI DDŴR DRWY'R AMSER Â'R sgidiau 'MA.'**

Yna roedd sŵn 'WWWWWWW!' pan arnofiodd y sgidiau HOFRAN i'r llwyfan – nes iddyn nhw **FYRSTIO** a chrebachu.

(Crebachodd y beirniaid hefyd.)

Roedd y sgidiau gwefrio

FFÔN ychydig

yn siomedig.

Ond roedd pawb yn caru'r

sgidiau camelion.

GLUDODD y

sgidiau OCTI i'r WALIAU

gan arddangos gallu SUGNO gwych.

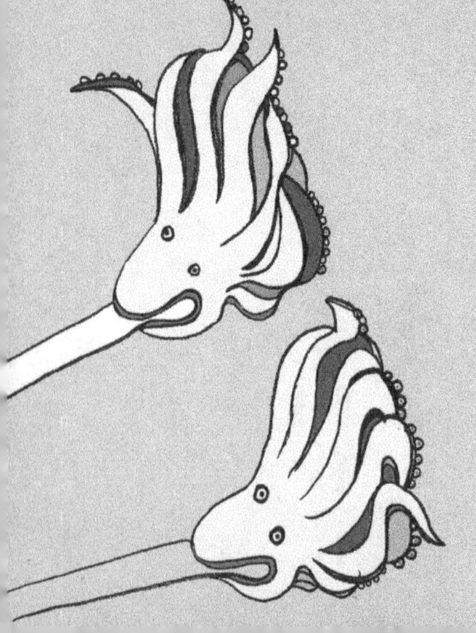

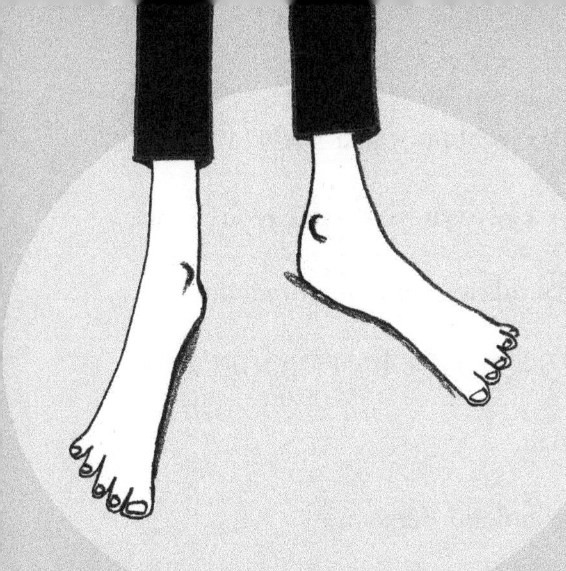

(Wnaeth y sgidiau anweledig ddim twyllo NEB.)

Gyda'r gwobrau yn eu HANTERTH, aeth Ifor a Berwyn tua'r stafell reoli. 'O na, wnaiff hyn ddim gweithio,' sibrydodd Ifor.

Roedd SWYDDOGION DIOGELWCH ym mhobman.

'Oes gyda ni GYNLLUN B?' holodd Berwyn.

Meddyliodd Ifor am eiliad. 'Rhuthro ar y llwyfan?'

Edrychodd Berwyn yn syn. 'O ddifri?'

'Iawn, ella ddim. Gallen ni DIFFODD y pŵer a chwarae'r ffilm yn syth oddi ar yr ESGID CAMERA ar y sgrin fawr,' meddai Ifor. 'Yn union fel awgrymodd Rhian.'

Cytunodd Berwyn mai Cynllun B oedd yr opsiwn gorau.

Ceisiodd Berwyn ac Ifor ymdoddi i'r cefndir wrth iddyn nhw fynd i chwilio am y bocs FFIWS canolog, oedd gefn llwyfan. Roedd Ms Hoelen-hir a'i thîm diogelwch yn dal i'w dilyn â'u camerâu – gan gadw LLYGAD craff arnyn nhw.

'Dwi wedi gweld digon – arestiwch nhw!' cyhoeddodd wrth ei HOLL swyddogion diogelwch.

Gwiriodd Ms Hoelen-hir yr amser – roedd Wendi Wej i fod i ymddangos ar y LLWYFAN unrhyw funud. Roedd Ms Hoelen-hir yn falch bod popeth o dan reolaeth.

'Ms Hoelen-hir,' llwyddodd un swyddog diogelwch gwyliadwrus i dynnu'i sylw. 'Ry'n ni wedi gweld gweithgarwch anarferol yn adeilad WAW ac mae'n anelu AR WIB am **WOBRAU'R ESGID AUR**.'

'Gadwch i fi weld,' dywedodd Ms Hoelen-hir gan eu gorchymyn i sŵmio i mewn a RHEWI ffrâm nifer o'r camerâu.

'Ydw i'n gweld yn iawn?' gofynnodd un swyddog diogelwch wedi DYCHRYN rhyw fymryn.

'Dwi'n meddwl eich bod chi. Mae angen i BAWB BWYLLO! Mae popeth o DAN REOLAETH,' bloeddiodd Ms Hoelen-hir, heb swnio fel petai'n PWYLLO o gwbl.

Aeth Berwyn i'r fan lle gallai DDIFFODD y pŵer wrth i Ifor guddio ar bwys y llwyfan. Roedd o'n BAROD i LAMU ymlaen a dangos i BAWB cymaint o GELWYDDGI ENFAWR oedd Wendi Wej.

Agorodd Berwyn y bocs llwyd a rhoi'i law ar yr handlen goch yn barod i DDIFFODD y pŵer … Yna clywodd lais y tu ôl iddo'n dweud, 'Paid â SYMUD MODFEDD.'

Rhewodd Berwyn – roedd o wedi cael ei DDAL.

'Edrych ar dy DRAED,' meddai'r llais, a'r tro hwn, roedd Berwyn yn adnabod y llais.

'Beti?' meddai Berwyn, wrth iddo edrych i lawr.

NADROEDD!

Arosodd Berwyn mor llonydd ag y gallai. 'O NA!'

Roedd hi'n LLAWER rhy beryglus i ddiffodd y pŵer rŵan.

'Pwylla a bydd popeth yn iawn. Byddan nhw wedi mynd mewn munud,' meddai Beti wrtho, wrth i'r nadroedd lithro dros ei draed, un ar ôl y llall. Roedd Beti'n iawn – llithrodd y nadroedd i ffwrdd yn gyflym. Ond roedd hi'n rhy hwyr. 'Arhoswch ble ry'ch chi,' meddai llais oer fel iâ. Un o swyddogion diogelwch Ms Hoelen-hir oedd yno. 'Ry'ch chi i GYD yn mynd i gael eich arestio.'

Hisssssssssssss

Tra bod Berwyn â'i DRAED yn ddwfn mewn nadroedd gwenwynig, yn ôl ar 'SLOT SGIDIAU', roedd y camera symud draw at Serena Stiletos a Morus Mewnwadn, ac roedd eu lluniau'n llenwi'r SGRIN FAWR. Roedd hi'n amlwg eu bod wedi cael cyfarwyddyd i lenwi'r amser.

'S'mai, bawb – mi fydd ychydig o saib cyn i ni weld rhagor. Dwi'n edrych mlaen, wyt ti, Morus?'

**'Ydw wir. Ry'n ni wedi gweld sgidiau ANHYGOEL, on'd do, Serena?'**

'Do, wir, Morus. Tybed fydden nhw'n edrych cystal ar fy nhraed maint saith i?'

**'Waw, mae dy draed di'n fwy nag o'n i'n feddwl, Serena.'**

'Be sy'n bod ar fod yn faint saith, Morus?'

**'Dim byd o gwbl. Ry'n ni'n DAL i chwilio am yr esgid wnaiff ein SYNRYFEDDU ni, on'd ydyn ni, Serena?'**

'Mae saith yn faint troed normal – i ti gael dallt. Hynny ydi, PA mor fawr ydi dy draed di?'

**'Dwi'n meddwl ein bod ni'n mynd am EGWYL arall ... 'nôl mewn pump,'** meddai Morus.

'Mae saith yn faint da,' mwmialodd Serena.

FFICSIWCH
EICH
FFWNG
TRAED
Â'R HYLIF
HYNOD
HWN

Mae'n WYCH!

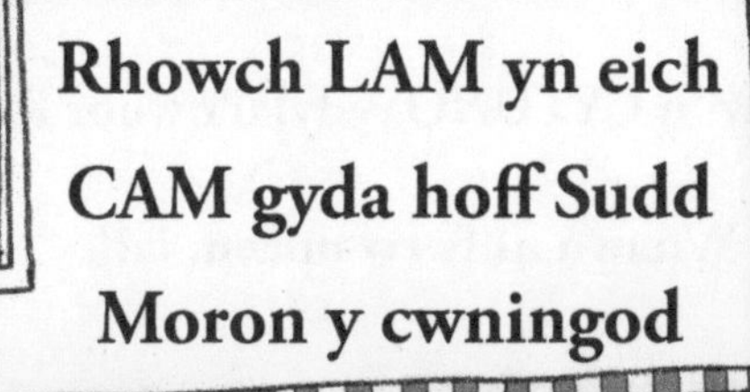

Yn y cyfamser, roedd Wendi wedi gwisgo'i sgidiau hedfan ac roedd yn paratoi i YMDDANGOS ar y llwyfan mewn **STEIL.**

Roedd hi wedi BREUDDWYDIO am hyn ers blynyddoedd lawer!

Arhosodd … ac arhosodd …

OND roedd hi'n gorfod OEDI am ryw ryfedd reswm.

**'Be sy'n DIGWYDD?'** mynnodd Wendi. **'Pam fod pethau'n cymryd cyhyd?'**

Roedd Mr Crîpar yn sefyll drws nesa iddi a chododd ei ysgwyddau. 'Byddai'n well i chi ofyn i'ch pennaeth diogelwch NEWYDD. Dyma hi'n dod.'

Cerddodd Ms Hoelen-hir atyn nhw. Roedd golwg ddifrifol arni.

**'Ms Hoelen-hir, WELL bod 'na reswm dilys am yr OEDI 'ma.'**

'Oes, Ms Wej, mae 'na reswm. Mae gyda ni BROBLEM FAWR.'

**'Dwi'n CYTUNO – dylai'r wobr fod yn fy nwylo i ERBYN HYN. Wnawn ni fwrw mlaen, ia?'**

'Allwn ni ddim, Ms Wej. Mae gen i ofn efallai y bydd yn rhaid i ni ofyn i bawb ADAEL y seremoni wobrwyo am resymau diogelwch,' meddai wrth Wendi.

**'AM BETH WYT TI'N FWYDRO? Paid â bod yn hurt. Mr Crîpar, dweud wrthi – dwi ddim yn gadael.'**

Oedodd Mr Crîpar. 'Ms Wej, ella dylech chi wrando …'

**'DWI DDIM YN MYND I NUNLLE – jyst sortiwch y broblem. Mae gen i wobr i'w HENNILL!'** gwaeddodd Wendi arnyn nhw a pharatoi i fynd ar y llwyfan.

Ceisiodd Ms Hoelen-hir ddal pen rheswm eto. 'Ms Wej, mae ein camerâu diogelwch ni wedi sylwi ar NIFER O NADROEDD GWENWYNIG. Ry'n ni wedi darganfod rhai gefn llwyfan. Gallai'r gweddill fod yn unrhyw le. Dy'n ni ddim eisiau i'r sefyllfa fynd allan o bob rheolaeth.'

ROWLIODD Wendi ei llygaid.

**'Dy'ch chi ddim o DDIFRI, gobeithio? PA FATH O DWPSYN WNAETH OLLWNG Y NADROEDD yn y lle CYNTA? A gyda llaw, dim ond mymryn bach yn wenwynig ydyn nhw. Pwy oedd y FFŴL oedd ddim yn TALU SYLW? WNA I BYTH EU TRYSTIO NHW ETO!'** bloeddiodd Wendi a RHYTHU ar Mr Crîpar. Ond doedd o DDIM yn bwriadu cymryd y bai.

'Dim FI wnaeth ond WALTER, ynte?' gwichiodd.

Gwadodd Walter bopeth yn FFYRNIG.

'Mr Crîpar ADAWODD i fi fynd i mewn.

DIM FI SYDD AR FAI! PE BAWN I'N GWBOD bod nadroedd yn y TANCIAU 'na, faswn I BYTH wedi'u hagor NHW! DIM OND EDRYCH OEDDWN I.

GAS gen i nadroedd!'

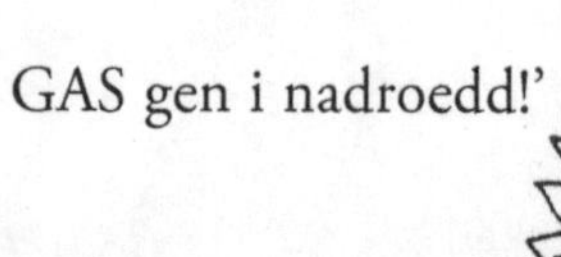

Ond gallai pawb weld ei fod o'n rhaffu celwyddau – hyd yn oed Wendi.

**'O. Wela i.'** Llwyddodd i fygu'i THYMER yn dda iawn.

'Mae'n rhaid i ni roi stop ar y gwobrau, meddai Ms Hoelen-hir eilwaith.

**'LOL BOTAS MAIP! Jyst cadwch lygad ar bethau! Unwaith bydda i wedi ennill y wobr, gallwch wneud fel y mynnwch. Ac os caiff unrhyw un ei frathu, jyst ewch â nhw i'r 'sbyty. Wnan nhw ddim MARW,'** meddai Wendi.

'Ond … wnaeth Sali Sandal …' pwysleisiodd Mr Crîpar.

**'Do'n i ddim yn gwybod ei bod hi wedi cael ei BRATHU. Doedd neb yn gwybod nes ei bod hi'n rhy hwyr. Reit, YMLAEN!'**

Cymerodd Wendi gam tuag at y llwyfan. 'Plis peidiwch, Ms Wej!' bloeddiodd Ms Hoelen-hir.

**'Os ydych chi'n meddwl 'mod i'n mynd i roi'r ffidil yn Y TO!'** sgrechiodd Wendi, ac wrth iddi ddweud y geiriau, daeth y sgidiau hedfan YN FYW.

Doedd yna ddim y gallai neb ei wneud i'w stopio hi.

'RY'N NI 'NÔL YN FYW YNG **NGWOBRAU'R ESGID AUR**.

Mae'n edrych fel petaen ni'n barod i fynd! A NESA – dyma Wendi Wej. A dwi jyst eisiau dweud, mae hi'n IAWN i chi gael esgid maint saith.'

**'Ry'n ni'n dy glywed di, Serena. Mae pethau'n POETHI yng NGWOBRAU'R ESGID AUR rŵan. Dwi'n meddwl galla i ei chlywed hi'n dod yn barod ...'**

Disgleiriodd un sbotolau ar ganol y llwyfan gwag. Roedd Wendi ar fin cyrraedd ...

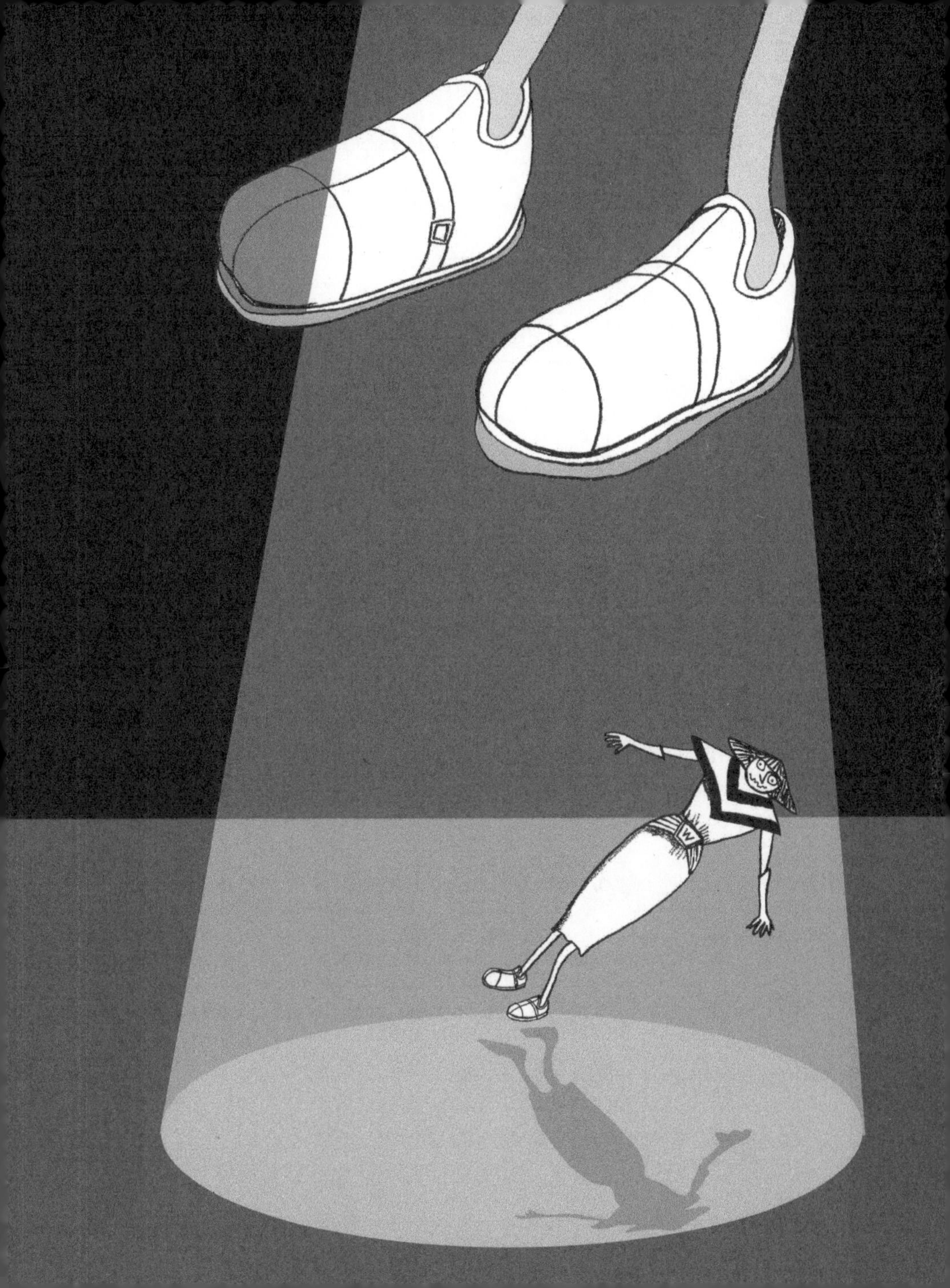

Gwyliodd Rhian, Enlli a Tal wrth i Wendi wneud ei ffordd tua'r llwyfan yn SIGLEDIG.

'Dyna'r sgidiau hedfan?' sibrydodd Enlli.

'Ia, dwi'n credu,' atebodd Tal.

'Pam nad ydi hi'n hedfan, 'ta?'

Ciledrychodd Tal ar Wendi. Llwyddodd hi i hofran am ychydig eiliadau cyn disgyn 'nôl i lawr. 'Mae'r adenydd yn edrych fel tasen nhw'n … sownd.'

Wnaeth hyn fawr o argraff ar aelodau'r gynulleidfa. Dyma nhw'n dechrau chwerthin wrth i Wendi faglu'i ffordd ymlaen.

'Be mae hi'n wneud?' gwaeddodd rhywun.

'Mae Wendi'n cael y wobr am y sgidiau mwyaf diflas – ETO!' cilwenodd un arall.

Doedd dim sôn am Beti, Berwyn na Dad ac roedd Rhian yn dechrau meddwl ella fod rhywbeth wedi mynd o'i le.

'DOWCH YN EICH BLAEN!' gwaeddodd un dyn dewr.

Edrychodd Wendi'n DDIG arno. Yna, hisiodd drwy'i dannedd:

**'Ddangosa i chi i gyd … sgidiau, I FYNY!'**

Agorodd y ddwy adain yn iawn a dechrau cyhwfan. Dechreuodd Wendi GODI oddi ar y llawr yn araf ac EBYCHODD y gynulleidfa wrth iddi hedfan dros eu pennau.

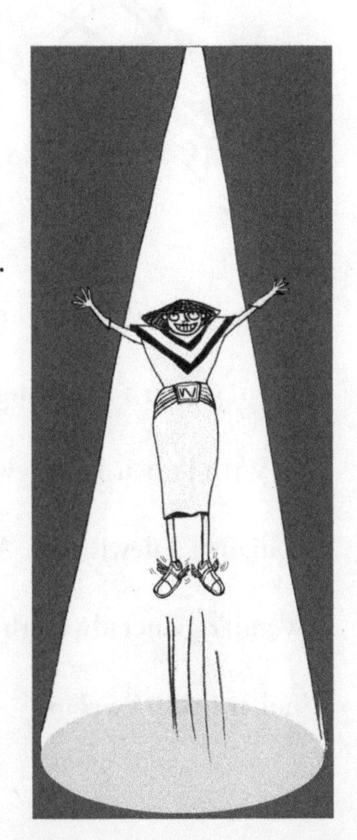

Tynnodd Rhian stumiau. 'Dad, ti ddylai fod i fyny fan 'na'n hedfan, ddim HONNA.'

Ond ble oedd yr oedolion?

Roedd y cloc yn tician.

Aeth Wendi o ochr i ochr, ben i waered a dros bennau'r dorf. Wnaeth hi hyd yn oed lwyddo i wneud LŴP-DI-LŴP. Yna, jyst fel roedd pethau'n mynd yn ARBENNIG o dda, dyma hi'n SGYTIO i un ochr.

Yna i'r ochr arall.

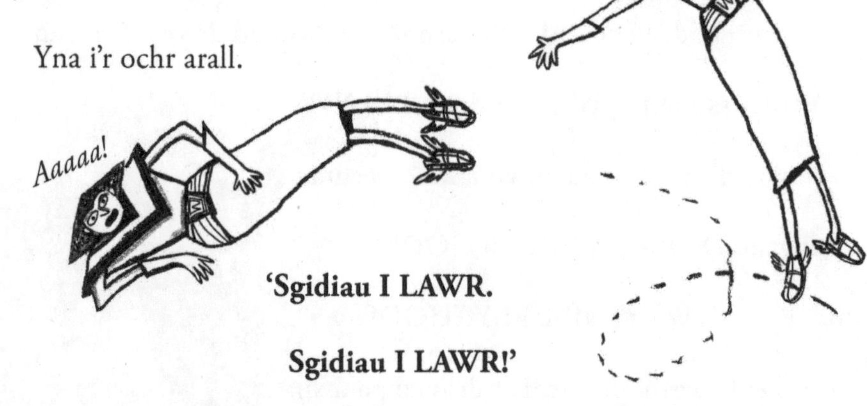


**'Sgidiau I LAWR.**

**Sgidiau I LAWR!'**

Llwyddodd Wendi i gadw pethau at ei gilydd, cyn hofran i lawr, glanio a moesymgrymu.

Wrth i'r beirniaid sgwennu nodiadau a dewis sgôr, AMSUGNODD Wendi'r gymeradwyaeth a STOMPIO 'nôl ar hyd y llwyfan.

Pan gyrhaeddodd hi gefn llwyfan, roedd hi wrth ei BOD i weld bod Ms Hoelen-hir wedi arestio Beti, Berwyn ac Ifor.

O'R DIWEDD!

**'On'd oeddwn i'n WYCH?'** meddai hi. **'RHAID I CHI AROS a 'ngwylio i'n derbyn y wobr. Dyna'r peth LLEIA galla i ei wneud.'** Roedd Wendi'n CARU hyn. **(Llawer gormod.)**

'Allwch chi ddim ein dal ni am byth,' meddai Ifor wrthi.

**'Dyna TI'N feddwl,'** cyfarthodd Wendi.

'Mam, wnest ti HEDFAN yn dda iawn – heblaw am y darn diwetha 'na ble ro'n ni i GYD yn meddwl dy fod ti wedi gwneud LLANAST ac roedd Mr Crîpar yn chwerthin,' meddai Walter, oedd *rêl* prep.

'Nag oeddwn,' meddai Mr Crîpar.

'Oeddet.' Roedd o'n *gymaint* o brep.

'Chi gaiff **WOBR YR ESGID AUR**, Ms Wej,' sicrhaodd Mr Crîpar Wendi. Ar yr un pryd, roedd o'n cadw llygad am rywbeth nadreddog.

Dewisodd Wendi eu HANWYBYDDU.

**'PRYD ydych chi'n mynd i roi'r WOBR i fi?'** gofynnodd yn ddiamynedd. Rhedodd cynorthwyydd draw atyn nhw.

'Ms Wej, ry'n ni wedi cael sgôr y beirniaid. Hoffech chi gymryd eich lle?'

**'Mae fy lle i drws NESA i'r WOBR. Alla i ei chael hi'n gyflymach wedyn, cyn i Ms Wyneb Clocsen yn fan'cw drio rhoi stop ar bopeth.'** Gwthiodd Wendi'i ffordd heibio i'r cystadleuwyr eraill a glanio reit DRWS NESA i

**WOBR YR ESGID AUR**.

**'RY'N NI I GYD yn gwybod mai dim ond UN enillydd sydd!'** cyhoeddodd Wendi.

Ceisiodd y beirniaid beidio dychryn, a chyflwyno gwobrau am:

Effaith Arbennig Gorau, Defnydd Gorau o Ddeunyddiau, Sain Gorau, Mwyaf Ecolegol.

**'ER MWYN POPETH!'** mwmialodd Wendi a ROWLIO'i llygaid.

Roedd Serena Stiletos a Morus Mewnwadn wedi ymuno â nhw erbyn hyn i GYFLWYNO'R enillydd.

**'O'r diwedd, ry'n ni wedi cyrraedd y brif wobr, Serena. DYMA'R foment ry'n ni i gyd wedi bod yn aros amdani!'**

'Ti'n iawn, Morus. Mae

**GWOBR YR ESGID AUR**

eleni yn cael ei chyflwyno i ...'

**'... Byddwn ni 'NÔL**

**wedi'r EGWYL!'**

Mwynhewch eich
GWYLIAU ond peidiwch
ag anghofio eich
YSWIRIANT TEITHIO.
Telerau ac amodau ynghlwm:

MMMMMMMMMMMM TE...
Pan ry'ch chi'n teimlo dan bwysau, rhowch eich traed i fyny a thywallt paned hyfryd o DE … ac YMLACIO.

**'Ac ry'n ni 'nôl! Ydych chi'n barod**

**am gyhoeddiad ARBENNIG iawn?'**

'BRYSIWCH, ER MWYN

POPETH!' sgrechiodd Wendi o'r ochr,

cyn cofio'i bod hi ar y teledu.

'Mae rhywun yn frwdfrydig! Wel, ENILLYDD **GWOBR YR ESGID AUR** eleni ydi …

**'Wendi Wej o Dre-wej, Tresgidiau gynt, a'i sgidiau hedfan, anhygoel, anfarwol, na welwyd mo'u tebyg erioed!'**

CIPIODD Wendi **GWOBR YR ESGID AUR** a'i dal yn DYNN fel na allai neb ei chymryd oddi arni.

**'O'R DIWEDD! Fi pia hi!**

**FI A DIM OND FI!'** bloeddiodd.

Yna culhaoodd ei llygaid cyn

dechrau ar ei haraith.

A doedd hi ddim yn araith neis.

**'Mae'n HEN BRYD i fi gael y wobr 'ma. Dwi'n ei LLWYR haeddu hi! Dwi ddim angen DIOLCH i neb, heblaw fi fy hun. OND galla i feio llwyth o bobl am ddod yn agos i SBWYLIO fy moment fawr. Dydi canolbwyntio ddim wedi bod yn hawdd. Mae criw o bobl YMA fu'n rhaid i ni eu HARESTIO! Dowch â nhw ALLAN.'**

Penderfynodd Ms Hoelen-hir FWYNHAU ei moment fawr, a gwthiodd Berwyn, Beti ac Ifor i'r llwyfan.

Doedd gan y dorf ddim syniad beth oedd yn digwydd, ond gwyddai Rhian, Tal ac Enlli yn UNION beth oedd yn mynd ymlaen!

(Roedd yn rhaid iddyn nhw ddangos eu ffilm ar y sgrin FAWR RŴAN.)

**'Mae'r bobl ERCHYLL 'ma wedi bod yn CYNLLWYNIO yn fy erbyn I. A ddim nhw ydi'r UNIG rai!'** Troellodd Wendi o'i chwmpas a RHYTHU ar y gynulleidfa.

**'Brif Arolygydd Strapsawdl, ARESTIWCH y plant od 'na. Peidiwch â meddwl 'mod i heb eich GWELD chi, yr HOLL AMSER 'ma!'** meddai Wendi, gan bwyntio at Rhian, Tal ac Enlli.

Glaniodd y sbotolau ar ddyn bychan â mwstásh.

**'NA, ddim FO! IA – NHW!'**

Dechreuodd y gynulleidfa fwmial. Doedd neb yn hoffi'r syniad o gwrso plant.

‘Gwrandewch arna I – DIHIROD ydi’r plant ’na. Wnaethon nhw ddinistrio fy arwydd i a CHODI OFN OFNADWY ar fy mab â phaent COCH. Ac mae’r dyn ’ma yn FAMA …’ (pwyntiodd at Ifor) ‘… WEDI TORRI CYFRAITH WEJ. Mae o wedi cael ei arestio am fod yn berchen ar SLIPARS anghyfreithlon!’

**'Wnaeth y ddau YMA eu helpu. DDYLAI NEB YN NHRE-WEJ FOD YN BERCHEN AR Y FATH ERCHYLLBETHAU. MAE SLIPARS WEDI CAEL EU BANIO! RHAID ARESTIO UNRHYW UN SY'N BERCHEN AR BÂR!'**

Dechreuodd y gynulleidfa **CHWERTHIN**. (Llond bol.)

Doedd Wendi DDIM yn hapus o gwbl.

Yr eiliad honno, trodd Rhian y camera ymlaen, a thafluniwyd y ffilm y tu ôl i Wendi. Ceisiodd y Prif Arolygydd Strapsawdl gydio yn Rhian, ond gwthiodd Tal hi o'r neilltu. Taflodd Enlli selsig at y cŵn i greu mwy o gythrwfl.

**'GLYWSOCH chi fi?**

**Slipars ANGHYFREITHLON!**

**AM DDYCHRYNLLYD!'**

Gwaeddodd Wendi eto a dechreuodd pobl chwerthin mwy.

*Ha! HA! HA! HA! Ha!*

*Ha! HA! HA! HA! Ha!*

Ar y sgrin y TU ÔL i Wendi Wej, roedd llun o'i thraed mewn slipars pinc, fflwfflyd a phom-poms arnyn nhw. Allai'r amseru ddim â bod yn fwy perffaith.

**'Peidiwch â CHWERTHIN – does gyda chi DDIM syniad BETH maen nhw wedi'i wneud!'** gwaeddodd Wendi. Ceisiodd Ifor dorri'n RHYDD i helpu'i blant.

'Peidiwch â chyffwrdd yn fy mhlant i. CHI sy mewn trwbwl,' meddai wrthi'n ddewr.

**'LOL BOTES MAIP! Mae dy blant gwyllt di wedi fandaleiddio fy arwydd a gollwng PAENT ar fy WALTER ANNWYL, sydd angen ymddiheuriad RŴAN. YMDDIHEURWCH wrth FY mab, yn gyhoeddus, y TEULU TROED AFIACH,'** gwaeddodd Wendi, gan amneidio ar Walter i ymuno â hi.

'Mam, dwi'n meddwl bod y gynulleidfa'n chwerthin am dy ben,' eglurodd Walter wrth ei fam, wrth i'r chwerthin fynd yn uwch.

Ceisiodd yr heddlu sgidiau GYDIO yn y plant, ond llwyddon nhw i ddod yn RHYDD.

BELLACH, roedd y wlad gyfan yn edrych ar y datblygiadau'n FYW ar 'SLOT SGIDIAU' Ti-fi.

Trodd Wendi a gweld y ffilm y tu ôl iddi.

Gwallt gosod Rhian

**'Ffilm ffug ydi hi!'** sgrechiodd.

**'Rhan o ymgyrch erchyll i 'mhardduo i!'**

Doedd Rhian ddim am gymryd dim lol.

Llamodd ar y llwyfan a dweud y GWIR wrth bawb.

'Dydi hi DDIM YN FFUG! Welais i hi'n gwisgo slipars!' meddai hi wrth y gynulleidfa. Yna ymunodd Tal ac Enlli â hi.

'Mae Wendi Wej yn cadw NADROEDD a chreaduriaid PRIN eraill er mwyn gwneud WEJYS CYFRINACHOL ohonyn nhw. WELSON NI nhw!' ychwanegodd Tal.

**"LOL BOTAS MAIP! Peidiwch â gwrando ar y PLANT 'ma!'** meddai Wendi gan ysgyrnygu gwên.

Yna ymunodd Enlli â nhw. ‘EDRYCHWCH, bawb – dyma beth mae Wendi’n ei gadw’n gyfrinach!’

Trodd Wendi a GWELD ERCHYLLTER

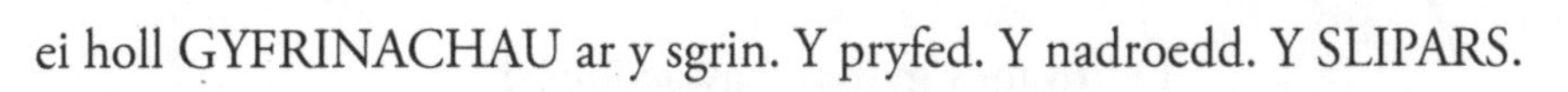

ei holl GYFRINACHAU ar y sgrin. Y pryfed. Y nadroedd. Y SLIPARS.

**‘STOPWCH Y FFILM FFUG ’NA YR EILIAD HON! SUT digwyddodd hyn?’** Edrychodd Wendi ar Ms Hoelen-hir – cyn edrych o gwmpas yn daer am Mr Crîpar hefyd.

‘Mae’r nadroedd rhydd YNA’n wenwynig a dyma’r UN nadroedd a frathodd a LLADD fy Sali Sandal i!’ meddai Ifor wrth Wendi’n flin.

**‘Nid fy mai oedd o fod NEIDR wedi dianc! Roedd Sali yn y lle ANGHYWIR ar yr adeg ANGHYWIR. Felly NID fy mai I oedd o. AC mae’r plant ’na wedi creu FFILM FFUG! Llwyth o hen LOL ydi o, ynte, Brif Arolygydd Strapsawdl? A Mr Crîpar, wnei di ’nghefnogi i, on’d gwnei?’**

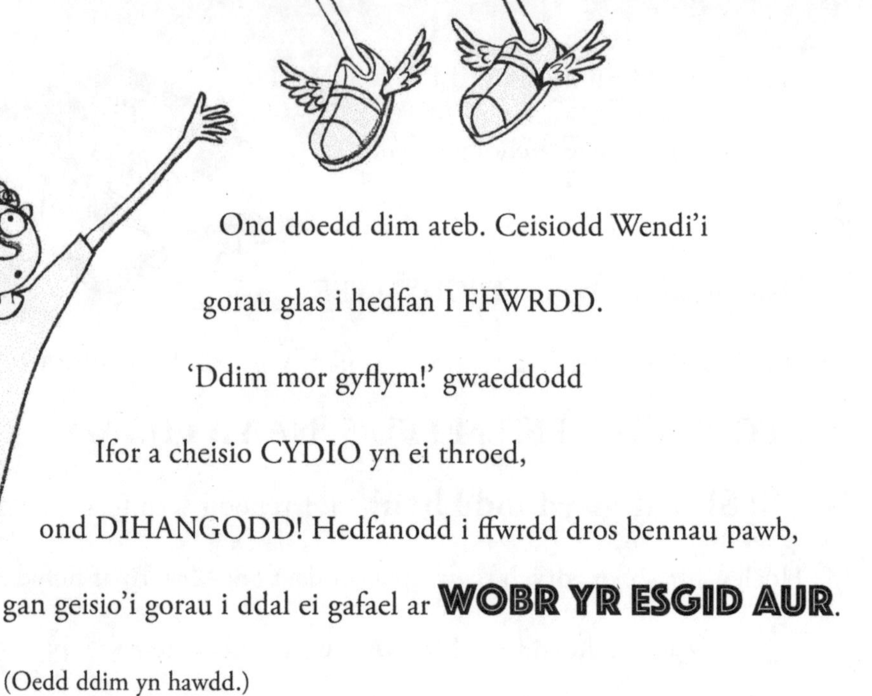

Ond doedd dim ateb. Ceisiodd Wendi'i gorau glas i hedfan I FFWRDD.

'Ddim mor gyflym!' gwaeddodd Ifor a cheisio CYDIO yn ei throed, ond DIHANGODD! Hedfanodd i ffwrdd dros bennau pawb, gan geisio'i gorau i ddal ei gafael ar **WOBR YR ESGID AUR**.

(Oedd ddim yn hawdd.)

Gwyliodd Rhian, Tal, Enlli, Ifor, Beti a Berwyn hi'n ddiymadferth o'r llwyfan. Roedd hi'n llwyddo!

Yna, allan o nunlle,

SAETHODD rhaff denau o ganol y gynulleidfa

a lapio'i hun o gwmpas fferau Wendi, a'u clymu at ei gilydd.

Yna, fel PYSGODYN ar fachyn, cafodd ei llusgo'n ôl i'r ddaear.

**'GOOOOLLWNG FI!'** gwichiodd.

Agorodd y dorf gan ddatgelu pwy oedd ben ARALL y rhaff, yn

tynnu Wendi Wej tua'r llawr …

... neb llai na MRS DAPS!

'CHI sy 'na, Mrs Daps?'

ebychodd Rhian. Roedd Tal ac Enlli

yn gegrwth.

Anwybyddodd Mrs Daps nhw. Cariodd ymlaen i dynnu Wendi Wej i'r llawr â'i ffon gerdded arbennig.

Edrychai Wendi'n syn ei bod wedi cael ei dal. Yna, camodd grŵp o heddlu swyddogol yr olwg ar y llwyfan.

**'BETH y'ch chi'n feddwl y'ch chi'n ei WNEUD?'**

bloeddiodd Wendi.

'WENDI WEJ, FY ENW I YDI DWYNWEN DAPS, aelod o'r TÎM YMCHWILIADAU SGIDIAU CENEDLAETHOL. RY'CH CHI'N CAEL EICH ARESTIO AM LU O DROSEDDAU.

Dyma RAI OHONYNT:

1. DEFNYDDIO ANIFEILIAID PRIN SYDD WEDI'U GWARCHOD I WNEUD WEJYS.
2. CADW NADROEDD GWENWYNIG YN ANGHYFREITHLON.
3. PEIDIO Â CHADW EICH NADROEDD DAN REOLAETH, a gadael iddyn nhw ddianc a lladd Sali Sandal.
4. DYFEISIO EICH CYFREITHIAU EICH HUN. Does DIM BYD o'i le ar SLIPARS.
5. HERWGIPIO EICH GWEITHWYR a bygwth PLANT.
6. PEIDIO Â THALU EICH TRETHI.

GALLWN I FYND YMLAEN.'

Anfonodd Mrs Daps ei swyddogion i arestio'r Prif Arolygydd Strapsawdl hefyd am gytuno i gael ei LLWGRWOBRWYO gan Wendi ac am fod yn arolygydd DA I DDIM.

Trodd Mrs Daps at Ifor. 'Dwi wedi bod yn GWYLIO'ch tŷ chi ers sbel, Mr Troed, fel rhan o fy ymchwiliad ehangach i Ms Wej. Welais i'r sgidiau hedfan a defnyddio fy chwythwr DARTIAU arbennig i rybuddio Mr Crîpar i gadw draw. Ro'n i am gadw eich sgidiau hedfan yn ddiogel ar eich cyfer chi, felly CYMERAIS i nhw cyn i Mr Crîpar gael y gyfle. DYMA NHW, Mr Troed.'

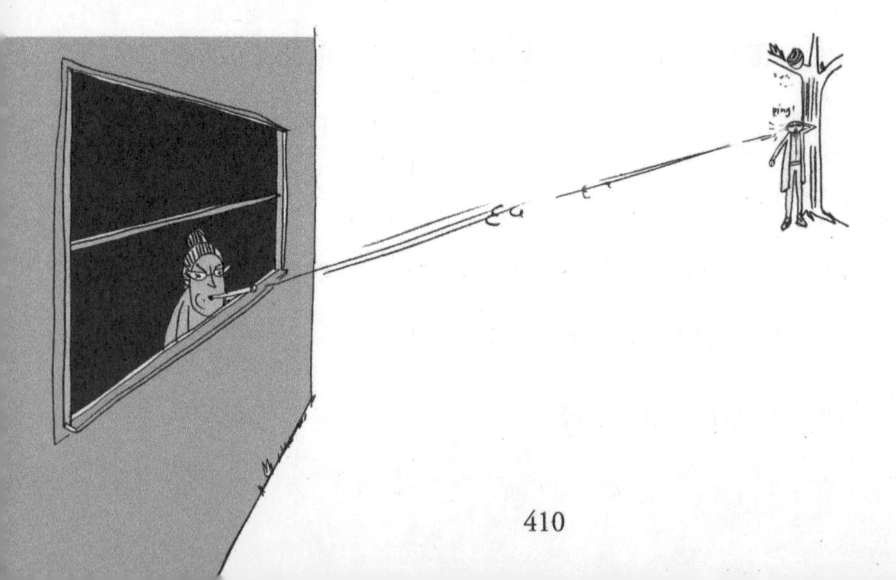

Tynnodd nhw allan o'i bag a'u rhoi i Ifor.

'Mrs Daps? GYDA CHI oedden nhw!' meddai Ifor, gan dderbyn sgidiau Sali'n ôl yn ddiolchgar.

'Mae Mrs Daps wedi ennill y dydd!' cymeradwyodd Tal.

'HWRÊ dros Mrs Daps!' bloeddiodd Rhian, yn falch o gael cyfle i edmygu'i ffon gerdded yn fanylach.

'Mae hwn yn perthyn i chi hefyd,' meddai Mrs Daps, gan estyn llyfr Sali Sandal i Rhian a Tal. 'Gofalwch amdano. Mae'n arbennig IAWN. Fyddai dim ots gen i wisgo rhai o'r sgidiau 'na, OS byddwch chi byth yn eu gwneud nhw.'

Wyddai Rhian, Tal ac Enlli ddim beth i'w ddweud. Yr hen Mrs Daps FUSNESLYD oedd y person olaf roedden nhw'n ei ddisgwyl i ACHUB y dydd. Cerddodd Berwyn i fyny ar y llwyfan a THYNNU'r sgidiau oddi ar Wendi.

'Heddlu a beirniaid, er gwybodaeth, mae Wendi Wej wedi DWYN y sgidiau 'ma oddi arna I HEFYD. Creadigaethau'r anhygoel Sali Sandal ydyn nhw.'

Gwyddai Wendi'i bod hi AR BEN arni felly ceisiodd ddefnyddio tacteg arall.

**'Y cwbl dwi wedi TRIO'i wneud ydi bod yn neis wrth bobl, RHOI SWYDD i bawb ac edrych ar ôl pawb yn NHRE-WEJ – ym, yn Nhresgidiau. GOFYNNWCH I Mr Crîpar. Mae O ar fin cael dyrchafiad MAWR. MR CRÎPAR, wnei di ddweud wrthyn nhw pa mor ffeind ydw i?'**

Os oedd Wendi'n MEDDWL bod Mr Crîpar yn mynd i'w CHEFNOGI, roedd hi'n ANGHYWIR.

Camodd Mr Crîpar ymlaen. 'Mae Wendi wedi gwneud POPETH ry'ch chi'n ei chyhuddo hi o'i wneud. Mae gen i gywilydd dweud 'mod i wedi'i helpu hi. Gallai i roi'r holl dystiolaeth sydd ei hangen arnoch i chi. Byddai'n well gen i weld y creaduriaid 'na'n RHYDD yn y gwyllt nag am DRAED rhywun.'

Yna trodd at Wendi. 'Dwi wedi cael llond bol o gael fy nhrin yn wael, Ms Wej. Ry'ch chi wedi bod yn hunlle i weithio iddi.'

(A dweud y lleiaf!)

Cafodd Wendi SIOC.

'Ac mae angen i chi ddweud NA wrth eich mab bob hyn a hyn a DARLLEN llawer mwy o storïau iddo.' Gorffennodd Mr Crîpar ei araith a theimlo dim byd ond RHYDDHAD!

'Mam, be sy'n mynd i ddigwydd i FI rŵan? Achos BASWN i'n eithaf hoffi i rywun ddarllen storïau i fi,' meddai Walter.

**'Wel, wnaiff hynna ddim digwydd bellach, WNAIFF O?'** cyfarthodd Wendi ar ei mab wrth iddi gael ei llusgo i ffwrdd gan yr heddlu. **'Wna i roi cyfarwyddyd i 'nghyfreithwyr i 'nghael i allan. Yn y cyfamser, gwnaiff dy Yncl Wilbert Wej edrych ar dy ôl di.'**

'OND dwi prin yn ei ADNABOD o,' cwynodd Walter.

**'Be sy 'na i'w wybod amdano? Fo oedd hoff blentyn ein rhieni. Roedd o wastad yn chwerthin ar fy mhen i ac yn gwneud i fi deimlo'n ddi-werth, bla bla bla. Wnaiff o edrych ar dy ôl di. All o ddim â dy wneud di'n WAETH nag wyt ti'n barod.'**

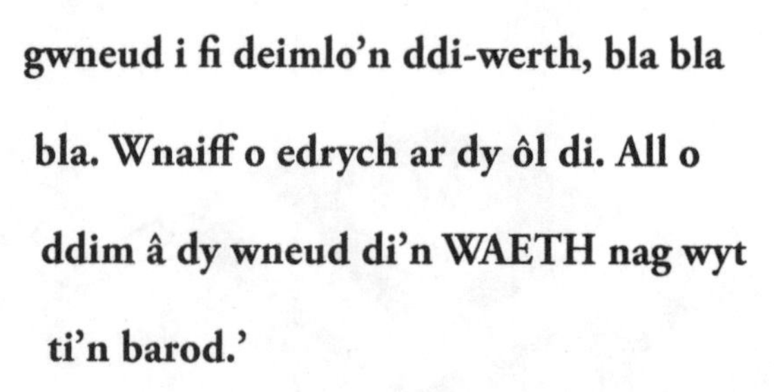

‘MAM, sut alli di ddweud hynna?’ llefodd Walter.

**‘Mae Mr Crîpar yn iawn. Dylwn i fod wedi dweud “na” wrthat ti’n amlach. Felly, wna i ddechrau rŵan. Alli di aros hefo rhywun arall? NA. TYFF.’**

Meddyliodd Wendi y byddai hi’n trio UN peth arall i geisio cael GWARED o’r holl bobl oedd yn boen o’i chwmpas.

Gwaeddodd ar EI CHŴN.

# ‘CHWITH a DDE, EWCH â fi o’ma! CYTHRWCH amdanyn nhw!’

Edrychodd y cŵn i fyny, ond doedden nhw ddim yn teimlo fel symud rhyw lawer. Ddim wedi’r holl selsig yna.

Ochneidiodd Wendi. Roedd pethau ar ben.

Ceisiodd un o’r beirniaid reslo **GWOBR YR ESGID AUR** oddi arni.

**'OND fi pia hwnna! Fi enillodd – chi RODDODD y wobr i fi!'** llefodd.

'Ddim rhagor, Wendi Wej. Ry'n ni'n ei rhoi i Berwyn Brôg gan mai fo WNAETH y sgidiau hedfan.'

Daeth Berwyn i fyny i nôl y wobr a throi at y camerâu. 'Diolch. OND nid fi yw'r enillydd, ond Ifor Troed, Rhian a Tal a'u mam, Sali Sandal, wnaeth ddylunio'r esgid. Y cwbl wnes i oedd dilyn ei chyfarwyddiadau.'

Rhoddodd Berwyn y wobr i'r Teulu Troed.

Roedden nhw i gyd yn gwenu ar gyfer y camerâu ac yn dathlu pan waeddodd rhywun yn y gynulleidfa …

'NEIDR! NEIDR!'

Nid sarhad wedi'i anelu at Wendi oedd hwn,

ond Y PETH GO IAWN!

AAAAAAAAAAAAA!

Roedd PANIG ENFAWR wrth i bawb redeg i gyfeiriadau

gwahanol. Roedd y neidr yn llithro tua'r llwyfan!

RHEWODD IFOR. Roedd ganddo OFN nadroedd

drwy waed ei galon.

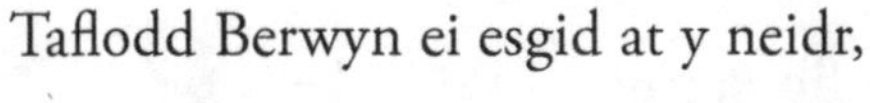

Taflodd Berwyn ei esgid at y neidr,

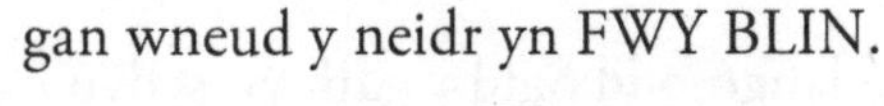

gan wneud y neidr yn FWY BLIN.

CAMODD Rhian i'r bwlch.

CYDIODD yn ffon gerdded Mrs Daps a'i phwyntio at y neidr, gan bwyso BOB botwm. Saethodd FFORC SIARP allan a DAL y neidr i'r llawr.

'Peidiwch â mynd ar ei chyfyl!' bloeddiodd Mrs Daps.

Roedd y neidr yn dechrau gwingo ALLAN o'r fforc, pan ymddangosodd Sgid y gath yn sydyn o gefn y llwyfan, a llamu arni.

Daliodd Sgid hi i lawr yn ddigon hir i'r Swyddog Strapsawdl a'r Swyddog Sawdlslic gyrraedd â **bocs sgidiau** MAWR a mynd â hi i ffwrdd yn ddiogel.

Dechreuodd y gynulleidfa gymeradwyo mewn rhyddhad.

'Mae hi wedi bod yn DIPYN o sioe! Ry'n ni wedi cael sgidiau hedfan – oedd yn A N H Y G O E L. Dwi eisiau pâr o reina'n syth bin! Beth amdanat ti, Morus?'

**'Yn bendant, Serena. Be dwi ddim eisiau'i gweld eto ydi NEIDR. Dyma enillwyr GWOBR YR ESGID AUR i sôn wrthon ni am beth ddigwyddodd heddiw.'**

**'Ifor, beth allwch chi'i ddweud? Ifor?'**

'S'mai, Rhian ydw i. Mae Dad MEWN SIOC ar y funud. Dydi o ddim yn hoffi nadroedd. Dyma fy ffrind, Enlli. Mae hi'n byw drws nesa.'

'Helô! Mae Mam yn fan 'cw. Beti ydi'i henw hi, a hi achubodd Rhian a Tal pan oedd Wendi'n eu herlid. Arhoson nhw acw dros nos – a wnes i roi pàs Mam iddyn nhw fel y gallen nhw fynd i mewn i Wejys Anhygoel Wendi,' meddai Enlli.

'Do, a wnaeth HYNNY ein helpu i fynd i mewn i'r guddfan ble roedd y CREADURIAID. A dyma 'mrawd, Tal.'

'S'mai! Mae fy chwaer yn siarad bymtheg i'r dwsin. DYMA Berwyn. Fo WNAETH y sgidiau allan o lyfr a sgwennodd Mam. Berwyn, dwed helô.'

'Berwyn, rhaid eich bod chi'n browd o wneud y sgidiau hefyd?' gofynnodd Serena Stiletos.

'Wel, breuddwyd Sali ac Ifor oedd hi mewn gwirionedd. Dwi'n gobeithio gallwn ni wneud mwy ohonyn nhw a'u gwerthu yn FY siop – Brôgs Berwyn – fydd yn aros AR AGOR AM BYTH bellach!' meddai Berwyn a gwneud dawns fach hapus, yn fyw ar y teledu.

Yna ymlaciodd Ifor ac ymuno ag o, yn ogystal â Beti a'r plant.

**'Am ddiweddglo hapus i ddiwrnod HYNOD gyffrous. Yn y diwedd, rhoddodd y beirniaid WOBR YR ESGID AUR i Ifor Troed a Sali Sandal. Felly beth am i ni eich gadael â'r holl Deulu TROED a'u ffrindiau'n dawnsio.'**

**'Tan y flwyddyn nesa, dyma Serena Stiletos a Morus Mewnwadn yn dweud HWYL FAWR am nawr gan bawb yn Nhre-wej – sori, TRESGIDIAU.'**

'Hei, Tal … ti'n meddwl byddai Mam yn hoffi fy nawns shifflad y sgidiau?'

'Byddai hi wrth ei bodd!' meddai Tal.

'Byddai dy fam yn falch ohonon ni i gyd …' ychwanegodd Ifor, a rhoi cwtsh iddyn nhw. 'Mae'r cwbl yn y traed, ylwch blant – edrychwch,' ychwanegodd ac ymuno â nhw.

Felly, dwi'n gwybod am beth ry'ch chi'n meddwl rŵan …

Beth ddigwyddodd ar ôl i Wendi gael ei llusgo i'r Carchar Sgidiau?

Aeth Chwith a Dde i fyw gyda Mr Crîpar, a gafodd ddedfryd wedi'i gohirio wedi iddo orffen gwasanaeth cymunedol yn hel sbwriel, am iddo roi tystiolaeth yn erbyn Wendi.

Bu ffon Mrs Daps yn help mawr iddo hel y sbwriel.

Yn y diwedd, cafodd fynd ar wyliau hynod haeddiannol.

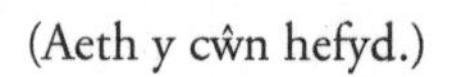

(Aeth y cŵn hefyd.)

Aeth Walter i aros gyda Wilbert Wej, gefaill Wendi, am ei fod yntau wedi gwrthod mynd i **Dresgidiau** i edrych ar ei ôl.

(Y gwir ydi, roedd O wedi bod yn y carchar am nifer o flynyddoedd. Roedd o newydd gael ei ryddhau am ymddygiad da, jyst wrth i Wendi gyrraedd. Ond stori arall ydi honno.)

BRÔGS A SGIDIAU
HEDFAN BERWYN
hedfan
hawdd
hedfan
anhygoel
hedfan isel

Cadwodd Berwyn ei siop ar agor a dechrau gwneud brôgs oedd yn hedfan.

Cafodd Wejys Anhygoel Wendi ei ailenwi'n Sgidiau Waw Steilish. Beti ac Ifor oedd yn rheoli'r dylunio a'r creu yn SWS. Roedden nhw'n creu a gwerthu'r sgidiau rhyfeddol ac anhygoel roedd Ifor a Sali'n arfer eu gwneud yn eu siop nhw, gan ddefnyddio llawer o gynlluniau gwreiddiol Sali. Roedd peth o'r elw'n mynd i edrych ar ôl anifeiliaid a phryfed PRIN a'u cadw'n saff. Hyd yn oed y nadroedd.

Gwnaeth SWS MOR dda nes bod yr holl dai **bocs sgidiau**'n gallu cael eu hymestyn, fel nad oedden nhw mor fach.

Cafodd Rhian a Tal eu STAFELLOEDD eu hunain, oedd yn osgoi'r holl ddadlau am bwy oedd y bleraf. Roedd mwy o le, oedd yn golygu gallai Enlli ddod i aros gyda nhw hefyd.

Roedd Tal yn dal i hoffi eirin gwlanog tun gyda cheuled lemwn ac roedd o'n sgwennu llawer o storïau ei hun bellach. Roedd ganddo ddigon o ddeunydd y gallai ei ddefnyddio (megis y Rhyfel rhwng ei deulu a Wendi). Ceisiodd Rhian wneud ffon gerdded fel un Dwynwen Daps. Roedd ei un hi wedi'i haddurno â fflachiadau mellt ac roedd hi'n ei defnyddio i fynd ar nerfau Tal gan amlaf.

Roedd popeth yn mynd yn dda ar y cyfan.

Roedd yna ychydig o broblemau ar y dechrau gyda phobl yn HEDFAN i bobman, ond wedi hynny, wnaethon nhw arfer â chadw at REOLAU arbennig yn yr awyr fel bod pawb yn ddiogel.

Ac mae sgidiau hedfan wir yn gymaint o hwyl ag y maen nhw'n edrych.

Fyddwch chi byth yn hwyr i'r ysgol eto. (Byth bythoedd!)

Gallwch weld dros bennau pobl DAL. (Dim problem.)

Gallwch gyrraedd pethau sy'n uchel. (Hawdd pawdd.)

AC os cewch chi'ch ERLID i fyny coeden gan gi byth eto – PEIDIWCH Â PHANICIO.

Allai dianc ddim â bod yn rhwyddach (ac mae'n well na dringo coeden).

*Roedd Wendi'n cael ambell drît yn y Carchar Sgidiau.*

Yn y cyfamser …

Roedd Wilbert Wej ar ei wyliau ac yn mwynhau'r newyddion am gwymp ei efaill annifyr (ychydig yn ormod).

SGID YN GWNEUD
SHIFFLAD Y SGIDIAU

Pan oedd Liz  yn fach, roedd hi'n hoffi tynnu lluniau a pheintio a gwneud pethau. Roedd ei mam yn arfer dweud ei bod hi'n dda iawn am wneud llanast (sy'n dal yn wir heddiw!).

Cariodd ymlaen i dynnu lluniau a mynd i goleg celf lle cafodd hi radd mewn dylunio graffeg. Gweithiodd fel dylunydd a chyfarwyddwr celf yn y diwydiant cerddoriaeth  ac mae ei gwaith llawrydd wedi ymddangos ar lawer o gynnyrch.

Mae Liz yn awdur-ddylunydd nifer o lyfrau, ac mae ei chyfres TWM CLWYD  wedi gwerthu miliynau o gopïau ac ennill nifer o wobrau, yn cynnwys The Roald Dahl Funny Prize, Waterstone's Children's Book Prize a Blue Peter Book Award.

Mae ei llyfrau wedi eu cyfieithu i 45 o ieithoedd ledled y byd.

Ewch i'w gweld yn lizpichon.com

Draw atat ti Liz Pichon …
Bydd yn gyflym, mae o'n llyfr hir.

Reit, i ffwrdd â fi …

(Dwi eisiau diolch i lawer o bobl.) I ddechrau, diolch ENFAWR i fy ngyhoeddwr, Scholastic, sydd wedi gweithio mor galed ar y llyfr hwn. Catherine Bell, Miriam Farbey a Dick Robinson. I fy ngolygyddion gwych, diolch am eich amynedd a'ch LLYGAID BARCUD: Sam Smith, Lauren Fortune, Abigail McAden, Genevieve Herr a Pete Mathews. I'r bobl celf gwych: Andrew Biscomb, Jason Cox a fy chwaer Lyn (wnaeth fy achub fel arfer!). Diolch i Hannah Love, Penelope Daukes, Toni Pelari, Claire Tagg a'r holl dîm am gael y llyfr ALLAN i'r byd. Diolch ENFAWR i fy asiant gwych (ers dros 20 mlynedd), Caroline Walsh. Cariad MAWR at fy nheulu, wnaeth fy ngoddef pan oedd y dyddiad cyflwyno'n agosáu. Mark, Zak, Ella a Lily – dwi'n eich caru chi'n fawr. xxxxxx

# Cadwch eich LLYGAID BARCUD ar ragor o lyfrau TWM CLWYD!

WAW!

Cymaint

o lyfrau.

**Beth am ddarllen**

# DYDDIADUR DRIPSYN?

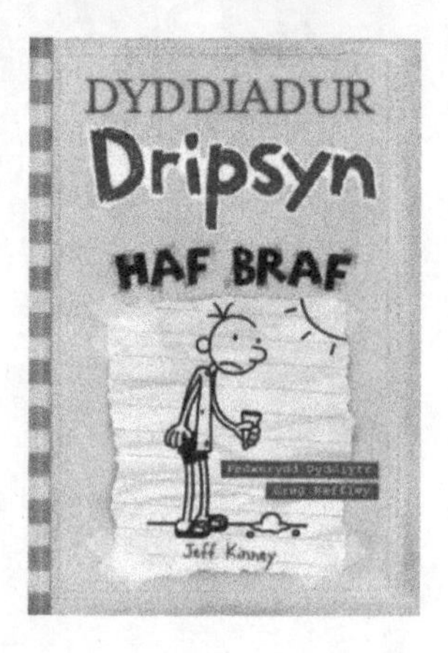

DYDDIADUR
Dripsyn
STORM EIRA
Jeff Kinney

DYDDIADUR
Dripsyn
Y GWSBERAN
Jeff Kinney

DYDDIADUR
Dripsyn
HEN DRO!
Jeff Kinney

DYDDIADUR
Dripsyn
Y TRIP
Jeff Kinney

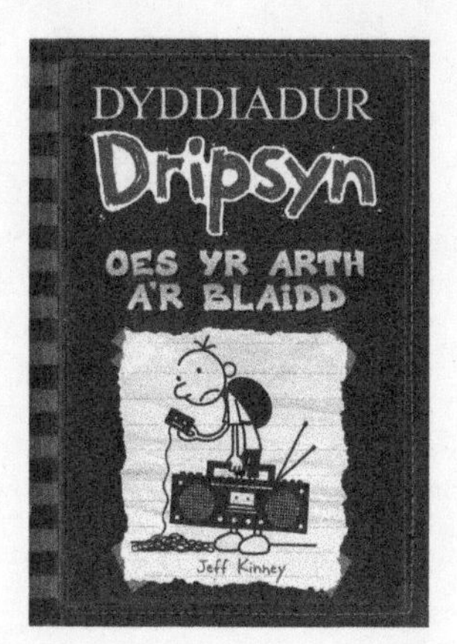
DYDDIADUR
Dripsyn
OES YR ARTH
A'R BLAIDD
Jeff Kinney

# Dathlu Roald Dahl gyda Rily

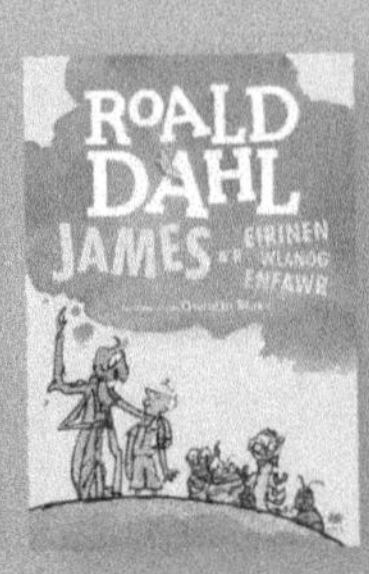

**Cerddi i blant ...**

**ac i blant oedran uwchradd ac oedolion**